飘飘欲仙

Piaopiao
Yuxian

柳暗花溟 著

下

青岛出版社
QINGDAO PUBLISHING HOUSE

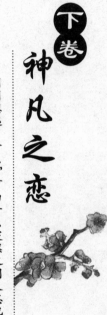

下卷

神凡之恋

明明想起了什么，可为什么突然之间又忘记得更加彻底了呢？如果说，她的记忆是纷乱的、充满各种颜色的，那么现在就是突然变成了一片黑暗。

秘境确实是打开了，从山谷中就能听到妖兽的吼叫声，以及法术的碰撞声，不知又有多少修仙者闯进这个地方，最后又不知有多少人永远留在了这里。

暴雨下了三天，雨水就像不要命似的泼洒下来，令乐飘飘以为会发生山洪或者泥石流什么的，结果却连大面积的积水也没有。第四天天气放晴，她带着大吉、大利漫山遍野地逛，想把这五十年踏遍的每一寸土地都再走一回。

人非草木，加之她天生就是个重感情的，一个杯子用得时间长了都舍不得丢掉，何况生活了那么多年的地方？虽然感觉每天不断重复，时间就像停止了似的，可到底生出了家的感觉。

她的第二个家。

第一个家是皇庄，是他们二仙门。第二个家是这里，画不成山谷。至于前世，她没有什么可以留恋的，除了记忆以外。

"主人不必伤感，此谷千好万好，就是没有肉吃。连蔬菜也没有，就是些瓜果和豆子什么的。"大利劝慰着，好歹尽了回灵宠的心。

"主人收集了好多种子，回家后要种起来呢。"大吉很兴奋，也是想家想得狠了。

乐飘飘把这话听在耳里，心中莫名地生出些近乡情怯的感觉。五十年，山谷中修仙是眨眼间，外面却是什么光景呢？

万一师父们以为她死了，弄个衣冠冢啥的……不知本门的掌门换了没有，她突然活着归来，会不会引起领导班子的变更，从而导致因夺权而产生什么不安定、不团结事件？甚至，二仙门的人还在村子里生活吗？燕大哥、洛城东怎么样了？

"就是，这里没肉吃，实在太素了。"为了压制内心的不安，她顺着大利的话说，"我又从来不吃天上飞的，要是有只兔子就好了。"其实，她是因为大吉才不吃鸟类的。它觉得能飞的、长羽毛的都是它的近亲。

乐飘飘正说着，就见被雨水浇得碧油油的短草丛中闪过一抹白色。她蓦然停下脚步，身后的大吉、大利未提防，一时刹不住脚，差点儿撞到她身上。它们循着她的目光望去，也惊呆了。

兔……兔子！

主人你不是金口玉言吧，说什么来什么？两只灵宠互望一眼。在这个破地方待了五十年了，从来连根兔毛都没见过，这要走了，居然就看见一只，小是小了点，但居然是活的！

这个地方还真是奇异，不管它们走了多少遍，还总有看不到的、听不到的、想不到的！

那兔子只有乐飘飘的巴掌大，毛茸茸的，浑身雪白雪白，只在耳朵尖、四爪尖、尾巴尖有一抹黑毛，一对眼睛如红宝石一般。此时，它正以"大"字形整个趴在地上，短小的四脚伸展，大约看到有人来，只有头翘起，像是正在伸懒腰，其实却是僵在当场。

娘的，萌死了！

乐飘飘立即两眼冒星星，管它是哪儿来的，抓起来再说。于是她纤指一伸，"抓！"

大吉倒还好，化身为猎鹰，飞到半空，俯冲而下，摆足了空中缚兔的造型。大利却像一只脱了缰的野狗，嗷一声就冲过去。怎么看怎么猥琐，仿佛某恶少的爪牙见到美丽少女，得了令，于是虎扑上去，若是再配点淫笑就更贴切了。

可兔子是一种跑得很快的生物，特别是山谷中的动植物都是特有的灵性品种。加上它不知是从哪里钻出来的，比较熟悉地形，三蹿两蹿的，不仅抓不到，还有逃走的趋势。

"我要我要我要，快想办法！"乐飘飘向前伸着手。

灵性小兔子，她不能入宝山，却空手而归啊。她在这里待了那么久也没发现什么，临走出现了转机，这就是天意。不顺应天意是会被雷劈的，所以她一定要得到这只兔子。

"大吉、大利，声波攻击。"她又叫一声。

两只灵宠会意，骤然停止追踪，立即开唱开跳。这一回，它们默契地没选平时那种欢快活泼的曲调，而是……怎么说呢，乐飘飘是金丹修士了，又是它们的主人，天然就有抵抗力，但她还是感受到歌曲和舞姿中的凄凉伤怀。

而那只小兔子就更倒霉了，本来跑得很快，被大吉、大利有心神控制作用的歌舞所袭，越跑越慢，最后竟然转头向后，哭得眼泪吧嗒吧嗒掉，哪还有力气逃？

乐飘飘两三步蹿过去，想把它抓起来。可大利更快，咚一声跳过去。接着，惨叫着猛甩龙爪，可那小兔就吊在它的爪子上，两只兔牙狠狠相扣，大利怎么也甩不掉。

"它生气了。"大吉很好奇地瞪大黑豆子眼。

"它大概误会我要吃它了。"乐飘飘抓抓下巴，想起刚才提到了肉类食品什么的。

大利在一边直跳脚，"放开！放开！你是兔子还是乌龟，咬着就不撒嘴啊。快放开！哎呀疼死我了。主人，快帮我。呜呜呜……"

乐飘飘也怕大利被咬断手指，变成残废，连忙揪住兔子耳朵，威胁道："放开，不然三昧真火烤兔肉。有本事你继续，小爷我最受不了人家跟我要狠！"

她觉得这小兔子听得懂她的话，结果它还真就听懂了，犹豫了下，松开了嘴。大利的身上长满龙鳞，就算它年岁不够，但也是很坚硬的，乐飘飘有时候还威胁说，要揭了它的鳞片做盔甲。可此时，它的爪子却被咬得流血，疼得它哼哼叽叽。

兔子牙什么时候这么厉害了？

乐飘飘顺势提起小兔子，另一手还体贴地托着它的小屁股，只觉得那短而圆的尾巴手感超好，忍不住就抓了两下，没想到居然搔到它的痒处，害它不断扭动身子。那小模样，虽说刚才作了恶，可就让人生气不起来。

还是那个字，萌啊。

再细看，它额头正中的白毛上有个黑色的小月牙，登时令乐飘飘想起那句脍炙人口的有名唱词来：开封有个包青天……

"现在我宣布，从今以后，你属于我。名字就叫……就叫包小妞吧。你是女的吧？"

包小妞明显不答应，继续剧烈扭动。可是小样儿的，小爷我是金丹修士，一只小小的幼兔还能逃过我的手心？！

乐飘飘露出欺侮人的快乐笑容，伸手从腰后拿出山河悬匣，把包小妞扔进去，又对大吉、大利说："你们也进去，不许虐待它，但好歹拿出点老大的威风，调教一下它。一只兔子也咬人，那牙跟金刚钻似的，唰唰冒寒光，怎么得了！"

"我是一时疏忽，不然它怎么可能伤害到我。"大利捧着爪子咬牙，"放心吧

主人，我一定好好调教它！"

"主人要收了它吗？"大吉一边往匣子里爬，一边问。

"我还没想好，要是你们争气，我就收了它，给你们当小弟。"乐飘飘心情大好，到底是从画不成山谷中得到了点活物回去，不算白来一趟吧。

至于大吉、大利怎么和包小妞"沟通"，就不是她操心的了。身为领导者，不能事事亲力亲为，否则还不得累死？要学会管理和使用手下。不管什么年头，团队才是最厉害的。他们二仙门，走的就是团队路线。

第五天，百里布终于带着乐飘飘飞离了山谷。秘境内不能驭器飞行，所以出了谷口上方的范围，他们就只能用腿走了。

转了一圈后他们才发现，他们所处的地方虽然还在秘境的深处，但绝对不是秘境中心那么变态的地方了。再者，现在百里布的修为深不可测，乐飘飘结了金丹，两只灵宠也修为大涨，对付起妖兽异花就容易多了。

走了没多远，他们就感觉地面震颤得厉害，凑前一看，两只像兽和两只像犀牛的三足怪兽正在围攻一个男人。

那男人的身材异常高大，看样子也是金丹期的修为，身上穿着一件青灰色的布袍，式样和材质都很朴素，一头浓密的墨发在脑后梳了个简单的马尾，利落而简洁，浑身上下透着一股子豪迈矫健的气息，于是那朴素就被衬出一股子漫不经心、什么也不放在眼里的气派来。

他一人力抗四兽，看似落了下风，却没有败势。乐飘飘本来打算看热闹，但当他转过身来，当她看到那张英挺异常的脸时，她的心就揪了起来，掺杂着狂喜和担忧，久别重逢的喜悦和难以置信的思念，令她就要跳过去帮忙。

"退下。"百里布拉住她。

"那是我三师父。"乐飘飘望着无迹的身影，泪花花的，"他来找我了，他一定是来找我的。"

"孤认得他。"

"那殿下还不让我帮忙？"乐飘飘急道。

"帮忙？"百里布讽刺地弯弯唇角，"你只会添乱好吧？"

"殿下，不带这么埋汰人的。"乐飘飘气呼呼的。

可还没等她再说什么，百里布的身形已经跃了开去。

哼，早说啊，早说你帮忙，我当然不浪费力气。乐飘飘腹诽着。虽说她的修为五十年来突飞猛进，但因为是独自修行，所以打斗的技巧严重不足。

而那边，无迹本来就能力不差，再加上一个修为深不可测的百里布，三两下就解决了四只妖兽。这时，乐飘飘才敢喊叫出声，飞奔过去。

因为太高兴了，她直接投入无迹的怀中。

师徒俩抱头痛哭。

无迹是真情流露，乐飘飘是现代灵魂，适当的肢体表达十分自然，而百里布冷眼旁观，十分不爽。

虽说是师徒，但无迹的年纪跟他差不多，和已经成年的女徒抱来抱去，成什么样子！

不过感情井喷的二位没有丝毫的意识，完全把其他人都当成空气，徒留百里布一个人站在原地练习杀人眼波。

片刻后，无迹盘腿坐在一处干净平整的草坪上，把自己的衣服铺在旁边，让宝贝徒弟挨着他坐。乐飘飘还赖皮赖脸地倚在无迹的肩膀上，事实上跟窝在无迹的肩窝处差不多。

她的娇小，他的高大，形成奇异的美感。乐飘飘那小鸟依人的样子，是百里布从来没见过的，简直晃花了他的眼。她平时不总是嘎坏嘎坏，又粗鲁又好色吗？怎么可能这样乖巧温柔？

"三师父，你怎么来了？"乐飘飘笑眯眯地问，脸庞上都似笼着一层光，明丽不可方物。

"自打上回秘境开时，你被人流冲进去，我和你大师父、二师父就一直守在外面。岂知……岂知你竟没有出来。"现在想想，无迹还有些后怕，伸出手轻轻抚在乐飘飘的头上，然后习惯性跑题，"咦，五十年了，你的头发我估计得长到拖地长了呀。"

"太长了洗起来麻烦，又坠得头皮疼。"乐飘飘不在乎地挥挥手，"借了太子殿下的刀，一年割断一回呢。"

现在，她的头发依然只长及腰。就这样，她也不太会打理，毕竟在现代时是短发，到了二仙门又一直是紫墨帮她梳头。后来她落了单，就一直随便绑着麻花辫子，唯一的花样是有时候梳一条，有时候梳两条。

"割下的头发留着没有？"无迹问，"身体发肤，受之父母，不能随意丢弃的。"

"放心，收在匣子里了。"

百里布实在忍不住了，咳嗽了一声，不然这两人不知会把话题歪到哪里。而他，本来想走开的，可偏偏又想听他们说什么，只得尴尬地立在一处，装出擦拭幽魂刀的样子，害得那灵的刀十分不舒服，总试图闪躲。

好在，他的提醒管用了，乐飘飘把话题拉回来道："没有看到我出来，师父们一定很伤心对不对？徒儿不孝，让师父们担心了。"

她没有告诉无迹，她怀疑可能是付采薇把她踢进秘境来的。这件事透着诡异，她需要私下调查。那女人贵为东尊，据说是顶尖的高手，而且声望很盛，若没真凭实据，她只有被继续碾死的份儿。

这五十年来，她也不是只傻玩的，细细想过不少事。十之八九，当初想抢她的神器，却被百里布、洛城东、燕北天合力杀掉的金丹修士就是付采薇的人。当初，他是附在自己的花狐貂灵宠身上逃的。进秘境前，那貂就在付采薇手上，后来还狠咬了她一口，那恨意……谁知道貂体里是人的灵魂还是动物的？

若是人魂兽体，或者那貂的灵性值高，付采薇就应该知道神器之事了。那她应该夺走神器不是吗？不该想让她死才对。她死了，神器可能会毁掉。但为什么呢？她一个三流门派的低级掌门，碍了堂堂蓬莱东尊什么事？让人家非要治死她不可？而她确实活下来了，可后面又会面临什么呢？

这么想，她倒真怀念在画不成山谷中的岁月，真是平静啊。虽然寂寞，但好歹还是活着的。不行，百里布必须巴结，必须死缠不放，因为她相信，他能保护她，是她的护身符。

心思支配行动，想到这儿，她转过头去，对着百里布讨好一笑。可她不知道，她倚在无迹的身上，有一种慵懒而闲适的美感，笑起来竟然妩媚妍丽，看得百里布心尖一颤。

"这如何怪你。"耳边，无迹宠溺的声音响起，"伤心自是难免，但我们绝对不相信你命丧于此。虽然，我们之中没有人跟你的灵识牵绊，可我总想，你若死了，师父一定疼得心如刀绞般才对。可是，我虽然急，却没有心疼，那说明你一定还活着。"

"然后哩？"乐飘飘拉住无迹的大手，摇他的手指。这事，五岁孩子都不做了，可这么被人宠着，她的智商迅速降低到三岁左右。

"我们知道秘境五十年才开启一次，只好先回二仙门，全体门人苦苦修炼，等再开秘境之时，就进来救你。"

"真的就没想过我会死在秘境中吗？这里面可是危机重重啊。"

无迹立即红了眼眶，"不敢想。"

捡到飘飘时，她快冻死了，好像才有他的巴掌大。那时候，他就把她揣在心窝里，一直用胸口那点热乎气温着。还有大哥和二哥，这么轮流着看护，这小女婴才活过来。可是她又呆呆的，除了吃饭睡觉，什么也不明白。但就算是白痴又怎么样？看着她像小花一样慢慢展开叶子和花瓣，那样娇嫩脆弱，却在他们三个兄弟的心中扎了根一样，妥妥地放在心底，柔软，并且不可触摸。

她是他们养大的，是他们的，从没有，以后也不会去想失去她会怎么样？因为不能！

"这样才对嘛。"看到无迹这山一般的汉子差点儿哭了，乐飘飘鼻子发酸，极力忍住，才没掉下眼泪，"以后不管我去了哪里，就算很久很久也没回来，师父也不要以为我死了。因为不管过了多少年，我还是一定会回来的。"

"师父信你。"无迹用力点头。

出了秘境，她很可能就要面临未知、隐藏在暗处，而且强大到无法抗拒的危险。她好像身处迷雾中心，太多的秘密没有解答，神器、紫发金瞳男、莫名其妙的敌意和被追杀……

万一，她真的为此付出生命，她需要提前安抚师父们。她说一定会回来，其实她也并没有说谎，穿越这种事既然有，轮回绝对也可能有。若她真的死了，欠师父们这么多，按照因果理论，冥冥中自有力量，仍会让她回到他们身边。

只是"一语成谶"这四个字，千万别落到她头上。

乐飘飘忽然感到发冷，为了驱赶伤感和不安的情绪，她开始吱吱呱呱地简略说了自己的经历，但略过水晶殿和山谷里的事，她总觉得这应该是百里布的秘密，不方便透露。然后，她又把师父们给的法宝都拿出来，显摆自己的修为提升，法宝开始如脱胎换骨一般。

无迹安静地听着，唇角挂着微笑，只觉得就这么看着徒弟说笑，人生就已经满足。而他那样高大强壮的男人微笑起来，显得特别温柔。

"……所以说，你徒弟我运气好。运气好的人，连老天也没办法对不对？我到了那么凶险的秘境中心，还幸运地遇到了太子殿下。说起来这五十年一直是殿下保护我的，还分给我好多妖元修炼，不然凭我的本事，早被吃得骨头渣子也不剩了。"

这是事实，但放在平时，她是不会说出来的。现在故意如此，为的是以后赖上某人方便。

无迹是个实心眼儿，闻言就感激到不行，对着百里布连施三个大礼。百里布习惯了别人对他叩拜，坦然就受了，倒让乐飘飘又为师父不值得。男儿膝下有黄金，太子殿下怎么了！她乐飘飘的师父，岂能轻易向别人低头？

"大师父和二师父呢？"最初的兴奋过后，她忙问。

"咱二仙门这回倾巢而出，连看村子的人也没留。不过昆仑掌门向天笑小气得很，只允许我们兄弟三人进来。你也知道，进秘境后全看个人造化。我琢磨着，我们三个都结了丹，若不是运气背到给扔到秘境深处，应该不会有大碍的。"

"三个师父全结了丹吗？我也结了。"乐飘飘兴高采烈，"人家一门四进士，我们一门四金丹，佳话啊佳话。哈哈。"

百里布闻言差点儿喷笑出声，暗骂一声笨蛋。

大门大派中金丹修士只是普通，中小门派也不止这个数目。但看这笨蛋的得意样，不知为什么，他心里也高兴起来。

"燕大哥和洛城东怎么样了？"

当乐飘飘问出这个问题，百里布立即竖起耳朵。

"洛城东二十年前养伤出关，知道你的事后非要先过了文定，说若是你在秘境中没了，他不能让你做孤魂野鬼，他要娶你做鬼妻。当时你二师父一听就怒了，差点儿把他打出去。说我家飘飘才没那么容易死，你若是没信心，也不配和我家飘飘结亲。于是这回秘境大开，洛城东第一个冲进来，认为美人嘛，自然要由英雄来救。他若知道是我先遇到你，还不气死了！"说着，无迹畅快大笑，自有一番豪迈风流之气。

乐飘飘哭笑不得，没想到人人称道的昆仑之星比他们二仙门的人还二。不过，她多少也有些小小的感动，那样顶尖的男子可以对她这样付出，虚荣心小小地满足了一下。这也算是生死相许了吧？虽然洛城东的情深不悔实在有点儿没有缘由。

"至于燕大人……"无迹转向百里布，恭恭敬敬地说，"当年他平安出了秘境，不知得了什么奇遇，后来也结了金丹。因太子殿下没如约而归，他很是焦急，先赶回了潼川，禀报给皇上后准备殉主。可后来皇上说，他有神念存于殿下身上，感知到殿下并无大碍，所以这回燕大人又入秘境，打算来亲自迎驾。"

听到所关心的人都无恙，乐飘飘算是真正安心了。

偷眼望去，百里布也似松了一口气。到底，他与燕北天情如兄弟，五十年不见，心中哪会不惦念呢？

"走吧。"他挥了挥手。

乐飘飘连忙拉着无迹跟上。

有过一次深入秘境的经验，就明白没必要往秘境深处而去。他们现在的位置不算靠外，这么一路往外走，所遇到的妖兽妖花什么的就足够练手的了。若真是深入，或者真以为时间是富余的，那就是自找倒霉。很多人永远埋葬在这里，就是因为抱着那些念头吧？不是每个人都如他们这般幸运，在秘境关闭、罡风到来之前，能及时"遇到"须弥界，并且找到山谷藏身的。

也不知是不是否极泰来、霉字当头的乐飘飘人品大爆发。本来被传送进秘境后，相熟的人遇到的几率非常小，她能见着无迹就非常幸运了，哪想到走出没多远，迎面就看到林子里先后钻出两个人，竟然是小一郎和凤九。

"我的宝贝！"凤九愣了瞬间就扑上来，拉着乐飘飘上上下下一通瞧，也不管身后还跟着两只巨型狮虎兽。

好不容易战场平静了，乐飘飘连忙问："您怎么和大师父在一起？"

"师父和师娘，可不就是在一起的么？"凤九梨花带雨地说。真是，一个男人长得雌雄莫辨、这么艳如桃李的，不是惹人犯罪吗？不过，他见到活着的徒弟一高兴，这脑子又糊涂了？

小一郎赶紧解释，"进秘境后本来也是分开的，但在前边又遇到了。没想到好运气还没有尽，在这边又看到你们。"他极力保持淡然镇静，也仍然白衣胜雪，飘逸非凡，不说话就看不出猥琐来，手中风流的折扇也摇着，但捏着扇骨的手指发白，嘴唇颤抖，显然也是激动非常。

"大师父安好。"乐飘飘施了个礼，却没有也给他一个拥抱，不然大师父的爪子又随处乱摸可怎么好。

乐飘飘被冷落良久，一直以女仆的身份存在着，现在三个师父都找着了，就如众星捧月一般，倒把百里布给孤立起来了。百里布黑着脸，看着三个年轻英俊的男人围着乐飘飘转，心里别扭极了，可偏生没有立场去管。

一行人继续往秘境大门处走，小一郎三人本就不是为了增长修为和寻找宝物而来，自然对打怪升级什么的不放在心上，结果弄得百里布就像前方开路的保镖，兽挡屠兽，妖挡杀妖，而他们师徒四人则跟在后面不停地说起离别后的事，时常发出突然的哄笑和惊讶的叹息。

这算是郊游吗？还是贵族狩猎？

百里布气不打一处来，后来干脆一直往外走，不在他行走路线上的精怪妖物就不理会，挡着路的就一刀砍倒，冷着脸，一个字也不说。

　　非人类总有强大的感应能力，它们被百里布身上强烈的杀气和彻骨的冰寒所震慑，于是，百里布所到之地，群妖退避，等他走过再呼啦啦地围殴后面的四个平凡金丹修士。

　　这下，师父四人就忙了起来。乐飘飘攻击力奇差，就是防御力强大，连忙驭着力士，保护她跑到百里布身边。她紧跟上他的脚步，后来见他不甩她，就干脆厚着脸皮拉住他的手。百里布试图抽手，结果反招得她双手都缠上来，只得作罢，任她握着，却不开口说话。

　　乐飘飘知道他是个别扭的男人，做惯了众人注目的焦点，被簇拥的中心，赶紧逗趣，过了一天一夜，才哄得他脸色稍霁。

　　没了乐飘飘的拖累，三个师父配合默契，虽然辛苦，倒也不太凶险。在约莫过了半个月之后，好运再次降临，他们遇到了前来迎驾的燕北天，情况就更加好转了。乐飘飘还听说，燕北天已经帮二仙门办好了修仙证，心里就更是高兴了。

　　相见之后，自是一番悲喜。小一郎还把乐飘飘瞎编的经历写在一本册子上，说回去后当神话话本卖，门人们免费赠送一本，能赚钱不说，还省得乐飘飘——向别人描述秘境之旅了。

　　乐飘飘看了小一郎写的书，竟然比她经历的还精彩，那文笔、那结构、那狗血，流传下去必定是千古奇书。

　　"孤男寡女的相处五十年，就没点别的事？比如带点颜色的？摸摸小手，搂搂小腰的也行。"小一郎悄悄问乐飘飘。

　　乐飘飘心里一热，想起和百里布那些经意不经意的身体接触，虽然没到那什么的程度，但暧昧总是很有些的。只是她脸皮厚，脸红之色透不出来，"大师父，正如您平时爱说的那句话：节操！注意节操！"

　　无迹在一边偷听到，立即拎了小一郎的领子往后拖，气道："告诉你啊，别满嘴胡话，我家飘飘不是随便的姑娘。你若再胡说，我把你的花花肠子都掏出来，兄弟也没得做。"

　　不知为什么，乐飘飘想起那句话：我不是随便的人，但随便起来不是人。然后脑海里就冒出百里布半裸的模样，乐飘飘不禁心如鹿撞，觉得特别对不起无迹。

　　凤九也护住乐飘飘，好像多跟小一郎说半个字都会学坏似的，离得远了，才叹气说："飘飘，人非草木，相处久了，都会产生感情。可你要记着，出了这个秘境，你们就不再是一路人，很多事，想想就算了，不要当真。"

　　他说得很认真，绝美如玉的脸上居然有一种悲悯，害得乐飘飘的心直接沉下去。好像胸口中有一汪黑色的海洋，什么都淹没了，留不下来。

"二师父，呃，师娘，我……我没有，我和太子殿下没有什么。"不知为什么，她解释。

可是，真的没有什么吗？是没有实质的东西，但心里呢？没有变化吗？还是正如凤九所说的那样，出了秘境，就把所有温柔的事，都忘掉吧！

不管怎么说，五十年弹指一挥，一个月更是眨眼即到。出来时，秘境大门开启的时间没有那么紧迫，大约有一炷香时间。秘境之外，很多人在等待，令乐飘飘想起高考出考场的场景。

事实上，今次等待的人较之以往多了很多。因为二仙门不相信掌门人死在秘境中，所以全门的人这回都来寻找了。再说，当年大秦太子殿下命殒的说法曾经轰动一时，但大秦皇帝百里松涛却根本不为所动，一个月前也派了一支军队来迎驾。

天下修仙者均满心疑惑，他们不相信有人被困在秘境中五十年还能出来。

当百里布和乐飘飘走出秘境大门，除了二仙门的门人和大秦的迎驾军队狂喜万分外，其他人都震惊了，包括昆仑掌门向天笑和四大天尊。

"大不同啊大不同。"南尊布缕衣眼中光芒微闪。

"反常即为妖，人间才休养生息了五百年，难道又要大乱了？"北尊狄人杰皱眉。

"自秘境存在，几千年都没有过这种情形。"西尊朱俊仍然是冷冷的，又转过头来问，"东师妹一向足智多谋，你怎么看？"

付采薇脸上看不出喜怒，怀中抱着一只温驯的小貂，有一下没一下地轻抚着，"我只是个女子，凡事全听三位师兄吩咐罢了。只是……虽然几千年来没有人能在罡风肆虐下活着出来，可你们别忘记，五百年前，那魔头大闹秘境，却是在秘境关闭时期强行闯入的。"

"那个预言是真的吗？"南尊叹息，"龙印现，天下乱。"

"不管怎么说，先密切注意，再想对策吧。"西尊朱俊也叹了口气，冷如冰霜的脸上，流露出既慈悲又无奈的神情。

此时的乐飘飘和百里布并不知道这些，只是被向天笑请到昆仑主峰白首峰上去，被十几个大门派的掌门，询问秘境中的情况。

百里布不爱说话，而各大掌门虽然客气，却终究有审讯的感觉，所以他一言不发。好在乐飘飘这时候起到了缓冲作用，团团行了个礼，恭敬地说："我与布殿下恰巧遇到，能活下来也是上天垂怜，全凭的是运气。若不是误撞进一个上古大神留下来的结界中，今天肯定没命站在这儿了。具体细节，我已经禀明我大师父，他全部记录在册，请各位以仙法拓印下来，一看便知。若要我说，只怕三天三夜也说不完。而太子殿下急着回报我们大秦的皇上，身为子民的我也要随行，就不多留了。"

"小丫头，修为精进不少啊。"向天笑温言道。听着是赞赏和鼓励，但也是怀疑和疑问。

乐飘飘连忙道："结界中灵气充沛，妖兽众多，我追随布殿下猎妖兽、炼妖丹，又心无旁骛地潜心修行，进境确是一日千里。如今，我已经结了丹了。"

周围全是大能者，既然看得出她的修为，她也没必要瞒着。而这番话的另一层意思是，他们可能夺宝，并藏在身上，但结界却不能随意占取，若羡慕他们修为进步快，有本事自己进去找结界。只怕，没那个命活下去。

在坐诸人谁不知道她话里的意思，明知道她的话不尽详实，却也无太大漏洞，不好继续追问。再者，别说他们身上还没有什么宝器，就算有，谁有本事从秘境中得的，自然归谁，旁人眼红也没有办法。要抢，就要掂量掂量实力，还要做得神不知、鬼不觉。退一万步说，也得顾忌百里布的实力。

百里布乃一国储君，修仙者再不把凡人放在眼里，也得顾忌他那身为修仙者，而且拥有修仙者军队的皇帝爹。而他们，居然探知不出百里布的修为，恐怕……很强了吧？

百里布和乐飘飘急着回去，既不要昆仑的奖励，更不参加之后的修为切磋大比，向天笑没有借口强留。所以各掌门拓印了取名为《乐飘飘历险记》的仙册后，百里布和乐飘飘就客气地辞别。而两人才走出议事堂，还没下台阶，就有一条人影扑了上来。

无迹和凤九反应非常快，左右夹击，挡在了乐飘飘面前。

"飘飘，你没事吧？刚才也不等我，我追上来时，又被关在外面，好不容易等你出来。飘飘，你真的没事吗？"那人不死心地喊，从凤九和无迹的肩膀间奋力伸出爪子，看起来像上演生死离别似的。

望着洛城东，乐飘飘不是不感激的。她不是没良心的人，何况人家为了救她，受了重伤，闭关了三十年，以至于错过了上届的昆仑论剑仙会。只是，他的热情，她有点儿承受不来。

"洛道兄，我完全没事，你放心吧。大恩不言谢，上回你舍命救我，飘飘记在心里。"乐飘飘尽量温和有礼，却绝对不掺杂半点儿暧昧地说。

"飘飘，为了你，我愿意去死。"洛城东正色道。

好吧，这算当众表白。好吧，她不是羞涩的古代少女。好吧，她感谢好意。但是，他能不能不这么嚷嚷？嗓门大到全白首峰的人都听到了。

"洛道兄，你不必为我去死，好好活着，方为上上之人。如果以后有用得着我二仙门的地方尽管说，二仙门上下必赴汤蹈火，在所不辞。今天，我们先告辞了。"她故意把话说得冠冕堂皇，就是把他们之间的关系扯到公对公、昆仑派对二仙门上。

她自认为在这种情况下，她这样处理是最好的。然而，身后却爆发出一串爽朗的笑声。

"不愧是我昆仑弟子，敢爱敢恨，敢于说出口。这样心无杂念，坦坦荡荡，绝对不会因此形成心魔，对道心和修行有益，前途无量，本座看好你！好，不错！不错！"

乐飘飘差点儿炸毛。

这都什么人哪！不仅为老不尊，而且不管什么事都扯到道心的修炼上，太职业病了吧。

"这是西尊朱俊，昆仑派的太上老祖。四大天尊，都是面临渡劫升仙的大能者。西尊的修为更是其中最强者。"小一郎凑到乐飘飘耳边解释。

哪想到朱俊的耳朵很尖，隔着十几丈，居然听到了。他的目光停驻在小一郎身上，有点儿诧异地道："你知道我是谁？小小的门派，竟然也有人认得我么？"他轻笑，态度傲然。转身离开时，步间有如凌波虚渡，仙气凛然。

一众昆仑弟子及外派高层人士没想到堂堂西尊会突然现身，那可是等闲人见不着的超级大人物啊，顿时激动不已，呼啦啦跪了一地。这样一来，就显得没有跪拜的二仙门人突兀至极。

朱俊无意中回头，看到小一郎、凤九和无迹，心头突然打了个颤。这几个人很熟悉啊，可又确实不认得，只是感觉上……很像三位故人。而那般人物，又怎么会是一个不入流门派的门人？看他们的修为不过金丹，却如明珠蒙尘。倘若那尘土尽去，不知又是什么样的潇洒风流。

二仙门，有意思。看来，需要密切注意才行。

朱俊一走，洛城东第一个蹦起来。

对他追求乐飘飘一事，很多门人不以为然，甚至嘲笑或者觉得耻辱。毕竟，乐飘飘只是一个才成立了五十来年的小门派掌门，而且门派水平很低。可今天，堂堂西尊竟然表扬了他，那以后他要娶乐飘飘，多少也算是奉天尊谕了。

"飘飘，你要回家吗？不如，我跟你一起回？"洛城东想握住乐飘飘的双手，但见她目光一闪，只好缩了回去。

"你干吗要和我一起回？除非你加入我们二仙门，叛离昆仑派。"乐飘飘笑眯眯地咬牙。

"那……那可不行。"洛城东虽然对乐飘飘正抱着极大的热情，但还没丧失理智。

"既然如此，先告辞了。"乐飘飘说完就走。

洛城东紧紧跟在后面，"飘飘，我是真心要娶你。"

"为什么是我？"乐飘飘停下脚步，半转过身问，"就因为我拔出了你的凌绝剑？你不觉得这个理由太勉强了吗？"

"我喜欢你。"

哗！身后的二仙门人低声惊呼，乐飘飘也觉得脸上发烧。仁兄，你太直接了好不好？而且当着这么多人的面表白，本来很美好的事情，结果变得很……众目睽睽。

"我们没见过几面，所谓的喜欢，只是你的错觉。"乐飘飘很佩服自己在这一刻的冷若冰霜，"如果说因为拔出了凌绝剑，别忘记，我们布殿下也拔出来了，难道你也想娶他？或者我们一起嫁给他？再或者你们一起嫁给我？"

"他是男人！"洛城东被堵得没话说，只有这本能的一句。

"谁说男人不能嫁给男人？谁说女人不能娶男人？"乐飘飘一摊手，"这样，你先搞清楚为什么布殿下也拔得出你的剑，然后我们再讨论命定之说好不好？现在我真要走了，我离开五十年，门内事务多得像大山，我得处理啊。"

小一郎一听，立即上前，配合得极好，"掌门，正要请您示下，咱们这窝小鸡养多少只，又配几只公鸡呢？听说兔子繁殖力很强，不如养一批，兔皮可做衣服，兔肉还能吃。还有，明年的地，咱们是种苞谷呢，还是水稻？"

一堆话，虽然上不得台面，但他们二仙门就是一群种地的农民，立身之本不能忘。不过她五十年没在，难道门人就不种地？这时候问这些真傻哎，大师父就不能问点有营养的？再说，苞谷和水稻是在一种田里种吗？连她这五谷不分的人都知道。太丢人了！

洛城东看着乐飘飘走远的身影，怔然出神。因为拔出剑才要娶她吗？当初是的，可他自从见到她就开始日思夜想，见面虽然少，但日日夜夜就像在一起似的。那样……难道不是喜欢？但她说得对，百里布也能拔出他的剑，他要弄明白是怎么回事。

而乐飘飘好不容易打发走洛城东，自然不敢多留。走到一半时，突然想起要跟百里布一起回潼川，走散了可不好。蓦然回头，却发现他一直跟在后面，步子不疾不除，脸上却挂着寒霜。

这么凶干什么？就算离了山谷，再入尘世，他也不必摆出那么疏离的样子吧？还是燕大哥好，虽然久别重逢的喜悦没有表现得太激烈，也没时间多和她说几句话，但那眸子中的体贴关心却那么深切，让人打骨头缝里感觉温暖。

找男人就要找这样的，恒温！不像某人，热得烫死人。也不像某人，冷冰冰得冻死人。

到了白首峰下的广场，就可以驭器飞行。

迎接百里布的军队只有三十人上了山，其余全在迎仙镇外驻扎，这三十人仍然乘坐那种像是八橹巡逻舰似的飞行铁船。而二仙门人，有了上回的经验，回家后炼器组就刻苦研发了飞行器，当四大长老除了夏凝风村长外的其他三人都结了金丹，炼了几回就可以驾驭了。

选择可驭之飞行器时，一般是选仙剑，毕竟修仙者中以剑为武器的人占了八九成。有一部分人，会炼制与自己相关或者熟悉的器物。等二仙门的飞行器上天，乐飘飘恨不能找个地缝钻进去。竟然……竟然是镂空的农作物造型。

比如现在，她就是趴在一个茄子里，气得脸都紫了。

不过转念一想，乐飘飘又释然了。

二仙门就是这样的门派，淳朴、自然。就让其他门派摆架子、苦大仇深去吧。他们不就是要快乐修仙吗？

第十八章
吻

　　在迎仙镇中休整一日，第二天一早，大队人马开拔，目标大秦国都——潼川。

　　燕北天和几十名贴身铁卫随着百里布走在队伍中央，出了昆仑的地界就树起无数旌旗，使这支队伍看上去就好像是得胜归来似的。

　　乐飘飘只能看到百里布高大笔直的背影，不管是朝阳的灿烂和落日的余晖，都令他看起来像远在天边似的，根本就无法接近。

　　乐飘飘归心似箭，虽然全体门人都来了，但她却十分想念那个小山村，再者她带了好多画不成山谷中的仙种来，迫不及待地想知道能不能种出什么。可惜，百里松涛要这个排场，迎太子大驾的队伍虽然行军速度很快，到底不是修仙者那样飞，足走了快一个月才到潼川。

　　百里松涛亲自到西门迎接，文武百官相随，那场面……活了两辈子，乐飘飘是第一次见到。

　　虽然她之前也常在皇宫里晃荡，却很少见到大秦的这位皇帝，当然也没细致观察过他的容貌。此时远远看去，是一个年约五十岁的中年大叔，眉骨上有一道深深的刀疤，一身明黄龙袍，个子很高，只比百里布矮一两寸，相貌威严，不怒自威，颔下留着修剪得整齐的短须，不苟言笑的样子。

　　那边，百里松涛见到迎驾的仪仗临近，竟亲自迎上来，激动和欣喜之情，无法掩饰。而百里布见状，也是立即下马，群臣、众将士、围观的百姓忙忙地跪了一地。

　　离得远，修为浅，乐飘飘听不到那父子二人说些什么，偷偷抬头望去，只见百里松涛携了儿子的手，一脸慈爱，弃马改乘皇帝华辇，被簇拥着起驾进城回皇宫。

　　不知是不是错觉，她看到百里布回过身，向队伍的尾处深深看了一眼。是在寻找她的身影吗？她心里一涩，却又苦笑。怎么会？肯定是望向来时的路吧？这一刻她突然明白了凤九的话，隔得天差地远，还是忘记吧。

兴许百里布根本就没在意过，山谷中的岁月对他来说也根本不值一提。他们彼此，只是对方的生命坐标，因为被困那五十年，要用对方来证明自己还活着而已。

不然为什么一路行来，百里布再没看过她一眼，也没有召见她。山谷的生活，不过是梦一场啊，比梦还要了无痕迹。那些不经意间的友好、软弱、温柔，甚至是相濡以沫，全是虚幻的气泡，一旦遇到现实的世界，立即就破碎了。

心里好像有什么在滋长，却又被生生拔掉似的。乐飘飘努力忽略，用力甩甩头，想把一切相干的或不相干的都抛却。身边，凤九伸出修长温润的手掌，紧紧握住她的小手，虽不说一句话，却是无言的安慰。

乐飘飘自嘲一笑。那样的环境造成了她对地位认知的模糊吧？虽然在她心里，没有什么等级阶级之分，可现实却不是以她的意志为转移和改变的。

"回到村里，可别吓坏哦。"凤九低声说道，温热的嘴唇碰了下乐飘飘冰凉的耳朵。

"你们重建了？"乐飘飘麻得一哆嗦，就此转移了注意力。

伤春个你妹的悲秋啊！那情绪不适合她。不就是不合时宜地产生了点粉红色情绪吗？好在还没有转化成不该有的感情，那就该干吗干吗去。人不糊涂枉少年，看明白了，转头各走各路就是了。

随着众人起身，她的心已经平静了。伤口小，好愈合，几天就能长好。她很看得开，立即就要回村，急得非得驭器不可。反正二仙门已经有了修仙证了，一切就光明正大地来。

当看到二仙门那两座能隐藏灵气的小山时，乐飘飘的眼眶顿时湿润了。前生，她是孤儿，虽然有个小房子，却没有家。这一世，她终于有了家。二仙门就是她的家，门人就是她的亲人。

"咦，还有门楼。"乐飘飘喜得小脸发红。

小一郎和凤九对望一眼，心口都是一松。无迹那个徒奴只知道高兴，他们俩可是发现了徒弟和布太子之间那点小小的瓜葛。

这也不能怪飘飘，她和布太子那样的绝顶人物相处了五十年，不生出点别样的情绪就怪了。幸好布太子还算正派，没有在秘境中把飘飘咔嚓了，不然现在说不定拖大带小，性命只怕也会堪忧。

百里松涛此人心智坚毅，行事刚愎，相当注重皇族血统，偏偏百里布特别孝顺，从不违逆父皇的意思。若让那老家伙知道自己的皇太孙是一个民女所出，估计孩子、大人都没有好处。皇家，杀妻灭子的事实在平常。

所以，分开好！

"哇，这还是我们二仙门吗？"身边，又传来乐飘飘地惊叹。

"怎么样？大师父我亲自设计，二师父亲自督造，三师父亲自运用的土行之力，全村人共同努力才得来的成果。"小一郎上前，爪子从乐飘飘的肩头，滑向她的纤腰，被无迹一把拉掉。

乐飘飘太震惊了，根本没有注意到这些小动作。

她离开时，虽然村子的生活改善了，但大多是零散的屋子，好一点的，像他们家，是石头屋。差一点的，像淮铁匠家，是草屋。可现在，一水儿的青砖大瓦房，而且布局零而不散，互相守望，中间以各色果林和干净青石板的小路分隔，显然借助了阵法。

那两座小山包，郁郁葱葱，格外喜人。因为已经近五月，大片庄稼地里也可以预见是丰收的景象。村中各色花朵第次开放，芳草萋萋。此时的二仙门虽然仍无大门大派的仙家气象，田园之美却是令人沉醉其中，也是别家没有的，平凡但甜美温馨的气息。

"咱们家在哪儿？"乐飘飘往远处眺望。唉，真好，从贫困村变度假村了。

"村中央最高那个就是。"无迹看乐飘飘喜欢，自个儿也高兴，"村长，呃不，夏长老说了，掌门自然要住在中央地带，还得住得最高，所以村里全是平房，你住的却是三层小楼。还有啊，村外的竹林子和松林子都是按阵法重新栽种的，等闲人也进不来，真真有修仙门派的意思了。"

"可惜我这个掌门连东西南北也不分，进了阵就更得晕了，赶明儿配给我一个专门领路的吧。"乐飘飘笑着说，拉着无迹就往里闯。

她要忘记，她要改变，她要快乐的生活。而此时在皇宫中，却是另一番景象。

路上，百里布已经把这五十年的经历对父皇略说了个遍。不知出于什么心态，他也隐去了山谷及五龙渊的事，只说在水晶殿中困了五十年。最后水晶殿毁坏，他才能出来。

百里松涛知道儿子从不对他说谎，因而深信不疑。但还是问："那个女子，二仙门的掌门乐飘飘，一直与你在一起吗？"

听到她的名字，百里布的心骤然停跳，但片刻间又强行恢复。

"无意中遇到的。"他表现得很平静，压抑着心神不要乱，不要被父皇感知到，"她机缘很好，这回得了些修行上的好处。在被困时是她待候儿臣起居，如此而已。"幸好，他的修为已经高出父皇，不会被探知到异常。

"真的？"

"儿臣何时骗过父皇？"百里布眼神认真。

百里松涛沉吟一下，"并非父皇多此一问，只因你从小性情清冷，目下无尘，可上回北天回来之时，特意给那个二仙门申领了修仙许可证，说是你亲自吩咐的。之前……听闻你冒着生命危险把她从一只狐妖王手中救出。"

"那件事啊。"百里布淡然一笑。

他早知道从狐妖乱手中救出乐飘飘这件事，是瞒不住的。北天他绝对信任，但那场乱子很多人看到。就算他的贴身铁卫以性命捍卫他，到底也是忠于父皇的，肯定会漏出风声。所以，他没有特意吩咐封口。从他五岁记事起，父皇与他亲密无间，小矛盾有，但大事上，他从不会违背父皇之意。多此一举的话，不但隐瞒不住什么，还徒增父子之间的隔阂。

但，他也早想好怎么回话了。虽然对父皇撒谎令他很不舒服，但他不想那个丫头惹上麻烦。

她已经有意无意闯了那么多祸，就让她安心做她的小掌门，小村姑，无忧无虑地活下去就好。

"救她，是因为我大秦子民不能任意被欺凌，哪怕只是小小的民女。当时在昆仑脚下，多少双眼睛看着，关乎道义，关乎为君的风度，儿臣没有选择。"他很镇定。确实，当时有这个原因，虽然并不是主要的。

"做得对。"百里松涛点头，"我父子既有雄心踏平七国，义之一字当要树起。"

"是。"百里布微微垂下双目，"只是儿臣低估了那狐妖乱的修为，陷进他的结界，还是乐飘飘用她奇怪的法门破了结界。说起来，算是救了儿臣一命。儿臣要给予赏赐，她求儿臣赦免他们二仙门的罪过并被允许修仙，儿臣既应下，自当做到。所以，北天才会如此。"

"那个姑娘，如此有本事吗？"百里松涛眯起眼睛。

"捣乱的本事很大。"百里布轻蔑地道。却不知这语气里有一种隐约的亲昵，旁人无法觉察，但百里松涛却敏锐地捕捉到了。

"她现在什么修为？"

"在水晶殿修为突进，已经结了丹。"百里布老实地回答，"不过，她攻击力很薄弱，只是防御好，没什么企图心，只是想长寿吧。"隐晦地，他向父皇说明二

第十八章　吻

仙门的无害。

百里松涛没有接话茬，只说："据闻，二仙门中四大长老中有三，也就是她的三个师父也结了丹。本来这很平常，可鉴于他们才成立门派没有多少年，这就是可怕的成就了。"

百里布心头一凛，"那父皇的意思是？"

"让他们依律修仙，是你的意思，父皇不会驳你的面子。"百里松涛斟酌着句子，"不过之后的管理，还得划出个章程来。朕的眼皮子底下，不能有违背朕的心意又不能为朕所用的修仙力量存在。哪怕看起来无害的也不允许。千里之堤，溃于蚁穴，你可明白？"

"儿臣知道了，必会处理好。"百里布想了想，明白了父皇的意思，点头。

当时只是想着怎样能给二仙门一个合法的身份，很多事没有铺陈好，但没想到他和那丫头被困住了。北天急着给他们修仙证书，也是怕有些事传到父皇耳朵里。这样一来，确实留下了隐患，也只有徐徐图之。现在，也只有先顺了父皇的意，再慢慢把二仙门推到是非漩涡之外了。

"你的修为呢？进境如何？想必已经很强了，连父皇都探不出。"说到这个，百里松涛面上露出欣慰的笑容。

他对外是金丹修士，现在是金丹大圆满期，但实际上，他已经一脚踏入化神境。而他既然看不出儿子的等级，说明儿子的修为已经超过他。

"儿臣已经进入化神中期。"百里布略皱了皱眉，胸口传来滚烫的感觉。

那是他从乐飘飘身上硬取来的斑斓石，那石头可以阻隔自身气息外放，除非等级相差非常之大，不然外人就无法探测佩戴者的修为。幸好父皇确实是实力不如他了，不然他没办法解释这块石头的事。从小到大，他没骗过父皇一次，可如今他发现，自从回了宫，他已经撒谎无数，只为了那个丫头。这让他很懊恼，觉得自己背叛了父皇，心情忍不住烦躁起来。

百里松涛看在眼里，却以为儿子是疑惑修为奇迹般地精进，犹豫了下，才沉声道："你一定感到疑惑。只是……时候未到，父皇不能说出那件事。只能告诉你，你的修为并不是修炼得来的，而是释放。你本来的能力被封印住了，实际上你以前比现在还要强！"

闻言，百里布大吃一惊，"为什么会这样？"他早觉得他是被封印了能力，所以修行起来才一日千里，可是对于修仙者来说，他年轻得不像话，怎么会有那么高的修为？

"你的母亲……不是平凡女子。"百里松涛伸出手，似乎要抚摸儿子的脸庞，但他们父子都铁血惯了，虽然感情深厚，却不适应这样的温情，于是他又尴尬地把手放下。只是，儿子那像其母的容貌，令他蓦然心就软了，有热流拼命往眼睛里冲，被他死死忍住。

"记得，你乃半神之体。这世上凡人无数，仙者众多，可又有谁能比得上你分毫？"百里松涛的声音，还是哽咽了。

布儿的母亲，死得好惨。他不能忘记！他不能忘记！他要这天，要这地，给她陪葬！

百里布愣了，许多疑问涌上心头，可见父皇的样子，虽然面容不变，但眼神却如泣血，令他不忍问出口。

反倒是百里松涛一时的软弱过后，又恢复成一国之君的威严样子，笑道："所以啊，这世间的平凡女子哪能配得上你？就算公主之尊，也只是勉强能站在你身边。可惜，父皇没地儿给你淘换仙女去。"

"父皇……"

"其实那个乐飘飘，你若瞧着顺眼，可以接入宫里，当个暖床的宫女。"百里松涛无所谓地道，"纵是修行，你到底还是血气方刚的男人，也不必禁欲，道家讲的就是阴阳调和。朕本来还打算给你找几个纯阴体质的女修，若遇到修行瓶颈，可作为炉鼎，伴你双修，不过就是给个宫中低级妃嫔的名分罢了。但又想不若让你大婚，为朕生几个血统高贵纯净的皇孙也好。"

百里布没有回话，纵然心中不愿，却也明白自己的职责所在。

于是百里松涛也没有继续说下去。

其实，他对那个叫乐飘飘的村姑还是有疑虑。他就布儿这一个儿子，自然万分关心。之前布儿要找皇庄的麻烦，他就很奇怪了，后来又无故找了个小姑娘来帮他喂养鬼车和飞廉。那两只是布儿的师父留给他的，品种属于上古神兽，凶悍之极，等闲人近不了身，可它们居然让一个小村姑安抚得服服帖帖。整件事都透着古怪，但他知道布儿行事一向稳妥，所以并没有放在心上，可经过了五十年，一想到那丫头始终陪在布儿身边，他就不能完全放心。

男人花心一点没关系，不过是几个女人，玩物而已。但布儿绝对不能动真情。因为，他们父子的目标还没有达到，因为，皇室的血统不能被玷污。

"那么，那件宝贝，你得了吗？"百里松涛岔开话题。

百里布摊开右手，轻诵咒语。

第十八章　吻

瞬间，本来干净平滑、纹路清晰的掌心中，隐隐浮上淡红色光华，不是血色，就像飘来一片极美丽的红云。接着，红云翻滚，迅速消逝，取而代之的是一只寸许大小的龙爪，鳞片深刻，爪尖锋锐。当那小小的龙爪印迹完全显现，耀眼的金光喷涌而出，把整个大殿都笼罩其中。幸好，大殿内有层层结界，否则就连天也要染了半边。隐约中，还有风雷龙啸之声，就算百里松涛也忍不住为之神魂激荡，胆战心惊。

龙印现，天下乱！

百里松涛一阵狂喜。事情已经完成了一半，最关键的一半。如今只要找到那个地宫，他的愿望还怕完不成吗？！那时，除非天帝下凡，不然谁也不能阻挡！

"布儿，做得好！"当百里布收回龙印，百里松涛仰天大笑，"朕只是叫你去碰碰运气，哪想到你竟真的做成了。天意啊，天意！这本就是属于你的，终究你会拿回来！"

"幸不辱命。"看到父皇如此开怀，百里布也很高兴。

"你先歇一阵子吧，之后父皇对你有其他安排。朕先……去祭告你的母后。"拍了拍儿子的肩膀，百里松涛大步离去，那一番志得意满、豪气风发的样子，令人动容。

百里布脸上的笑容却慢慢退去，他退到床边，笔直地坐下，神情间很是疲惫。

本来他很习惯皇宫。那华丽到压迫、冰冷到窒息的感觉，无比尊贵，也无比寂寞。他很适应。可突然，他厌恶眼前的一切，很想回到那个小山谷去。

在那里，他曾那样随意、轻松、自然。

还有那个丫头，在他眼前晃来晃去。

不，他不想她！既然已经决定各走各路。所以，他不想她！

相比百里布内心的纠结，乐飘飘却忙碌多了，身边也总有人围绕着。

她从山谷中带来好多种子，都是灵气逼人的那种，主要是水果，还有豆子和枣子。她是本着入宝山不能空手归的原则，其实对那些种子的功用也不是很清楚。

她一走五十年，门人们没有新的玉简来修习更高阶段的法术，只有用原来的方法反复修行，到头来却因祸得福，一个个基础扎实至极，六大组的组长都进入了胎动期。

种子丢给门人去种，乐飘飘也不必劳神费力。休整了几天后，她进入了久违的龙神殿空间。在秘境中，她与空间无法联通，出来后又一直在路上，很不方便，现在身处其中，居然有回家的感觉。虽然殿中空荡荡的，但她却觉得心情舒畅，处处都好，连其中的气息都熟悉无比，就像在山谷时那样。

是错觉吗？还是这宁静让她生出了联想？她不能确定。

盘桓了很久，她才舍得出来，并拿出记载了中级功法的玉简，分别传于四大长老、六大组长，再由他们传授给本组成员。当然，她也为自己寻找了适合的秘籍。如今她已经结了丹，应该驭器了，也应该考虑下本命法宝的修炼。她考虑良久，觉得自己因为是五行灵根，天生适合防御以及驭术，干脆决定了以后往这方面发展。

说白了，她会借助天地灵气，五行运转，以及灵兽灵体为她所用，不用自己去打，站在后面指挥就行。她觉得这个法门很帅，虽然她驭使的东西受伤，她同样也会受伤。其实还是不打的好，只是她一想到那些隐藏在暗处的高手，就不得不早做准备，未雨绸缪。

本来曾打算依赖百里布，但看人家那种急于撇清的态度，她自尊心受伤，暗暗下定决心，不用他还不行吗？真是的，这个世界，没了谁也照样日出日落，四时变换。

再说，她的日子不是越过越好了吗？人要向前看，要知足。她现在住在三层小楼里，一楼是会客所用，二楼被大吉、大利和包小妞占领了，因为有了好地方，它们再不愿意睡匣子里。三楼是她的卧室兼书房，绝对私人领地。书房外还搭了个大平台，说是方便她以后能驭器飞行用。

极目远眺，以前是灰蒙蒙一片，现在花红柳绿的。嗯，她很独立，过得很好，不需要男人。

至于说包小妞……当初她在画不成山谷无意中抓到它，看着怪可爱的，就让大吉、大利调教一下这小兔子。等回到二仙门，放出它们一看，大吉、大利非常凄惨，被咬得浑身是伤，狼狈极了，才知道这小兔子特别凶悍，甚至开了灵智，能懂人言。武力值嘛，要大吉、大利联手，才能制伏。

另一方面，包小妞也没好到哪儿去，兔毛都差点儿被扯光了，兔牙也松了，跳跃的时候只能三脚着地，据说是被上头一位师兄（大利）、一位师姐（大吉）打的。最后，更稀里糊涂地就被大吉、大利收服了给乐飘飘当灵宠。出来定下了血契后，乐飘飘才知道这小兔子不是兔子，而兔形远古物，名为吼，是骑宠，长大后能腾云驾雾，速度可比闪电。

这下她的惊喜简直无法形容，因为有了吼兽，她就不必练习驭器飞行了，省下时间修行别的功法多好。大吉、大利也正因为立下这大功，才顺利夺得了二楼的使用权。

"为什么给我起名为包小妞，我是男的！"包小妞控诉，眼泪汪汪，我见犹怜，可乐飘飘是不会被它的萌物外表所欺骗的。它是个很凶残的小家伙，据说它双目变成火色之赤时，狮虎也畏之。

"我哪会分辨你是公是母，当时不说，现在后悔，晚了！"乐飘飘揪了下包小妞的尖耳，"身为灵宠，你心中要谨记两个字：服从！"

这家伙的脾气相当暴躁，那两大牙跟金刚钻似的，但它对主人却不敢发作，天性比狗还要忠诚，被乐飘飘欺侮后，也只能想别的招儿泄愤。

想当初也不知它怎么就进了山谷，也不知自己生活了多少年。只是当它见到有人类闯入，还是修行高深的，就聪明地藏了五十年不敢出来，其间还得应付乐飘飘的地毯式游玩。好不容易熬到两个人类走了，哪想到他们又返了回来。那时它正出来呼吸新鲜空气，一时没留意，就给抓住了。五十年不见天日的躲避，前功尽弃。

人贩子！哼！它心里骂着，可隐约之间又很有归属感。其实身为灵兽，有个主人是很不错的，特别是在这个主人不太着调的情况下。

总之，乐飘飘回到二仙门后，一切都过得很平顺。师父和门人们也开始进行第二轮刻苦的修行，闲时就照料田地和果园。除了偶尔的梦中，她会梦到那个山谷，还有那个人，以及那些当时觉得千篇一律的平静生活。

有时，她会迷惑，不知道那过去的五十年是不是一场梦，因为以她现代思维的认知，对修仙者的时间概念实在感觉有些违和。也因为，曾经有一种若有若无的感情，让她觉得那么遥远陌生，却又深刻在心里。

梦境与现实分辨不清的，其实并不止她一个人。身在皇城的离恨宫内，躺在榻上的百里布蓦然睁开眼睛。举起手臂，他才能确定刚才确实是在做梦，因为他被某色女"袭击"后，却还是能动。照理，她那样大尺度地碰他，他肯定会僵住。

不由得，他心中竟有一丝遗憾。而后，就是自我厌恶。春梦，他居然做这种梦，可耻！

他慢慢坐起来，想起很多年前她闯进他的寝宫，骗他说他正在梦境中。当时他摸了她的脸和眼睛，才知道她是冒充他师父的。因为，师父是独目，而她的两只眼睛亮闪闪地动人。

可那时，他就已经不舍得打破眼前似幻非幻的感觉了。她那样接近，他竟然是喜欢的。只是从前不能确定，但在相处五十年后骤然分开，他才明白，他已经动了真情，因为那想念化为了相思，刻骨铭心。

若他们还在一处，也许还不明白，但强行分离，却让他的心意更加深刻凸显。可是已然如此，他能怎么办？克制自己，压抑欲望，这是他从小修行的根本，现在只能再磨炼一次。只是心口上，总似有一团东西堵着，抓不到也驱不散，无影无形，似雾非雾，内视时只看到一抹淡淡的红色，偏偏就不肯离开，连他修行之时都受到了阻碍，一口真气不上不下，想她一次就痛上一分，仿佛天下间所有重要的事情都化为了她的笑容。

这是怎么一回事？

他坐在龙榻上，身着白色中衣，赤着脚，身姿优雅。他的头发在山谷中已经长长了，此时修剪合度，长及腰部，被一条黑色织金的帛带系在脑后。因睡觉的缘故，脸侧一缕头发散了，就那么随意地搭在面颊旁边，平白就生出一种说不清的脆弱和忧伤来。大约月色太明亮了，他的头发呈现出暗紫之色，眼瞳有淡金之光掠过，无比魅惑，非凡人可拥有。

只是他很快又闭上眼睛，有些恼怒。因为他发现，现实与梦境，他真的分不太清了。

他越是想静心，就越是烦躁，突然就有了一种冲动，他衣服鞋子也不穿，大步走出殿外，挥手召出鬼车与飞廉，一个侍卫也没带，乘空而去。

他与两只灵宠五十年没有相见，但它们不是放在宠物袋中，而是在不知名时空。他在这边修为精进，它们在那面可以感知，此时就算追不上他逆天一般的修为进度，但也很强大了。

如今的鬼车展开双翅，有数丈大小。飞廉脚下能生风，个头虽然只相当于一般马匹，但身上的豹纹颜色却愈发艳丽，若不刻意隐藏，在黑夜也会夺目异常。

鬼车与他心意相通，他才坐上它的背，它就直往城外的二仙门飞去。他想去看看她，一眼，也许只一眼，不用说话，也不用她看到，或者就可解除这无边无际的难耐。

可是，当百里布看到眼前的红花绿树，比皇家庄园还要优美的村庄，看到被拱卫在中间的三层小楼，突然，他又放弃了。

不该来的，来了，岂不是更放不下？一时的软弱，可能造成后面绵延的痛苦。他的心本来如岩石般冷硬，不知何时为她柔软下来，再不能这样放任下去了。

一咬牙，他带转鬼车准备原路返回。

鬼车想念乐飘飘，却又不能违背主人的命令，只好在幽远的夜空中，发出不满的嘎叫。那一声，刺破长夜，震人心魂，令睡梦中的乐飘飘本能地跳起来。

"鬼车！"她跑到书房外的平台上。

可是，外面哪还有什么影子。

"殿下，您这是何必？"百里布才步入离恨宫，燕北天的声音就响起。

今天是燕北天轮值，殿下离开，殿下归来，他都知道。殿下所去的方向他也知道，正是二仙门所在。还有，从秘境归来的这些日子，他什么都看得清楚。甚至在此之前，很早以前，当殿下拿那个丫头和他开玩笑，乱点鸳鸯谱的时候；当殿下要收回皇庄的时候；当殿下舍命要救下飘飘的时候，就已经很说明问题了。只是，没摆在明面儿上。而这个大秦国的未来储君不只是他要效忠的人，还是他从小玩到大的朋友、兄弟，彼此间一举手一投足，谁能瞒得过谁去？

殿下喜欢飘飘，很早之前就有苗头，然后那独处的五十年，已经让他失去控制。

百里布停下脚步，却没有回头，低沉的声音比之暗夜还凉上几分，"既然我给不了她什么，何必又去招惹她？今天是我软弱了，以后再不会。"

"殿下，有这么复杂吗？"燕北天劝道，没想到百里布会直接承认此事。

"很简单。"百里布的声音更涩，"身为皇子，我的婚姻从来都不能自由，必须作为联姻的工具。我早有这个觉悟，也没有埋怨和不满。既然享受了种种特权，理应为国家牺牲自由。父皇……对我的婚事是有安排的。我若对飘飘假以辞色，父皇不会放过她，还有她的二仙门。所以，就这样吧。"

燕北天愣住了。

这番话听着很理智，却泄露了一个令他震惊的事实：殿下对飘飘果然动了真情，而且不是一般的喜欢。殿下，一向理智而冷情的殿下，已经爱恋飘飘到了这个地步了吗？

"殿下，您是未来的皇上，有三宫六院。"他试图提醒，也是试探。那五十年间发生了什么事，竟然让殿下从仅有苗头，到一往情深。平静的时光如水，可越是如水，就越是深刻入骨不是吗？

"她是个能关得住的女人吗？"百里布苦笑一声，"外表随和，骨子里头极是骄傲，我既心里有她，又何必折辱她？罢了，此事再也别提。"说完，他的身影便消失在宫阙的重重阴影之中。

燕北天站在院中很久，想到皇上的雄心，只发出长长一声叹息。

然而第二天一早，百里松涛就遣人送来口信，让百里布赶快解决二仙门的事。越不愿意有牵扯，越是逃不了。百里布一声不吭地想了几个时辰，然后把燕北天叫了来。

"帮我办件事。"他垂下目光。

本以为埋在心底的秘密对平生最好的朋友说了，心里会平静些，可他心口那团漂亮的淡红色却还是阻梗着，让他不断想起那个丫头，不断梦见山谷岁月，持续混乱着梦境与现实。

"殿下，您跟我不用这么客气吧，吩咐就是。"燕北天一笑，随即又感觉到殿下语气中的不同，"难道，是与飘飘……与二仙门有关？"

百里布点头，"二仙门虽然过了明路，又在咱们的眼皮子底下，但父皇到底不放心。"

"要驱逐他们出大秦吗？"燕北天一惊。

总不至于毁掉二仙门所有人的修为，或者杀了吧？如果那样，当初皇上就不会同意他打着殿下的旗号，给了她那么大的恩典。那现在，这是秋后算账？不，皇上和殿下间的父子感情相当深厚，皇上不会做打太子殿下脸面的事。

"父皇把这事交给我了。"百里布继续说，"我想来想去，只有把二仙门收归大秦军中，才能平息父皇的疑虑。"

"什么？"燕北天更惊。

他得承认，太子殿下说的，是唯一的好办法，但飘飘却未必会愿意。可如果不答应，就只有两条路摆在他们面前：离开大秦，或者停止修仙。若有半分怠慢，二仙门中的人，很可能全体性命不保。外人不知，他难道不明白皇上隐藏的实力有多可怕吗？只是以飘飘那自由自在的性子，怎么会同意本门从平民变成军队？

"你照我的意思去跟她说就好。"百里布站起身来，踱到窗边，"再告诉她，我不会让二仙门卷入战争。若她信我，就会点头。"

百里布招了招手，让燕北天上前，与他密谈一番。燕北天这才略稳住心神，往二仙门而去。

乐飘飘见到燕北天，自然高兴万分。五十年没见，见面后，燕北天又以太子近臣的身份，忙活着太子回宫的大小事宜，两人都没坐下好好聊过。

"今天燕大哥来是公事还是私事？"乐飘飘把燕北天迎到自己那三层小楼的会客室，又殷勤地把装着果子的盘子，推到他面前。

"殿下管得宽松，虽有公干，可若有十分时间，私事倒能占其九。"燕北天笑得温厚，不着痕迹地观察着乐飘飘的面色。

却见乐飘飘虽然表情不变，但眼神却是一明一黯，显然对太子殿下的名字很反应。他连忙岔开话题，天南海北的，与乐飘飘聊得格外高兴。

只是该办的事也不能不办，在二仙门中从早待到晚，又吃了晚饭后，燕北天见乐飘飘心情好，才提起百里布想将二仙门入编大秦军队的事，又把百里布教的话，

第十八章 吻

全部转述一遍。

"飘飘，这件事势在必行。一、是为了争取朝廷的信任，不找你们麻烦。二、也是为你们的安全考虑。你和殿下在秘境中被困了五十年，所有人都以为你们必死无疑，可你们却活着回来了。"燕北天解释，"就算小一郎编了个《乐飘飘历险记》的仙册，只怕也没有人会完全相信，毕竟几千年来，从没有人能在罡风之下活着。"

"那又如何呢？"乐飘飘听到百里布的名字不禁气苦。

"出秘境时，你们身无长物，貌似没有得到宝贝，但隐藏宝贝的方法很多，所以旁人不会认为你们空手而归。凡人间，财帛动人心。在修仙界，法宝能让修仙者露出最狰狞的一面。这样一来，得有多少人觊觎二仙门？"燕北天耐心地说，"飘飘，大哥不是威胁你，可二仙门人少力弱，在变得强大之前，是需要靠山的。若你们被收编，一定程度上算是避世，没有人敢明面儿上对你们下手。这样，岂不是两全其美？"

"可是我不愿意二仙门介入战斗和杀戮。"乐飘飘知道燕北天说的是实情，可她也有她的顾虑，"杀念太多，会影响道心，尤其我们二仙门中的人都是善良朴实的农家人，极易形成心魔，会影响未来的修行。严重些，有堕入魔道的风险。"

"所以太子殿下的意思，是把你们编入后备营，只负责粮草和军务后勤。种植粮草、打造军械、织补军衣什么的，这不正是二仙门人的优势吗？"

呃，这个……乐飘飘犹豫了。

燕北天没急着让她回答，而是给了她三天时间考虑。乐飘飘在召开了全体门人大会之后，又和四大长老、六个组长细细商议，最后决定接受收编。大不了，如果百里布食言，让他们去打仗，他们集体撂挑子逃跑就是。现在，他们实在舍不得二仙山这个好的修行场所，还有种植的东西，盖的房子。他们二仙门没有大志向，就是热爱田园生活。

燕北天得到他们的回话，立即报给皇上和太子殿下知道。百里布可算了了一桩心事，而百里松涛一年到头都是吃二仙门的供奉，解决了忧患之后，很高兴地召二仙门的掌门和四大长老入宫，还赐了宴。

百里布得了消息，借口军中有事，直接避了出去。当晚天色全黑，宫禁时分才回来。这个时辰，二仙门人自然是走了个干净，他再没有遇到乐飘飘的机会。

然而他千算万算，也没算到他的父皇留了二仙门的少女掌门乐飘飘聊了很久，当晚还赐其留宿在雪妃的雪云宫。由容嬷嬷亲自安排的房间，并赏赐无数。

乐飘飘知道百里松涛是隐晦地奖励她五十年近身侍候太子殿下，另一层意思是让她离他儿子远点，有多远滚多远，不要期待什么不应当的东西。所以她淡然照单全收，用自己的骄傲告诉百里松涛千万放心，她绝不会纠缠。

只是她心里却像有把火在烧，愤怒、羞辱、倔强、抗拒，还有很多复杂且莫名的情绪掺杂在一起，令她无法入睡。

"掌门要是睡不着，不如到雪云宫外的碧水湖瞧瞧，很是能宁心。"容嬷嬷善解人意地说，"那湖无风时看起来就像一块上好的翠玉，映着月亮更是好看。"

"宫门已经关了啊。"这不会是内宫阴谋，先诓她违禁，到时候好叫人抓她错处，再杀了头吧？可看容嬷嬷那美丽纯洁的脸，又不太像。

"雪云宫和太子殿下的离恨宫一样，有结界，外人不能自由出入，所以并不关宫门。"容嬷嬷解释，"掌门请自便，奴婢先行退下了。"

不提离恨宫还好，一提，乐飘飘更觉得心里烦闷，干脆也不多想，依言独自出宫，找到碧水湖，临水而立，努力平静心神。

而在月上中天之时，冥冥中，似乎有一条看不见的线，牵着百里布的脚步，也来到此处。

他越是拼命要忘记，就越是不断地想起。当乐飘飘表情生动的脸反复浮现在他脑海里，他心底就像埋了一坐火山，表面冷硬平静，可深处却滚烫沸腾。那极端的感觉令他难受，也想找一块清静之地待会儿。

脚步声，令乐飘飘回头。

蓦然，他们看到了对方。就像有渡劫的九转天雷落下，猛地击中心魂，令人猝不及防。

月光，水色，俏生生立在石边的人，他见过很多次了，可此刻，却仿佛是天地间的所有。百里布连甲胄都没换，腋下夹着银色头盔，就那么愣在当地。

时间不知凡几，当乐飘飘的身体终于能够移动，想说点什么场面话，然后离开时，百里布却先动了。

百里布似乎是要离开，他一步步往后退，可眼睛却缠绵在乐飘飘的脸上。眼见着，绕过湖边石就能彻底断绝彼此的目光，他却猛地扔掉头盔，凌空虚渡，一步就踏到乐飘飘面前。

"殿下……"

没等她说完，百里布再也压抑不住，双手捧着她的脸，吻下。

第十八章 吻

第十九章
媚术，哪比得上真情

并没有深吻。

他只是将自己的嘴唇紧紧地和乐飘飘的嘴唇贴在一起。

她的唇柔软而微凉，他的却滚烫。而他的突然靠近令她猝不及防，她的眼睛还睁得大大的，可以清楚地看到他紧蹙着眉，似乎心中隐藏着无尽的痛楚和无奈。

他的气息那样火热，把她的心都灼伤了，也疼了起来，并抽走了她所有的力量。她瞬间软在他的怀里，感受着他身体的僵硬，以及颤抖。

她觉得时间很长，都凝滞住了，可同时，时间又像是极短，短到她才适应他嘴唇的热度，他就放开了她。

"忘了它。"他突然开口，声音喑哑，压抑着激烈的情绪，"忘记孤亲你这件事。"

啊？！乐飘飘的大脑还处在冰冻状态，一时反应不过来。

而百里布又开始往后退，眼神仍然胶着在乐飘飘身上，他不住地后退，直到脚下碰到丢在地上的头盔。

他弯腰将头盔捡起，再抬头时神色已经平静，"孤只是一时的……冲动。你突然……就站在这儿，很好看。孤没留神……完全是一时的迷惑……"

他一字一句，说得艰难，但乐飘飘的心却一寸寸冷了下去。刚才被烫到的心又被冰到，冷热激烈交替，似乎让她疼到了骨头缝里。

她想说：喊，不过就是亲个嘴儿吗。小爷我是现代人，还会在意这种程度的亲昵吗？在我们那儿，这甚至不算是吻，只是个礼节。

可是喉头动了动，她就是发不了声。她的手无意识地垂在腿侧，抓紧了裙子，指关节处已经泛了青白。她心中不断地问着：他这又算什么？品尝试用品吗？

愤怒和羞辱的感觉，令乐飘飘陡然生出一股力量，这力量支配着她转身回了雪云宫。她拼命告诉自己要从容，所以她的步子不疾不徐，看似优雅轻灵。只是当身体被宫墙挡住，她的眼泪才抑制不住地滚落。她说不清是生气，还是伤心，只想尽快回到二仙门去，再也不要见到那个人！她没出息，败在一个古代男人的手里！果然那句话是对的：谁认真，谁就输了。

她不知道，当她的身影消失，本来站得笔直的百里布连忙伸手扶住身边一人高的湖石。他的胸膛剧烈地起伏，气息短促急剧，好像心脏被牢牢捆住，又被死死握紧。

她让他，无法呼吸。

就像她刚才突然映入他的眼帘，令他控制不住自己一样。他不知道，她什么时候把自己的整颗心都掏空了，等他发现时却已经无法阻止。

是那五十年淡如水一样的岁月吗？还是之前就开始了？

不是他想这样的。这不是他想要的，不是他计划中的。可，就是这样了。

但他今晚又做错了。他一时的软弱会导致事情更无法收拾。幸好没有人看到，倘若父皇知道他的心思，必会除了那丫头。一边是恩大如山的父皇，一边是深爱之人，他不知道要怎么做。

而他，既然注定不能和她在一起，就希望她生活在他能控制的地方。他想保护她，就像他在病中时她守护他一样，那么小心翼翼，那么温柔体贴，那么抚慰心灵。

望着重重的宫阙，他坚定了心意：只有远离她，才能保护她。如今，他看不了她受一丁点儿的伤害，可是刚才，他伤了她不是吗？

百里布静静地站在那里，第一次体会到了什么叫柔肠百转。许久之后，他才恢复力气，慢慢走回离恨宫。

那天之后，他刻意让自己变得很忙碌。于是大秦国出现了有史以来最勤勉的太子，周围侍候他的人都累得人仰马翻，他仍然神采奕奕。只是没人知道入夜后，这位太子根本无法入睡，一遍遍，细细地想念着某个人。偏偏在人前之时，他要隐藏所有情绪，于是他迅速沉默下去，而原本奇迹般突进的修为速度，依旧停滞不前。

皇宫离二仙门并不远，可有两个人却完全隔绝了对方的消息，就像从没有过那人，从没发生过一些事。百里布是要把自己忙死，乐飘飘却是要把自己闲死。

她每天在村里四处捣乱，没有一点掌门的样子。好在门人们都很忙碌，实在没工夫反抗她，也没时间对她表示不满。不久后，大秦后备营的军装发了下来，还任

第十九章　媚术，哪比得上真情

命了村长夏凝风为从五品的屯官。他们身上负了皇命，要缴纳的东西多了，工作和修行也就更勤奋了。

于是，乐飘飘就更觉得孤单，就连大吉和大利，也因为要训练小弟包小妞，每天也不见影子。

小一郎和无迹虽然疼爱乐飘飘，但多少有些粗心，只有心细如发的凤九发现了乐飘飘的异样。这天凤九特意抱了门里自制的桃花酒来，坐在三层小楼的平台上，与徒弟对饮。

这酒是门人依玉简上所著的秘法酿造，若窖藏一年以上，就能令人春心萌动。不是春药，只会让饮酒人爱上赠酒人，虽然这种爱情的效果很短暂，却也很神奇了。若无窖藏，就像现在这坛，便能令人敞开心扉。

"是为了他吧？"微醺之时，凤九叹息着问。

不想说，可酒劲上来了，乐飘飘只好点头。以后她再不喝这种酒了，虽然安抚了心里的郁闷和纠结，却无法拒绝别人的提问。

"二师父不劝你。"凤九拍拍乐飘飘的头，"今天就与你一醉解千愁。"

"为什么不劝？劝吧！劝吧！"乐飘飘笑嘻嘻地说。

"傻丫头，难道二师父不懂吗？好多事说说总是容易，做起来就难了。好比我现在让你彻底把他忘记，你做得到吗？道理，谁都懂，你需要的，只是时间。"

时间吗？要比那五十年长吗？现在回过头，似乎五十年眨眼间就过了，可一想到要再用五十年去忘记，她就觉得比千年万年都长。她觉得，她可能熬不过。

"要不我闭关吧，师父。"她又灌下一口酒。真没出息啊，一个男人而已，她就这么放不下吗？

凤九摇头，"你这种状态，没有人开解，闭关更容易钻牛角尖。若想偏了，就会产生心魔。要我说，不如你转移一下视线，和别的男人来往来往，不一定动真格的，只别想着不该想的人就好。"

"别的男人？"

"三条腿的蛤蟆找不到，男人这种东西到处都是，门里不就有很多吗？不然找师父们也行啊。"凤九说得很坦然，"虽然我们三个比不得那位，但也算是不错的。在昆仑的时候，我们也挺招人的。哼，你三师父居然比我还吸引女人，屁股后面成天跟着一大群仙女。简直是茉莉花喂牛，暴殄天物，到现在我还不服气呢。"

他说得微微带着些酸意，可又那么大方，逗得乐飘飘笑起来。

"你别笑，我说真的，不然二师父我献身吧？打明儿起，我天天陪你四处玩，出去游山玩水吃好的喝好的，保你过三个月就会觉得今天对布太子的执着实在傻气。记得，不能找你大师父。你现在越长越漂亮，若找他相陪，他说不定就给你假戏真做了。"

这话又逗得乐飘飘大笑，心中的郁结感果然舒展了些。虽然只是片刻，但呼吸都畅快了不少。她又想，出去游历一下也不错，来到这个世界这么多年，前几年就关在二仙村，后来又困在画不成山谷，她还没有真正看过这个世界呢。

"我想想吧。"乐飘飘认真地点头，"若门里没什么事，我就拉二师父一起走。"

"能有什么事？咱们门派里没那些个大门派里的钩心斗角，偏你小小的年纪，心思却这么重。"凤九斜了乐飘飘一眼，眉眼间波光潋滟，果然是美色无边哪。

可乐飘飘想的却是神器之事，是她从秘境归来后别人的觊觎之事，是那只花狐貂，是东尊付采薇之事……谁知道暗中还有没有更大的势力？这些事都是因她而起，她怎么放心一走了之？

"这就是我是掌门，而二师父不是的原因。"乐飘飘笑道，"我考虑问题比较全面。"

"坏丫头，消遣起你二师父来了。"凤九横了她一眼，把桃花酒饮尽，站起来劝道，"别多愁善感啦，早些睡，睡眠不足可是会生皱纹的。你不是常常嚷嚷，要睡什么美容觉吗？"

"是，恭送二师父。"乐飘飘笑嘻嘻地行了一礼。

凤九抬脚就走，却忘记这里是三层小楼的平台了，他此时微醺，一脚踏空，直接从三楼掉了下去，惨叫声中，压倒了一大片花丛。还好是修行之人，除了啃了一嘴泥，倒没有摔伤，但形象……不提也罢。

乐飘飘微笑着摇了摇头，随意躺在平台上，望着天上的星星，认真考虑着出门云游的可能性。

那样，可以离百里布远一点。寄情于山水，兴许很快就能忘记他吧。她的这份心动本来就是不理智的，不应该发展下去。或者，她应该自己走，一个师父也不带，因为觊觎神器的，觉得她从秘境中拿了法宝的，盯着的都是她而已。她走了，也不会有人惦记二仙门了。

至于说危险什么的，她已经是金丹修士，又有渐渐成长的灵宠和各色法宝，实在不行她就躲进龙神殿空间，小心些就会没事。

想通了，她随手拿出一张符来，口述出门云游的决定，并嘱咐师父们不要出门寻找，她会及时汇报行程。更要求门人们好好种地和修炼，等她回来时会有考核云云。

传音符是制符组孝敬掌门的，她懒的时候连屋也不出，叫人送饭都用符咒，无形中运用得熟练无比。说完该说的，她把符纸叠成一张纸鹤，施术让其飞到卧室内的桌上，又闲闲地闭上眼睛，享受着初夏的夜风，把决定前后再想了一遍，确认没有大麻烦，便打算起身。

可是她才睁开眼睛，就见一张俊帅绝伦、类似凤九，但比凤九邪气的脸悬在她的上方，离她的脸不足半尺远。

还好她有定力，一声惊叫压在了喉咙里。随后她很庆幸自己没有大叫，因为那样可能会招来门人。而眼前这位正邪好恶不分、杀人如麻，还和无迹有仇，若真打起来，吃亏的可是自家人。

"堂堂狐妖王，怎么竟学些不入流，半夜里摸了来？"她强装镇定地问道，因为狐妖王乱不肯挪开身，她也不能坐起。心中却疑惑，这煞神怎么找上门了？

"采花贼是雅贼，不偷偷摸摸，就少了趣味。"狐妖乱嘴角微扯，算是笑笑。

他这模样，迷死大姑娘小媳妇不费吹灰之力，可惜乐飘飘自打穿越后就在美男堆里混，早就有免疫力了。再者，她深知乱不遵世俗，性格又喜怒无常，干脆也不小心应付，嘴上半点儿不吃亏地道："从来听说采花贼是淫贼，倒不知是雅贼。狐妖王，请别往自己脸上贴金成吗？晚上我吃的是麻辣香锅和梨汁烤排骨，好吃得很，现在要是全都吐出来，多可惜啊。"

"死丫头，就会气爷。"乱轻拧了一下乐飘飘的脸颊，在她身侧躺下。

这情形，不知道的，还以为这二位是极好的朋友。其实乐飘飘很想一刀宰了这只臭狐狸，而乱接了杀掉乐飘飘的活儿，此时还没完成呢。

"你不怕爷？"见乐飘飘对他拧她脸的行为完全没反应，既没有急着跳起来，也没有逃离他身边，乱好奇地问道。不得不说，他心里还有些愉悦。

怕有用吗？一个金丹女修，听起来厉害，可对方是堪比人类化神期的大妖怪。她这样的，给人家塞牙缝也不够用。她曾以为二仙门内外有阵法，头顶上又有结界，防御力应该很强，可没想到遇到真正的高手，还是让人随意潜入了。而乐飘飘暗地里观察到，这臭狐狸没有杀气，所以她还是选择无所谓的态度，尽量不要惹他为好。

心里这么想，乐飘飘嘴上却说："帅哥有什么可怕的？难道还美死我不成？"

她这话明显取悦了狐妖王。乱笑得花枝乱颤，但嘴上也不客气，"你这丫头真是有趣。爷现在都后悔了，为什么要受命杀你？当初应该死命推辞才是。不过爷拿了人家手短，不杀你不行啊。"

"你今天不是来杀我的吧？"乐飘飘努力压抑着心中的慌张，琢磨着如果乱要动手，她就快速藏进龙神殿空间去。然后怎么办？对了，通知附近的驻军，这家伙趁夜而来，想必也不愿意和秦军对上。

这时候就显出加入秦军的好处来了。只是她以后一定要再训练一下危机应急，比如遇到大能者，全体门人先躲起来，然后再伺机逃跑或者动手。

"这样的夜晚，怎么适合杀人呢？况且，爷留着你有用呢。"乱轻笑一声，侧过身子，一手支起头，很有兴致地看着乐飘飘。

"您是大妖，了不起的狐妖王，要我这种平凡女子有什么用？别提暖床一类的，小女子无福消受。若乱爷相逼，惟死耳。"她说得平静，但语气里透着坚决不屈。

乱自是听出来了，也不以为意，笑着说："真不知你这丫头是怎么长大的。虽说大秦风气开放，姑娘家多泼辣直接，修仙者的男女大防也不是很严谨，但像你这样，把男女之事说得这样坦然的，倒少见。"

"男女之事有什么见不得人？"乐飘飘嗤笑一声，"若两情相悦，做什么事都是可以理解的，往道上说，是为大善大德。若一方生憎，另一方强迫，只能说另一方不要脸，关弱势一方何事？又有什么羞于说出口的？"

"哟，你这是话里话外挤对爷哪。"乱笑得更欢，"爷若要女人，还用得着武力吗？"

"就您那媚术、媚香也够呛。"乐飘飘也侧过身，同样一手支着头，面对着狐妖王，"别绕弯子了，说吧，乱爷要我何用？"

"爷哪绕弯子了，分明是你话里话外点着爷，怕爷一时意乱情迷。"乱嘟起嘴，好像很委屈地说："爷确实是惦记你很久了，不过眼下最好玩的不是这个。"

乐飘飘故意沉默。

"你怎么不往下问？"乱心痒痒地说。

"我不问，乱爷也会说的。"

"可那样多没意思，你问你问。"

"好吧。乱爷想玩什么，想怎么玩？"乐飘飘妥协。

"笨！"乱点了下乐飘飘的额头，"玩死百里布啊。"

乐飘飘再淡定，听到这话也没办法不忽地坐起来。

乱轻轻拍掌，也盘膝坐在乐飘飘对面，"瞧，刚才还跟爷装平静，一提那个布太子，就惊了你。唉，爷真是妒忌他。"

"乱爷，恕小女子愚钝，您到底要干什么？"事关百里布，乐飘飘本来不想关心，可理智没办法战胜感情，她做不到。

"还记得我们当初见面时的情景吗？"乱笑眯眯地说，像和好友谈心那样，"本来爷是对你动了点情欲，想先办了你，再杀了你，不然多浪费啊。"

"浪费你妹！"乐飘飘忍不住爆粗口。

乱并不以为意，只道："可惜天不怜我，没让爷成事，让百里布给搅了。爷当然咽不下这口气，就退而求其次，想看活春宫来着，哪想到那位大秦太子的定力这么强，还被他借着我的力，悟了道。"

听乱说起往事，乐飘飘涨红了脸。

那件事，她刻意遗忘来着。本来都快成功了，今天这臭狐狸一说，当时的情景立即又在她脑海中浮现了出来。

"你可知道，爷的媚术和媚香极其霸道，他虽然了悟，却给自己埋下了祸根。"乱得意洋洋地说："由情入道，你当好玩吗？"

乐飘飘一听就有点儿发急，"什么意思？他会怎么样？"

乱却笑而不语，"告诉你就没意思了。不过，你是喜欢他的吧？"

乐飘飘抿紧唇，一副打死也不说的样子。

乱也不恼，只玩味地道："你们两个人之间早就埋了情种，只是都不自知，又在秘境中相处了五十年，若死了倒也罢，活下来，必定情分不同。爷观察你有些日子了，喜欢就是喜欢，瞒得了别人，瞒不过自己。"

乐飘飘怔住。

"你不会又要把我们关在一起，施媚术，让我们……那啥那啥吧？"乐飘飘想到一种可能。

她惊到了，可是，咦，怎么并不太厌恶，难道她这色女，很期待少儿不宜的事吗？

"同一手段，爷从不用第二次。"乱露出傲慢之色，"爷啊，就是有点儿急，有点儿看不懂百里布那人。皇宫可不像你们这儿，防御紧得不行。爷进不去皇宫，所以不知道他夜半无人时想你了没有，被逼无奈，只有从你这边下手了。"

乐飘飘心中一凛，立即明白了他是什么意思。

"你要绑架我？"她斜着眼睛，鄙视他。如今，她能做的也只有鄙视了。而且，她还不能吵闹起来，不然死伤的是自己人，她照样还是逃不掉。

她只有想办法留下些线索，免得百里布上当，师父们着急。

"你刚才的传音符，倒无意中帮了爷。"乱抓抓下巴说："这样，二仙门中的人不知道是爷带走了你，还以为是你自己离开的。我再把消息透给百里布，告诉他不能带人来救你，看他反应如何，爷就知道他对你的心到哪一步了。"

"他对我是什么心意，就这么重要？"乐飘飘问，愤怒中也有点儿好奇。

"那是自然，否则爷怎么估量他什么时候被玩死？"

乐飘飘默然。

说实话，她不知道这个由情入道是怎么回事，会有什么危害，狐妖王不说，她肯定也套不出话来。听起来像是很严重的样子，但若他不喜欢她，应该就没事吧？那她可以放下心了。

他又不喜欢她。可为什么，她会觉得失落呢？

"你是自己走，还是让爷抱着？"乱又问道。

乐飘飘知道所谓的抱，就是强迫，就是绑架的意思，不禁心中恼火。作为修仙者，她自然知道一切都凭修为说话，修仙界，就是势利的世界，没有温情可讲。但一般修为高的修士，面对和自己档次差太多的低级修士都自恃身份，不怎么理会。但这只臭狐狸却很不要脸，明目张胆地欺侮人。最可恶的是，他总拿她的师父和门人威胁她，十分狡诈阴险。

她现在心里有一种强烈的愿望，希望有人能把这臭狐狸打得屁滚尿流，让他有多远就滚多远。

"本掌门自己走。"她梗着脖子，心里有了打算。

第一，不能在二仙门把事情闹开。门人的修行水准良莠不齐，闹开了会误伤。第二，不能让百里布知道，她不想再与他有任何瓜葛——好不容易，她心里没那么委屈和难过了。第三……暂时没有第三，路上再想。

"哟，跟爷端架子？"乱向平台边缘迈了一步，看似随意，实际上是堵住了所有角度，不让乐飘飘有逃跑的机会。

"就端了，怎么样吧？"乐飘飘气呼呼地说。

乱要借她钓百里布，自然不能把她怎么样。既然如此，她有必要讨好他吗？

说完，她也不理乱，直接回了屋，就好像乱不是敌人，她把脆弱的背部无遮挡地暴露出来，又把桌上的山河悬匣拿在手里。

"谁允许你带东西了？你以为爷是请你游玩吗？"乱眯了眯眼睛。

"我一个金丹，你一个化神，我就算带上强大的法宝，又能奈你何？"乐飘飘激他道，"难道你还怕我不成？"

乱明知道乐飘飘是拿话挤对他，但他脸皮再厚也不能反驳，只笑道："女人哪，出门就是麻烦，要不要把家装个轮子带走？"语气很冷，那种轻蔑是明白告诉乐飘飘，最好别耍花样。

喊，在这种情况下，就算是意思意思也要反抗的，难道她真懦弱到逆来顺受的地步？她现在也不是投降，而是保护门人的策略性让步。跟这只臭狐狸，一定要玩把戏，老老实实的才是笨蛋。

不过她突然决定了，若能顺顺当当地回来，她就把山河悬匣练成本命法宝。虽然它没有什么攻击作用，却堪比任何储物空间，算是百宝盒。有这匣子在，她就能随身携带好多七零八碎的玩意儿，真有打起来的时候，朝对方扔什么不行呀！

"走吧。"她从容地一挥手。

乱疑惑地看着她，"你这是什么反应，就算不敢反抗，也不用这么……主动吧？你这样……爷有点儿心虚。"

"反抗有用吗？"

"没用。"乱倒是老实，想了想，认真地回答。

"那不就结了？"乐飘飘摊开手，"若布太子不理会你，你留着我也没用；若他真的来救我，自会想办法对付你。"

"他不过一个金丹，就算修为突破，也到不了结婴的地步。"乱嗤之以鼻，"虽然爷一直没机会闯进皇宫，但好歹从昆仑跟了你们一路，他有多少斤两，爷难道还不知道吗？你吓唬谁呢。"

乐飘飘不说话，假装不服气地嘟起嘴。

看来，百里布身上一直带着她的斑斓石。因为那石头的存在，别人看不清他的修为到了哪一步。事实上，乐飘飘也不清楚他到底修为几何，但是她知道，他早就结了婴。虽然这速度简直像神话一般，可他……也许就是与众不同吧？

他为什么要隐藏修为？是因为进境快到令人难以置信，还是有需要隐瞒的事情？乐飘飘不敢揣测。而在她看来，百里布本不应该修仙，因为他在凡人世界是太子之尊，处在权力旋涡的中心，很难道心澄明。而且，若修了仙，特别容易成为别人的眼中钉。

有能力者再掌握了权力，是很可怕的。别人害怕，就会联合起来对付他。好在如今乱有些轻敌，说不定百里布来救她时，会打这只臭狐狸一个措手不及。

顺利地避开巡逻人员，又绕过防御阵法，乱带着乐飘飘直往潼川城里而去。一般人都会以为他是躲到荒山野地里，殊不知城西有一处孤宅，正是他们狐狸最爱的地方。

行路期间，为了避免被城中的修行人士发现异气，乱没有驾妖风、使妖法，而是仔细地隐藏了自身的气息。当然，他也没放松监视乐飘飘，几次发现她偷偷地瞪他，嘴唇微动，想必是有多难听就骂得有多难听。

可他却不禁想笑。哼，狡猾的小丫头，又是激他、又是刺他，还装模作样，其实心里恨死他了吧？他喜欢她的恨，这种感情比爱更长久。

一路上，他见她无计可施，心中更是得意。

"丫头，你就是咳坏了肺，也不会有人发现你被绑架了。"乱嘲笑，"为了封住妖气，我设置了行走结界，没有人看得到你。"

"连咳嗽你也管啊，我喉咙痒不行吗？"乐飘飘一脸挫败，所以虽然语气不好，态度也不尊敬，乱却并不生气。

"你咳个够好了，惹爷烦了，割断你的喉咙，这样就不痒了吧？"

乐飘飘到底不敢惹怒这个喜怒无常的大妖，只哼了声，就转过头去。当然，偶尔还会咳上一声两声，倒像是小孩子的把戏，不敢反抗，却不断地赌气。

两人好不容易到了地方，乱就立即弄了个传音符，隐了上面的狐妖气息，再随手烧掉，指尖凌空一扫。

那红色的火气，立即幻化成一只小火鸟的样子，往皇宫方向急速飞去。

"这是绑架留言？"乐飘飘问。

她用词奇怪，好在乱也不怎么在意，只似笑非笑地道："就算是吧。哎呀爷都忘了，按照人类的规矩，作为绑匪，不是应该寄点肉票的东西给钱袋子吗？你说说，爷是割断你一根手指，还是扯下你一缕头发？要不干脆香艳些，把你的肚兜送去？百里布那小子说不定正迷恋你，见了东西就会拼命找你啦。"

乐飘飘连忙退后，因为那三样东西，她都不想拿出来。

"乱爷，麻烦您有点儿品位和档次好不好？"她皱起眉头，"刚才不是拘了我的气息附在那绑架书上了吗？这会儿又何必来吓我。"

"好吧，在百里布找来之前，爷答应和你井水不犯河水。说实话，你这丫头古灵精怪，爷跟你说话都累得慌，"乱叹了口气，"百里布可别找来得太晚啊。"

"乱爷，刚才你给的信息模模糊糊，不就是想让他找不到？"乐飘飘哼了声。

"当然了，他一下子就找到你，就会直接跟爷打，那还有什么好玩的。"乱无辜地眨眨眼睛，"他必须得着急，急得上火才好，那样，爷才能看清楚他的本心。哦，现在他大约已经收到信息了，你猜他的第一反应是什么？"

心差点儿破膛而出。这就是百里布的第一反应。

然后，他以极快的速度抓向那只火鸟，试图找到更多的线索。可那火鸟消失的速度比他还要快上几分，他的指尖上只缠绕了一丝气息。

那气息极其微弱，但他却很熟悉。它属于他日思夜想、想要从心底抹去，却越刻越深的一个丫头：乐飘飘。

他顿时就急了，六神无主，这是他从小到大从没有过的事情。所谓关心则乱，之前他只是想着她，心里不住翻腾着心火，压抑得极为辛苦。可骤然听到这个消息，还没分辨出真假，他就慌了神，心底凉成一片，就像化为了万年冰山，冷到刺骨。

害怕她受到伤害，害怕她消失不见，害怕她孤独无助。只一瞬间他就明白，他可以不见她，但必须知道她平安活着，他才能踏实地活下去，不然，他不敢想……

他满屋乱转，想冲出皇宫。召唤鬼车之际，他明知道天下之大，自个儿惦记担心的那人不知身在何方，可他就是停不下来，想疯狂寻找，哪怕是盲目的。可飞廉却突然伸嘴咬住了他的衣袖，他一怔之下突然想到一件事：对方，那个绑架者会不会在暗处观察他的反应？假如他露了形迹，表现得太过在意，对乐飘飘只怕更加不利。

这念头令他的冷汗冒了出来。差一点，差一点他就可能害了她。皇宫，就算大能者也不可能悄无声息地闯入，就是说那人要引他出去。

冷静！他逼自己把纷乱的心绪压下去，步履艰难地走到风雨长廊处，慢慢坐下。他很明白他不能失控，不然倒霉的是那个丫头。

"人在我手，单独找来，一决胜负。"

短短十二个字，说得明确无误。不过，这番自作聪明，还是瞬间就泄露了很多秘密。他刚才听到消息后就乱了，没有仔细想，现在略一冷静，很多疑点就出来了。

第一，绑架者修为卓绝，至少是化神初期的功力，不然不可能悄无声息就把人绑走。第二，那个人八成是冲他来的。第三，绑架者不想被他尽快找到，是为了让他着急。

为什么对方要绑架乐飘飘？照理，就算绑架了她，要挟的也应该是二仙门才对。

从凡人世界来讲，二仙门毕竟是修仙门派，普通江湖人士绝对不敢惹。可在修仙界，二仙门只是个不入流的小门派，怎么会引人觊觎？就算因为他和乐飘飘在秘境的遭遇，使得一些人认定她得到了巨宝，因而来找麻烦，也得顾忌二仙门已经被编入大秦仙军后备营的事实。他一早就放出了这个消息，就是为了给某些人警告。

所谓大秦仙军，是一支从统帅到兵士都有修为的队伍，人数不多，个人也不算强大，但因为修习了仙阵，在战场上算是无敌的。这就是为什么其他六国组成联盟，并请了修为高强的修士为国师，也无法战胜大秦铁骑的原因。

得罪仙军，就是打大秦的脸面，谁也不能不掂量掂量。可对方似乎并无顾忌，说明他是游走于世外之人。最可能的，绑架者不是人类修士，而是无法无天的妖魔。

妖魔，为什么要绑架乐飘飘？又怎么会找到他的头上？难道对方的终极目标是他？难道对方知道他对她那说不出口的心意吗？

不可能！他对乐飘飘的那份心思，只有北天一个人知道。就连在父皇面前，他都没有泄露半个字。

那么，就是绑架者自己看出了什么？但他有什么地方能被人找出破绽呢？普通人绝没有其他机会接近他，揣摩他的心意。而他一出昆仑就表现出对乐飘飘的冷淡无情，甚至摆出身为太子的高傲，表明看不上一个身份低下的平民村姑，已经尽量与她撇清关系了。为的，还不就是怕她无辜被牵扯。难道他还是露出了马脚，让别人看出来了？

这是乐飘飘第二回遭绑架了。第一回的时候，他为了救她，连命也舍下，回宫后甚至被父皇有意无意地追问过几次。那丫头是特别倒霉吗，怎么又……

想到这儿，百里布尖猛然一抖。妖魔、很高的修为、对自己怀恨在心、能近距离发现自己的破绽……

"狐妖王，乱。"几个条件总结起来看，他轻轻念出这个名字，声音和神情都格外冰冷。

狐妖王乱自以为聪明，其实并不难猜。至于那狐妖这么做的理由，他不能确定。或者是那狐妖生性记仇，因为他从妖洞中把乐飘飘救了出来，中了狐妖的媚术仍然没有屈服，所以被其记恨，所以要报复吧？那狐妖抓了乐飘飘去，肯定也有试探的意思在其中。若他表现得太在意，乐飘飘就会被看成是他的弱点，被反复利用。他倒不怕，可作为饵的那个丫头，是会受到伤害的。

他绝不能允许那样的事发生！

但若让他不管这件事，他又做不到。她不安宁，他的心也不能安宁。唯一的办法，就是彻底解决问题。还有，解救行动不能让外人知晓，最后还要让狐妖乱彻底闭嘴。

只有死人，才不会泄露秘密。杀掉那只狐妖，他没有任何犹豫与怜悯。他现在是化神中期的修为，等级差一级，就天差地远，他有把握最终战胜。可他有顾虑，不能大张旗鼓地与那狐妖狠狠斗上一场，加之狐狸又天生狡猾，若逃跑了就是个麻烦，所以他还要想个万全之策才好。

百里布闭目静了静神，心中有了打算。可找对了敌人，也得知道敌人在哪里才行。本来，他可以慢慢查访，但乐飘飘在对方手里多待一秒，他的心就像在滚油上煎了一千遍。再者，狐妖多淫欲，那丫头又那么可爱漂亮，难保乱不起色心。所以，此路不通。

而他以太子之尊，想在大秦境内进行搜捕是没问题的，可那样一来，包括父皇在内的所有人就会知道他对乐飘飘的在意。上回解救她，还可以说成是保护本国子民，是为了维护大秦的尊严，可那毕竟是在大秦以外，还当着那么多修仙者的面。这一次，却完全可以交给官府处理，他身为未来国君，没必要也没理由亲自出面。

若他的心思人尽皆知，他之前的种种努力不就白费了吗？到时候，全天下都明白乐飘飘是他心里不可触犯的存在，那她就会面临更多凶险。除了把她纳入宫中，他就再无他法保护她。可他不可能迎她为后，其他的妃嫔之位，她怕是宁死也不会接受的。

慢慢找不行，发动自己的力量大肆寻找也不行，真为难啊。

可是既要尽快找到她、救出她，还不能把事情闹大，有什么好办法呢？想来想去，只有依靠二仙门。她那三个师父爱她如珠如宝，断不会伤害她。他只要偷偷潜出宫，不让狐妖王乱的人跟踪，再弄个布太子在宫里晃悠、哪儿也没去的场面就行了。

"去，把燕北天给孤找来。"他拍拍飞廉的头。

飞廉得了令，立即像气泡一样消失在空气中。一边的鬼车看到主人眉头紧缩，虽然脸色平静，却明显是死死压抑才找到的片刻冷静，立即伏在他脚边，温顺地任由主人的手抚着它的羽毛，无意识地慢慢梳理。

好在不久后，飞廉就驮着燕北天来了。

"殿下，可出了什么急事？"燕北天跳下飞廉的背，低声问。

听百里布简单说明情况后，燕北天也皱紧了眉。

"殿下要怎么做？"他问完，又觉得这话多余。

这些日子来，殿下的行为异常，别人不知道，他却是清楚的。殿下对飘飘的感情像是迅猛的山火，火种不知何时落下，然后在谁也没提防的时候开始燃烧，殿下越是想扑灭，就越是燃烧得激烈。现在，那个狐妖乱再泼上一桶油……

上回，也是他泼的油。这只狐妖怎么就这么唯恐天下不乱呢？

"不如我去？"燕北天提议，"殿下只在幕后指挥？"

百里布意味不明地瞄了他一眼。

"这样的好处有三。"燕北天直言不讳，"第一，殿下不用和飘飘见面，看不到，也许……就不会太惦念。第二，这样的话，那狐妖就无法探知到殿下的心意，如果暗中有人窥伺，也会觉得殿下对飘飘只是普通的友情，营救是出于道义，以后就不会随意找二仙门的麻烦。第三……"他顿了顿，"殿下不想让飘飘难过，可若您舍身相救，她怎么可能不往心里去呢？"

百里布怔住，身子绷得笔直，就像拉满的弓一样，仿佛加诸一丝丝外力，就会绷断。

燕北天看在眼里，只觉得太子殿下的情绪像是汹涌奔腾的洪水，他辛苦在心里筑起层层的堤坝，越筑越高。可是堤高一尺，水涨一丈，一旦决堤，结果就是毁灭性的。

"你打不过那狐妖。"半晌，百里布慢慢地说："这事又要悄悄解决，也不能派太多人跟着去，而且必须一次就把那狐妖杀掉，所以还是我来吧。"

"是。"

"但你说的也有些道理。"百里布沉吟道，"不如你跟我一起来，但你的任务是把她平安救出，并且让她看不到过程。"

就是说力气由殿下出，好处让他得？燕北天挑了挑眉。殿下越是这样，越是证明他对飘飘的爱有多深。

"这个……不容易做到。"燕北天为难道。

"想办法做到。"百里布体现出上位者很不讲道理的一面，"现在，施展傀儡术吧。"

叫燕北天来，是因为信任，因为需要有人搭下手，还需要一个假的"太子殿

第十九章　媚术，哪比得上真情

下"在宫里出没。燕北天除了剑术修行，还会一门傀儡术，只要拿到被创造者的一件贴身之物，他就能创造出一个同样的人，行动坐卧和真人无异。

想了想，百里布从怀中取出一块水滴形的透明水晶，只有黄豆粒大小，平时它只贴在他檀中穴处的皮肤上，若非月华映出了一道瑰丽流影，肉眼几乎看不到它的存在。

"殿下？"燕北天瞪大眼睛，一时没敢接过来。

"拿着吧，'休'是我母后留下的东西，二十岁前我一直贴身放着，沾了我的气息，对傀儡术最适合。你这门术法天下无双，加之你熟悉我的一切，有休的话，父皇也能瞒过的。"

燕北天迟疑地伸出手——也正是因为这件东西宝贵无比，他才惊讶。

殿下自及冠后，就不曾戴着它了，如今为什么又挂在胸前？他不知道，那是因为百里布总觉得浑身的血液都烫得吓人，他连入眠都不踏实，只有这水晶上传来的凉意，才能让他拥有片刻的安宁。

两人又略商量了一下，约定以传心符联络，就各做各的事情去了。

燕北天用"休"又制造出一个布太子，当晚安睡在离恨宫中。他白天照常上朝，只说道心有悟，需要静修几天，没有和百里松涛及身边侍候的人过多接触，完美地执行了伪装任务。

而百里布没带鬼车，只让飞廉助他隐了形，悄悄离开皇宫，直奔二仙门而去。此时的二仙门，还沉浸在静谧之中，百里布到达外围时，突然就明白了为什么乐飘飘那么喜欢这里。

安闲，恬雅，仿若世外桃源般，有点儿像……画不成山谷。

只可惜，这里的防守实在太差了，结界对金丹以上的修士来说，形同虚设。百里布考虑这回救出乐飘飘后，在附近驻扎一小队仙军，这样，二仙门会安全很多。

乐飘飘的住处很显眼，她的三个师父分别住在她楼下的三处青砖瓦房中，围绕着小楼拱卫。可就算这样，徒弟掌门被劫走，他们也还没有察觉到。百里布猜，他们应该不会这么废物，定是那丫头为保护门人，很配合地跟着绑架者走了。

她到底有没有脑子？手下，就是应该为她战斗的。她心肠这样软，不肯牺牲门人，怎么能将二仙门发扬光大？要知道，所有的成功之路，都是由尸骨铺就的。若无生死历练，如何成事？就连以昆仑为首的四大门派，也不知淘汰了多少低级弟子，才有今天的辉煌。

他虽然气那丫头的妇人之仁，可他就是喜欢她这样重情重义，宁愿自己倒霉，也不愿意伤害亲朋。她对外人倒是狠得下心，可亲人朋友却是她的软肋、死穴。

思考片刻后，百里布闯进了小一郎的房间，穿墙而过。无迹太冲动，凤九容易精神失控，倒是这个好色猥琐的小一郎，在关键时刻能让人依赖些。

"难道我又帅了？"小一郎醒来，第一眼看到百里布时居然这样说："我的魅力已经男女通杀，男人都要来采我了！"他不以为耻，反以为荣。

百里布皱眉，不知道这人到底有没有正经的时候。

"乐飘飘被绑架了。"他努力平静地说出，但话一出口，心海还是翻腾不止。

"什么？！"小一郎猛然跳起，又连忙捂住嘴，声音压得极低，"是不是洛城东那小子来抢亲了？"

"孤在外面布置了结界，你可以正常说话。"百里布抱着手臂，站在床前。

"到底是怎么回事？"小一郎立即拔高了声音，可见心里十分焦急。

"据孤猜测，可能是狐妖王乱干的。"

"为什么是他？"小一郎愣住。

"他有实力、有动机，既够肆无忌惮，也够无耻。"

小一郎平时虽然闹腾，老是一副吊儿郎当的不正经模样，却是个聪明人，很多话一点就透，根本不用详细解释。

"他和我们二仙门之间，还有旧仇。"小一郎咬牙切齿，恨声道，"他之前抓过我徒弟，还杀了我三弟。虽然我三弟又活了，但这个仇是结下了。可是，为什么他不通知我们，而是告诉殿下呢？"

"这是挑衅，对大秦皇族的挑衅。"百里布心急如焚，只含混道，"此事不宜声张，还是先救出飘……救出乐掌门为重。至于他侮辱皇权一事，孤自会处理。"

"殿下只找我，没有惊动我二弟、三弟，可是要我出手？放心，飘飘是我们的心肝宝贝，就算我死，也会护她周全。"小一郎正色道。

"不需要你出手。"百里布断然道，"你只要带着孤在你们二仙门里转转，再去飘……乐掌门的房间看看。孤想，她不是个逆来顺受、束手就擒的人，说不定她留下了些蛛丝马迹。再者，还要看看她有没有带走什么武器和灵宠，才好推测她是否还安全。"

而小一郎听百里布在说话时，总是先说一下自己宝贝徒弟的名字，然后又转成客套生疏的"乐掌门"，还有他眼中极力掩饰却怎么也隐藏不了的焦虑，当下不禁觉得有些奇怪。

但此时他也没心情考虑这些，连忙先带着百里布进了乐飘飘的闺房。在乐飘飘的书房内，书架上没有几本书，只是在上面摆着各种小玩意儿。书桌上放着一幅画，看墨色，正是几个时辰前画的。画上是一个大圆球，中间套着三个小圆球，最下方有一横一竖两条线，看起来像阵法。可是，大圆球外面还画了很长的……草？！

"什么东西？不会是什么暗示吧？"小一郎低声问。

百里布二话不说，把画叠起来，放进怀里。甭管是不是线索，只要是有可能的就不能放过。

两人又走进乐飘飘的卧房，见房间虽然干净整洁，却也有不少小玩意儿。床帐倒是淡雅大方的天青色，可上面却挂了很多彩色丝线的络子，还有如意结、双鱼络，比普通少女的闺房多了几分热情活泼。

"殿下，快来看。"跑到平台上的小一郎突然低声叫道。

百里布心头一凛，一步踏到，看到平台上长出一根小草，草叶指向西方。

"这是她不知打哪儿发现的一种怪草，起名为引路草，很少有人知道的。"小一郎指着那片叶子，"叶片的方向就是要指示的方向。现在我们只要沿着引路草指向的方向走，就一定找得到飘飘。我琢磨着，还是叫上我二弟一起，他是木系法术。"

百里布答应了。

小一郎立即把凤九叫起来，快速把目前的情况说了一遍。凤九又气又急，却难得的没有精神错乱，而是异常冷静地沿着引路草的方向，追踪下去。

他是木系，小一郎是水系，两人配合，那引路草本来只是在土层上面冒出一片小叶子，现在却以肉眼可见的速度迅速生长。出了二仙门后，一直延伸到潼川城里，进城后，引路草又顽强地存活在青石板路的缝隙中，继续指引着方向。

他们一路寻，一路把身后的引路草拔掉，收回种子。最后他们到了城西的一处废宅。

此时，夜色渐薄，天马上就要亮了。

废宅之内，乐飘飘不敢睡。她之所以非要带着那个匣子，就是因为里面有她从画不成山谷中带出的引路草种子。她把匣子别在腰后，每咳嗽一次就掉一粒种子，后来因为乱不耐烦，不让她咳了，她的种子才撒得比较稀疏，希望追踪她的人能找到才好。

她知道，百里布一定会来救她。这一点，她比乱有信心。虽然上回的亲吻事件让她觉得百里布是在疏远她，但事关生死，他不会扔下她不管的。而要找她，他必定会去二仙门搜集线索，所以她才偷偷用了引路草。只是，她又不希望他来，毕竟狐妖王的修为太可怕了些。

"来了。"在一边闭目养神的乱，突然睁开了眼睛。

乐飘飘一惊。

这么快？！但显然，这也是乱所疑惑的地方，他倾耳细听了会儿，调笑道："爷小看百里布了，才用了半夜的时间就找来了。这是不是也说明，他真的很在意你呢？若他对你有情，那就好玩了。爷都不必杀他，只守在一边看好戏就成。他越是爱你，就越是倒霉。哈哈……"

乐飘飘听他这么说，不由得问道："你说的，到底是什么意思？"

乱不答，只笑道："就算是测试真情的小法术吧。他有多爱你，就会有多痛苦。若他痛苦到死，也就是爱你到死。"

"乱爷就胡说吧。"乐飘飘根本不信，"若真像你说得这么玄，那你还跟他打什么，直接教我点媚术，让我引诱他，让他直接自己痛苦死不就好了吗？"

"媚术啊，可以教你，我还巴不得收你当徒弟呢。"乱笑得邪气，摆弄了下他那双美得不像话的手，"但这种术法要言传身教，明白了吗？要在床上才习得，你要不要学？"

乐飘飘涨红了脸，哼了声，扭过脸去。

哪想到乱却叹了声，"你还小，不懂这些。媚术再好，哪及得上真情？真情才能动人心，也才能有痛苦折磨的效果。媚术？不过小把戏罢了。不怕告诉你，爷每用一回媚术，心里就空一分、寂寞一分，至今仍后悔呢。"

乐飘飘忍不住瞄了乱一眼，见他虽然笑得风华绝代，但眼神中却有一丝凄凉。不过她不是滥好人，虽然感慨，却不会心软，"别假惺惺了。乱爷就好比猛兽，吃了人后说：哎呀我真不想吃人，只是天命如此，我就该是吃人的。"

"你就说爷是猫哭耗子假慈悲不就得了。"乱也不恼，站起身来整理了下袍子，"爷出去会会你的小情人儿。哼，一个个惦记着对方，还跟我嘴硬，你们哪，才是虚伪。"

相处了几回，乐飘飘早知道乱虽然喜怒无常，却爱听人家说真话，哪怕是不客气的，甚至是骂他的话。所以，她才敢这么说。可此时见他要出去，她又很怕百里布会吃亏，连忙道："打死他，你就享受不到他的痛苦了！"

"呸，你这丫头就是坏。"乱轻啐了下，"难道他真会爱你爱得死去活来吗？就算会，爷也得先教训教训他。你说那话来阻止我，真笨。"

乐飘飘没招了，先低下头去，表现出沮丧的样子。眼见乱出了门，立即又要向外示警，可她还没有动作，乱回手一指，她就中了僵硬术，像棵树一样立在原地，动弹不得。

"你那不入流的心思别跟爷用。"乱轻蔑中带着点宠爱小动物的语气说："爷跟人家斗心眼儿的时候，你祖上还没出生呢。"

这回，乐飘飘是真的沮丧了。她修为不如乱，狡猾不如乱，狠毒不如乱，那还打个屁，直接认输，找根绳子在这边房梁上吊死算了。

但是，外面来救她的人怎么办？

"哟，还真来啦？看来那小丫头很重要呢。"她听到乱轻佻的声音响起，"可是怎么办呢？爷已经把那丫头吃干抹净了，她似乎很喜欢，缠着爷，要跟爷走呢。日日苦修，哪比得上夜夜狂欢。"

"我以为我就够无耻了，可跟你比起来，我还是太纯洁了。"小一郎道，听起来很是痛心疾首，"你以为我们会信吗？"

"为什么不信？一个未经人事的小丫头，如何能逃得过爷的媚术？"乱的声音冷下来。

凤九轻声一笑，那动人心魄的感觉竟然比乱还严重，"我说狐妖，我那徒弟天天洗澡都要泡花瓣的，身上香得很。你呢，除了狐臊味什么也没有，还敢说近了她的身？那丫头看着随和，其实倔强着呢，若她不愿，别说是你，就是天王老子来了也不行。"

"就是。"小一郎接过话来，"快把我家飘飘交出来，今天饶你不死！"

乱哈哈大笑，"就凭你们？"

乐飘飘在屋里急得不行，只听见声，看不见影，真是难受死了。而且，没听到百里布说话，难道……他没来？

如果他没来，她应该开心才对，因为那样他就不会有危险。但不知为什么，她心中又有说不清的感觉，就是突然想放弃挣扎了。

正在这时，只听到砰的一声，本就残破的屋顶破了一个大洞，尘土飞扬中，一道人影若隐若现，乐飘飘才看清来人的脸，就被背了起来。

"原来兵分两路啊。"乱惊怒，但仍然傲慢，"那好，爷就先收拾了你们，再把那丫头抢回来！"

听到乱这么说，乐飘飘突然急了起来，想去参战，却蓦然看见一道亮光，接着她就彻底失去了知觉。

第二十章
要不，我娶你

　　黑暗中，没有时间和空间的概念。也不知过了多久，她蓦然睁开双眼，就看到自己的床帐，还有两张伸到她上方的脸，一个美丽得雌雄莫辨，一个带着上位者的威严和正气，正是凤九和小一郎。

　　"我做噩梦了？"她问。

　　"那个……你就当是做梦吧。"小一郎关切地说："哪儿还不舒服？胸前还是大腿？要不师父给你揉揉，小可怜儿。"

　　凤九一把推开小一郎，喝道："滚！老娘一把屎一把尿拉扯大的心肝宝贝，怎么会让你这种老色鬼调戏！再不走，让你变太监！"

　　乐飘飘惊讶莫名。

　　凤九受刺激了，变得男女不分，总觉得他是自己的师娘没关系，好歹他一直温柔贤惠。这回是怎么了？变河东狮吼了？

　　"他被刺激过度了。"小一郎低声说，脸上没有一点尴尬，"上回你陷入秘境中他就这样犯病了十年，天天对我非打即骂。这次你被绑架，生命受到威胁，他又担心得变成这样了，不过程度不重，大约个把月就会好。虽然暴力，但是别有风味。"

　　乐飘飘服了，因为小一郎的无耻已经完全无敌了。

　　她怎么会有这种师父！她怎么会！怎么会！

　　"到底谁救的我？我三师父呢？"她抛开一切不正常的现实，只问正常的问题。

　　"宝贝啊，你没看到？"凤九温柔地抚了抚她的额头，"嗯，头不烫，没发烧。"

拜托啊师父，我是被绑架，不是受伤和生病好不好？乐飘飘心里哀叹，嘴上却说："从天而降并背走我的人，我知道。可是我不知为什么晕了，没看到外面的情况。那只狐妖，跑到哪里去了？"救她的人，她知道是燕北天。可是，百里布真的没来吗？

小一郎和凤九几不可见地迅速交换了个眼色。到底凤九脸皮薄，还是小一郎脸不红心不跳地答道："就是我和你二师……和你师娘打跑的坏人啊。"

"乱这么厉害，你们怎么打得过？"乐飘飘不信。

"你也太小看师父们了，死丫头。"小一郎点了一下她的额头，瞎话张嘴就来，连眼睛也不眨，"虽说那狐妖的修为相当于人类修士的化神期，可是我们有燕大人带来的仙军精锐，他又不敢在潼川城逗留，可不就败退而去了？"

真是……这样吗？

就是说，乱跑掉了。至于今后还会不会回来，仍然是未知之数。可是，有他这个大患在，她怎么能安枕无忧？

看到她皱眉，凤九安慰道："你也别太在意了，现在太子殿下处理军政事务，燕大人就上了折子，殿下已经批准派一支仙军来，约两百来人，就驻扎在村前面的山坳里。一旦有什么事情，不过片刻，他们就能到。以后只要我们小心些，那只死狐狸暂时不敢再回来生事。"

"经过这次，阵法组的门人都觉得受到了莫大的侮辱，他们正在精研新的防御阵，飘飘你到时候看看，等他们能理解并且熟练运用的时候，再来点高级阵法给他们。之前我还觉得咱们二仙门的防御固若金汤，哪想到遇到真正的高手，实在不堪一击。"小一郎说。

乐飘飘点头。

自从进了这个有修仙者的世界，她就明白实力决定一切。虽然是冷酷的规则，但也是没有办法的事。他们二仙门的底子，实在太薄。可惜实力这个东西不是一朝一夕就能拥有的，就算有重大的机缘，二仙门没个千八百年，也强大不起来，所以，现在他们只能在夹缝中小心生存。

至于狐妖乱，只要他还有一口气，就必定会回来报复她。她本来也没指望能杀了他，现在虽失望，但又觉得他不会太快反扑，只要她仔细做足应战的准备就行了。

"三师父呢？"

"哦，去追那只狐妖了。"凤九轻松说道。

乐飘飘一听就急了，"什么？！你们怎么同意他去的！乱这么高的修为，如果……真打起来，三师父的生存几率小于零！"她刚才还虚弱地躺在床上，但听了这话却立即蹦起来。

"别忘记他会复活术。"小一郎拦住她，"你就消停点吧。无迹自从上回在那狐妖手里吃了大亏，心里就一直窝着火，你不让他跑跑，憋在心里早晚是个病。"

"万一他复活术失灵呢？"乐飘飘还是不放心。

"放心吧。你不在家这五十年，我们全体刻苦修行，其中数老三最努力。为此，他走火入魔都死了好几回了，每次都挺尸一晚上，第二天就活蹦乱跳的。"凤九哭笑不得地说："后来，门人们跟他打招呼的话都改成：三长老，您又活了？"

啊？这事没人跟她提过啊。可见，大家都习以为常了。不过，三师父这个神通是从哪里得来的？她从龙神殿中可没拿到过这种功法。以前听大师父说过，魔道的魔君习过复活术。其实也不是绝对的复活，就是在瞬间，把死亡转移到其他物体上，有可能是草木花树，也可能是动物虫豸。本主闭气一定时间，然后就恢复了。

不过算了，刚才是她太心急。三师父要报仇，也得追得上乱才行。他们修为差那么多，肯定是无迹四处疯跑，白忙活一回，只当练习马拉松了。正如二师父所说，跑跑泄了火气就好。

放下这事，她又详细打听了营救她的经过。小一郎充分发挥说书人的本领，说得那叫一个口沫横飞，精彩跌宕。若不是因为自个儿是当事人，心中存着疑虑，她肯定会听得入迷。

可乐飘飘就是觉得事情有些不大对头，不是小一郎和凤九的话有什么破绽，而是感觉上缺了点什么。她不理解自己为什么会晕倒，照她当时的状态，不可能会那么脆弱。凤九说那是燕北天要设结界保护她，可是太担心她的安危，力道没控制好，反而把她晃得失去意识。但据她所知，燕北天是极为冷静的人，不可能会出现这种失误。

不过她问来问去也问不出什么，便郁闷地跑到二仙山里散心，最后她蹲在放置斑斓石的山洞里。

山洞中特有的幽静和清冷令她想明白了：她一直耿耿于怀的，不过是因为百里布没有来亲自救她而已。但是再想想，这样也好，她已经欠他好几条命了，再欠下去，她真不知道怎么才能还清了。

再说，他是大秦太子，生命比她的金贵多了，在大秦境内，那绝对是一级保护动物，怎么可以轻易涉险？是她之前想多了，也太自信了。

眼见天色渐暗，乐飘飘便起身打算回家。好巧不巧，才站起来，就听到脚步声，正是小一郎和凤九。不知出于什么心态，乐飘飘迅速藏身于龙神殿空间，那根红羽则有意识地落在阴影里。

"什么事非得跑这么远来说？鬼鬼祟祟的。"凤九甩了甩被小一郎拉歪了的衣袖。

"飘飘那事呗。"小一郎用扇柄蹭蹭头皮，有点儿烦恼地说："那丫头鬼精得很，咱们那番说辞怕混不过去。别看她嘴上不问，心里可没落踏实。拉你到这里说，是因为飘飘嫌这洞太阴寒不爱来，也就不怕飘飘会偷听到了。"

龙神殿空间里的乐飘飘简直哭笑不得，这就叫阴差阳错啊，偏偏她就来了这儿，听个满耳。

"那怎么办？"凤九摊开手，"你以为，我对着飘飘撒谎，心里不虚吗？"

"布太子出这么大的力，力战狐妖王，事后却吩咐咱们瞒着飘飘……是不是布太子和咱飘飘之间有什么？"

凤九没回话，因为他是私下和乐飘飘谈过的。

"无迹没留意，我却有点儿感觉。"小一郎继续说："飘飘整天笑嘻嘻的，可眼神里却透着不快乐。她这样豆蔻年华的姑娘，除了情之一字，还会有什么烦心事？"

"快别说了。"凤九拦下了小一郎的话，"就算是真的，我们也应该淡化。"

"我这不是只跟你说了吗？"小一郎道，"这事，我心里可是急了好久了。"

"男女之间，互生仰慕很正常，尤其是布太子那样的人物，飘飘又这么可爱。"凤九叹了口气，"趁着两人还没往深里处，赶紧掐断了好。我琢磨着，布太子也是这个意思，怕飘飘认真。"

"喊，他有什么了不起的。"小一郎愤然道。

"你一点都不了解男人。"凤九斜了一眼小一郎，叹了一声，"我却明白，布太子这样做是为了飘飘好。你看他这次，还有上回，他都是舍了命救飘飘，心里想来也是装着飘飘的。只是，他为人冷静理智，知道继续下去也不会有结果，所以才挥刀斩情丝。"

小一郎也很无奈地道："也是。布太子是什么身份？飘飘虽然是咱们的心肝宝贝，我们觉得全天下的男人都配不上她，可从世俗的眼光看，她与布太子差了何止十万八千里。我听说，皇上也早就为布太子物色了太子妃……"

"所以，该瞒就瞒吧，瞒不了也得咬死了口。"凤九道，"赶紧回去，天黑了，飘飘找不见咱们，指不定怎么胡思乱想呢。"

两人又嘀咕了一阵，这才离开。

他们走了，乐飘飘并没有立即现身，而是坐在空荡的龙神殿中，心潮起伏。

原来，他是为了她才表现得那么绝情的。就连救她，也要隐瞒，怕她因感激而生出别样的心思。她早应该看出来，却是当局者迷。

果然恋爱让人智商下降，让她连这点明摆着的事也没闹明白。其实她并不知道自己对百里布的心意到了什么程度，可，应该爱上了吧？而他终究是救了她，还费了这番苦心来遮掩，想必也是喜欢她的。还有那个吻，他那样骄傲，不喜欢怎么会那样？

只是，他不能。她，其实也不能。

所以，她应该感激他才对，是他理智着，让两人不陷下去。遇到这样的男人，她应该感到庆幸，心里不能再执着。

否则，她还能怎样？

那就配合他好了，他那样煞费苦心，她怎么能不识好歹。就让这段才发芽的感情就此枯萎吧，因为它是那么的不合时宜。

虽然这么想，她心里却酸楚难当，丝丝缕缕，像进入经脉、化入骨骼中一样。其实她之前从没有过这样的感觉，五十年独处，偶尔有点儿色心，她却从未细细想过缘由，如今那份情有如春夜的雨，悄无声息，不知不觉地渗入了灵魂深处，等她发觉，已经晚了。

不过他能斩断情丝，她应该也能。

是……吧？

乐飘飘放纵着自己，在龙神殿中哭了一场，然后就装出很轻松的样子回家。可晚饭才吃完，宫里就来了消息，叫她明日进宫。

是懿旨。

圣上的宠妃雪妃，请乐飘飘进宫叙话。

乐飘飘不明白雪妃怎么想起她来了，然后又觉得如果她明天进宫，见到百里布的可能性比较大，就不怎么想去。可是她不能抗旨，只得硬着头皮答应。

第二天，她特意穿了一身灰扑扑的衣服，想要尽量朴素不引人注目。到宫门外时，雪妃特意派了容嬷嬷来接她，又令她有些惶恐。容嬷嬷可是雪妃面前的红人，

第二十章 要不，我娶你

等闲嫔妃也要敬上三分的。

容嬷嬷上下打量她一番，也没说什么。倒是进了雪云宫，雪妃娇笑道："乐掌门这是怎么了？往常见了很是俏丽，怎么二仙门编入后备营后，倒打扮得像个男人了呢？"

乐飘飘讪讪的，不知道怎么回答，她总觉得雪妃的玩笑中有其他意思，也不知是不是她多心了。

容嬷嬷接过话来道："可惜啊，乐掌门头上这根红羽，到哪里都醒目得很，避不了人的。"

咦，这话更似有深意。可她有什么办法，那红羽是长在她头上的，拔不掉。

"回雪妃娘娘，臣现在是军人了，不敢太招摇。这红羽是我门中标志，倒不好取下。"她现在有了品级，再不是民女，可以称臣了。

"说得极是，但军容也要齐整才好。"雪妃点头道，显得特别亲切和蔼，"不如，明天就穿军装来吧，咱们大秦虽然有女兵女将，本宫倒还没亲眼见过。"

"可不，乐掌门穿上军装，肯定英姿飒爽。"容嬷嬷也跟着赞道。

乐飘飘勉强笑笑，从这简短的几句话中听出了三层意思。第一，明天她还得进宫，也许以后得随传随到。第二，雪妃发了话，她打扮要隆重。第三，雪妃和容嬷嬷是制服控。

她坏心眼儿地想：是不是深宫寂寞，他们看不到真正的男人，所以让她英姿一下，好过过眼瘾？

可是，雪妃为什么突然对她感兴趣了？这里面，没有特殊原因吧？

疑惑中，她毕恭毕敬地问："不知雪妃娘娘召臣来，可有事吩咐？"

雪妃一笑，向乐飘飘招招手，"这里并没有外人，你不必如此拘礼，过来坐吧。本宫久居深宫，除了皇上，也没什么事放在心上。不过本宫偶尔也羡慕外面的海阔天空，叫你来，是想听听你昆仑之行的事。"

"回娘娘，其实也很稀松平常，并无精彩之处。"乐飘飘心头一凛。

真的是雪妃有兴趣吗？还是她背后那位大秦之主想知道什么？可为什么会这样呢？她和百里布表面上看并无瓜葛，是百里松涛在怀疑什么，还是百里布泄露了什么？

不会！他在她面前都装得那么完美！大概再过不久，就能把她忘记。难道，是那天他突然亲她，被人看到了？那可是在雪云宫的范围之内！

想到这种可能，乐飘飘涨红了脸。为了掩饰，她连忙低下头，还假装惭愧地说道："不过娘娘若想听，又不嫌臣说得乏味，臣自然知无不言，就怕说起臣做的那些无能的事，娘娘会笑话。"

"有什么好笑话的？"雪妃摆了摆手，"和你比起来，倒是本宫没见过世面，只怕比听书还要有意思呢，只要乐掌门不觉得被耽误了时间就好。"

这话说听着客气、温和，其实逼得乐飘飘无法拒绝。她敢说和雪妃说话是浪费时间吗？她敢说皇宫贵人是因为没见识才死拉着她不放吗？

不过当她按照那本册子说起故事时，就更觉得雪妃和容嬷嬷是有意为之。她们不断地打断、追问，事无巨细，哪怕是最不起眼之处，都表现出极大的兴趣。乐飘飘当然不会傻到以为她们真是因为好奇才这样，她断定这是试探和调查了，因而打起了十二万分的小心。

但，如果说《乐飘飘历险记》可以分为电视剧那样的四十集，她今天才勉强讲了半集。只是，按照这样的速度，她得连续往宫里跑一个多月估计才能讲完，如果是这样，那么她遇到百里布的机会就会很大，除非……他刻意避开。

如果是因为他亲她的事被发觉，那么今次的事会不会是百里松涛设下的陷阱，看看他儿子是不是和一个村姑有了奸情？那是他不能容忍的吧？那位皇帝不会允许她卑贱的血，玷污了高贵的皇室血统。

不行，她绝对不能见到百里布。那不利于她忘记，若被百里松涛逮到把柄，说不定还会连累二仙门。

"天晚了，本宫就不留你了。你也知道，非圣旨，外臣不得留宿于皇宫。"终于，雪妃开口，"乐掌门不如先回去，明儿巳时再过来可好？本宫还真听得入迷了，你明儿就陪着本宫一起用午膳。不知，乐掌门在时间上方便吗？"

她能说不方便吗？平白惹人怀疑不说，如果让这些贵人不悦，她也没有好果子吃。若这一切真是试探，她小心应付就是。

平静地应下，乐飘飘离开皇宫。容嬷嬷借口要传晚膳，没有亲送，也没派小宫女或者小太监带路。还说反正她之前为太子殿下喂养过很长时间的灵宠，宫里是常来常往的，只拿着雪妃赐的腰牌即可。

就连乐飘飘说自己是路痴，怕在皇宫迷路时，容嬷嬷也笑说："不怕。咱们皇上简朴，又是马上皇帝，不喜南方的亭台楼阁，宫内建筑都是大方简洁的风格，地界不大，你只要沿着走廊一路向南就能到达宫人出入的侧门。若实在不认得路，但凡拉着谁问，人家还不告诉你吗？再不济，你瞄着东边的太子东宫为标杆，那可是皇宫中仅次于皇上寝宫的第二高位，绝对迷不了方向的。"

　　也不知是不是心理作用，乐飘飘总觉得容嬷嬷和雪妃话中有话，可她却只能假装茫然，自行离开。走了一会儿，她抬头望望离恨宫的华丽檐顶，断定没有人跟踪她后，她就刻意往偏处走，近乎是沿着皇城根走，把遇到百里布的几率降到负数。天可怜见，她还真找到一条小路，是穿过一片茂密的毛竹林中的长廊，偏僻得一个人也没有，寂静得像游离于皇宫之外似的。

　　西北之地怎么长出了竹子，这个长廊怎么旧到这个程度都没人修葺，她不得而知，她只知道那种无形的压迫感到了这处就突然消失了，让她松了一口气。

　　只要她小心，别说要讲四十集，就算讲八十集，她来来回回也不会遇到百里布的。

　　于是她认真地记住路线，认定了从此处出入。又因为有了退路的关系，雪妃对她的"故事"追问得再详细，她的惊慌感也慢慢消减了。大概是她表现得滴水不漏，雪妃和容嬷嬷似乎也轻松了不少，问问题时都随意了起来。就这么一连二十来天，完全没出现任何意外，再忍忍，她就能过关了。

　　六月，已是盛夏。潼川因为背靠昆仑山的连绵支脉，夏日雨水也很多。

　　这天，天阴得就特别厉害，雪妃又正好是小日子，有点儿懒懒的，听着故事竟然睡着了。容嬷嬷不敢打扰，乐飘飘也不敢说话，反而比平时出宫的时间还晚些。

　　天幕低沉，雨丝绵密，雾一样被夜风吹得飘散，令周围的景物朦胧如仙境。

　　乐飘飘沿着走廊缓步走着，只觉得雨中泥土的淡淡土腥味和竹叶的清新气息混在一起，格外沁人心脾。她用力深呼吸，伸展开了四肢，转了几圈，不禁无声地笑了，只觉得在雪云宫的压抑在这一刻一扫而空。天地虽大，可是这方小天地却如此静谧美好，仿佛孑立于世外。

　　真好，就像……画不成山谷。

　　一高兴，她又连转了几圈，还把身子探出长廊外，感受脸上雨气的凉意。这样一来，她的身子就非常靠近那片竹林了，没提防有东西圈上她伸展的手臂，把她猛然拖进竹林。

　　有竹子的地方，蛇多。但这片竹林的竹子都很细，不然怎么会叫毛竹。那这种力量……

　　乐飘飘差点儿尖叫。

　　好不容易站稳，惊魂未定中，她就看到一张男人的脸。他的眉头拧成了个疙瘩，眼神里饱含着一种很复杂的情绪。

"殿……殿下……"

她惊讶得还没明白发生了什么事，声音就被吞没在亲吻之中。

又……又亲？！

这个吻，极为炽热，带着要焚毁一切的气息。

不像上次在碧水湖边，只是嘴唇的相贴，气息的交换。这一次，他凶猛地长驱直入，狂野而奔放，带着侵略性和占有的意味。如果说，一个吻可以诉说什么，那他的吻中表达了太多的东西。他的心太深，那些温柔和渴想，直到这个时候才浮上心头，让乐飘飘看到。

他吮吻、舔舐、纠缠不休，似要把她胸腔、脑海、每一个细胞中的氧气都带走，好像他空空的心脏需要她的一切来填补。他的铁臂死死勒住她的腰身，乐飘飘不要说躲闪，身体连一丝缝隙也不能分开。她的身体被他压得后仰，只有本能地抓紧他胸前的衣服。

如雾的雨幕落在他们的头上、身上，散发出幽幽的亮光，令他们和天地融合在了一起。这一刻，时间和空间都失去了意义，他们只能感觉到对方，然后在彼此都要断绝呼吸的时候才蓦然分开。

乐飘飘浑身又热又软，双腿没办法站稳，眼神甚至也没办法聚焦。这个吻来得太突然、太激烈、太不顾一切，令她完全慌了神，只想逃跑。这是她的本能，觉得危险，觉得自己可能覆灭，所以要离那个祸害远一点。

她不知道自己是怎么走回到长廊中的，十几步的距离，她却感觉走了很久。好不容易才站到青砖地上，百里布却又追了来，从身后抱住她。

"你什么意思？"乐飘飘生气了。她不知道为什么要生气，可就是生气了。

百里布不说话，只垂首于她的后颈。他呼出的灼热而急促的热气顺着她凌乱的领窝钻了进去，烫得她冰凉的脊背上起了一层鸡皮疙瘩，整个身子也跟着颤抖起来。

"放开！"她低吼。

他仍然不说话，手臂却收得更紧。

"好吧，我答应你，这个吻，我也会忘记。"情急之下，她口不择言。

而她的话，让百里布略清醒片刻，他陡然松开了手。乐飘飘觉得自己此时应该是得意的，她成功地报复了他，不是吗？可不知为什么她心里却很空，又酸又涩，若不是周围的雨气逼退了她眼里的潮气，说不定她会很丢人地掉下眼泪。

看到她逃也似的跑开，百里布命令自己停下脚步，却又情不自禁地跟在她后面，他舍不得自己朝思暮想的身影就这么消失在眼前。

从她第一天进宫，他就知道，可他怀疑这是父皇的试探，所以他拼命克制着自己不去看她，只是，没有一天是成功的。他对父皇从不曾隐瞒过心意，也不曾做过欺骗之事，可最近他却屡屡利用自己修为上的优势，避开父皇的耳目，只为远远看她一眼。

看她每天穿过走廊，绕行偏远，似乎也在躲避着他。他每天要用很大的心力，才能把持住自己不冲到她面前去。

他错了，彻底错了。从昆仑回来后，越是压抑自己不去见她，就越是想念，如今越是逼迫自己不接近她，心意就反弹得越厉害。

直到刚才……

看着她自由地笑，张开手臂，仿佛拥抱天地那样转圈，瞬间就在潮湿的空气里，引燃了他心里堆积成山的火种。

他跟着她，只是跟着，他不明白自己要做什么，就是舍不得放开。

眼看着她就要走出长廊，穿过一片空地，从一道侧门出去，百里布突然追上去，拉住她的手腕，往怀里带，好像只有抱住她，他的心里才不会空荡荡的。

他想对她说什么，张了张嘴，可又不知道该说什么，只得以行动代替。

他捧着她的脸，沉醉而热烈地吻着，感觉她本能地回应，却又倔强地想推开他。他只能把欲逃的她继续拉回到身边，两人在原地纠缠了也不知多久，更不知吻了几次。

"皇上！"乐飘飘被吻得晕晕乎乎，突然，她望着百里布的身后低喊。

百里布一惊，蓦然转身，却哪儿有什么人？

再回头，乐飘飘已经不见踪影。他的耳边，只留下一句话的回音，"殿下放心，今天的事我一定忘得掉。"

可他，不想让她忘掉！

百里布只觉得心底无比沉重。他走出长廊，仰面向天，看着无数雨线倾洒而下，看似柔弱，看似漫不经心，看似不声不响，却侵占了天地间的一切事物，什么也无法阻挡！

就像乐飘飘，之于他的心。

他并不知道，此时的乐飘飘正拼命往二仙门跑，跑出很远后，才愕然发现没有打伞。

都怪百里布！他到底是什么意思？

她拼命摇头，将身上的水珠都甩出好远。

"主人，你把我叫出来，到底是骑还是不骑？"身边，包小妞不耐烦地问，显然对兔毛被打湿，表示极度不满，"还有你那把破伞，你不撑起来，只是举着能有什么用？"

包小妞是骑宠，虽然年幼，但飞行时就变形到一头小毛驴大小，飞得又快又稳。

"你管我呢？我带着骑宠雨中散步不行吗？"乐飘飘涨红了脸，"我就不打伞，当避雷针举着我乐意。"

"哼，脸红成这样还嘴硬，是不是思春啊？"包小妞鄙视道。

乐飘飘被人说中心事，气得抡起美人伞就打。包小妞转身就跑，可也不敢甩下主人，于是一人一宠就这么追逐着回了二仙门，倒遮掩了乐飘飘明显不对头的情绪。

回到二仙门后，乐飘飘晚饭也没吃几口，就洗了澡钻进被窝。可是她躺下得虽早，却怎么也睡不着。

不要想了！现在的情况是百里布对她感兴趣，可两人根本就不合适的，不应该在一起。明天她就告假离开潼川，哪怕外出有危险也没关系，再危险还能险得过一颗心要失守吗？

才做了决定，她就开始不舍了。所以，她又不断想出各种理由来劝说自己。迷迷糊糊中，她觉得自己应该是睡着了。

半梦半醒之间，她突然觉得有异。

房间里进了人，就在她的床前！照理，她应该装睡，看对方有无敌意再做反应。可那人的气息带着浓浓的雨意和莫名的熟悉感，蓦然就镇住了她。

她猛然起身，抬头看着那高大的身影。

他不是……来采花吧？虽然喜欢他，可她也不愿意让他随便采。

"要不，我娶你。"昏暗中，他上前一步，逼近她。

啊？！

乐飘飘觉得，她一定是在做梦，因为她遭遇了皇太子的求婚。

可哪有人这样求婚的？半夜闯入女方的香闺，突然说出这种话。

"那个……殿下……您别冲动……"白痴啊！话一出口，乐飘飘就暗骂，恨不能把自个儿的舌头咬下来。这时候沉默是王道啊，哪有女方这么表态的，这不成媒婆了。

没想到，百里布还真的闭上眼睛定了定神，然后又上前一步，坚定无比地说道："嗯，我娶你。"

他说的是娶，不是纳。也就是说，他要她当他的太子妃，他登位，她就是皇后。地位什么的，她倒不是很在意，但这么突然就被送到那么高的位置，她还是没办法相信。

啪！她打了自己一个耳光，叫你做梦！这梦还不醒。

可是，这不是梦，脸上火辣辣的疼让她更清晰地感到心跳得没有章法。那么说，这是真的，他真的来向她求婚了。可是，如果他只是开玩笑怎么办？再如果他只是一时情动，回头再说让她忘记这个承诺怎么办？这件事对于她来讲实在是太突然了。

"你不用现在就回答我。"百里布半转过头，避开乐飘飘的眼神。

乐飘飘明显松了口气，她活了两辈子，还没有男人向她求过婚。他不逼她就好，她得慢慢地确定他的心意，慢慢地决定。

可是话说完了，他为什么还不走？

"夜了，殿下，请回吧。"好不容易，她才开口。

闻言，百里布倒没说什么，只往后一步步退着，身子慢慢远离，眼睛却没离开她。到平台上时，他才猛然转身，头也不回地走了。

乐飘飘松了口气，但无论如何，今夜她是甭打算睡了。于是，她就那么呆呆地保持着一个姿势坐到天光大亮，满脑子都是"他又吻我了"、"他向我求婚了"之类的事。

小一郎和凤九在乐飘飘的屋外窥视了半天，也没瞧出个所以然来。

"思春了吧？"小一郎叹气。

"有你这么说宝贝徒弟的吗？"凤九生气。

小一郎一脸无辜，"她这年纪就该思春，不思春才是不正常的吧？"

凤九想了想，也是。

可是思谁都好，千万不能是布太子，那是跟自个儿过不去，注定前路坎坷、受罪难过。

两人有着同样的想法，又同时转过头去，同时发现刚才发呆的徒弟突然不见了。

此时的乐飘飘，骑着包小妞，带着大吉、大利，正往燕北天的家里飞。

昆仑的五十年，于她而言就像过了几天，但燕家的奴仆是凡人，已经换了几茬，倒是燕府的大管家也小有修行，认得她是自家大人的好朋友，当下就把她请进去。因为燕北天还在皇宫执勤，要下午才回来，管家就给她上了点心和茶水，请她等待。

乐飘飘心烦意乱，哪有心思吃东西，但确实口渴万分，连着灌下两大壶凉茶，心里才稍微平静了些。这时，她才想起自己只是简单洗漱了下，胡乱套件衣服就出来了，此时还未梳头。不过她是在燕北天的书房里等，没有镜子。想了想，她就将山河悬匣里的烈阳九天拿了出来。

那宝镜能放大阳光的威力，燃地狱之火，焚烧一切。但既然名为镜子，就有照影的功能，这是乐飘飘一次把玩时偶然发现的。宝镜侧面有一行极小字体的篆刻咒语，不仔细看发现不了，诵念三遍，它就能放大成等人高的穿衣镜，而且还是高清的。

乐飘飘照着镜子梳了头发，然后又把衣服整了整。

看着镜中自己的影像，她忽然想起《白雪公主》里面的镜子，于是一时兴起，对着镜子问道："魔镜魔镜告诉我，布太子对我是真心的吗？"她只是随便说着玩，哪想到镜面突然波动了几下，接着出现了很多画面，虽然断断续续的，却看得明白。

皇宫中，她与鬼车嬉戏，那凶物神态超萌，像小笨鸭子一样追着她跑时，百里布无意中路过后院，脸上露出淡淡的微笑。

狐妖洞，她晕了过去，百里布克制情欲，由情入道。

昆仑秘境中，本来在安全地带的百里布，因为感觉到她有危险，立即不顾一切地去救她。原来，他和她，不是无意中遇到的。

回潼川的途中，他不经意地回头。

碧水湖畔，那个突然的亲吻之后，他在扶石叹息。

离恨宫内，夜半无人时，他以法术幻化出她的样子。

细竹林里，他默默地跟着她，日复一日，却从不说一个字，从不让她知道……

原来……他是爱着她的。

她来找燕北天，就是因为她不确定百里布的感情。

但现在，不用了。

乐飘飘不知看了多少遍镜中的景象。燕北天一走进书房，就看到乐飘飘一边笑着，一边掉眼泪，他吓了一跳，连忙问："飘飘，出了什么事？"

"大哥，你怎么回来得这么早？"乐飘飘抹了把脸，不好意思地说，挥手把烈阳九天收了起来。

"管家到宫中给我带了消息，我想你不可能无缘无故来找我，怕是有急事，就告了假，赶了回来。到底……怎么了？"燕北天疑惑道。

感觉上，应该不是坏事，看飘飘的样子，眉梢眼角都是笑意，难道……

"他，向我求婚了。"乐飘飘难得地扭捏了下。

"谁？"

乐飘飘低头不语。

于是燕北天立即明白了，不禁吃惊，"太子殿下？"

"嗯。"

"什么时候？"

"昨天晚上。"

"你答应了吗？"

"我不知道。"乐飘飘的智商急剧下降，她茫然地摇摇头，"应该没有。他让我考虑一下，可是我想答应他。我来这儿，是想告诉大哥一声。"

之前她还在犹豫，可是在看到那些情景后，她就已经做了决定，无须再问。

"飘飘，你选了一条很难走的路，而且，不一定能好好走到尽头。"好半天，燕北天才缓缓地说道。

乐飘飘知道他说的是什么意思，只是，有时候，感情是理智没办法战胜的。

第二十一章
我们约会吧

不知是百里布太急，还是从燕北天那里听说了什么，当天晚上，他又大驾光临。

他仍然是直闯香闺，大半夜地站在乐飘飘的床前。堂堂一个太子，非弄得自己像采花贼似的。

"你的答案？"他说了四个字。

乐飘飘本来心中一片旖旎，还有点儿不好意思，但看他生硬的态度，倒像是质问，就有点儿不爽了。所以她故意半天不回话，只眨着眼看他。

果然，百里布受不住她的目光，像被烫到一样，很局促不安，一点一点，往后退了几步。

这样的他，她没有见过，不由得玩心大起，还是不说话。哪想到他是那种越受压就越要抵抗的个性，情绪紧绷下立即反弹，好不容易退远了，却又突然上前，伸手捏住她的下巴。

"你的答案？"

他的手素来温暖，可此时却冰凉，令脸颊蓦然滚烫的乐飘飘一哆嗦，心防就弱了。随后他突然弯下身子，逼近，就算黑暗，也看得到对方眼中的自己。那呼吸，不知谁的更急，突然就搅和在了一起，难分彼此。

距离太近，诱惑就格外浓重，像烈酒，闻之即醉。他情不自禁地吻上去，那柔软微凉的触感令他阵阵心悸，陡然就生出无尽缠绵，吻得绵密悠长，直到两人都气息不稳，才恋恋不舍地放开。

"就……嫁给我吧。"他低哑的声音就像最上等的黑色丝绸，幽暗、滑顺、柔软，带着不可抗拒的性感和诱惑。

"我不和别人分享你。"乐飘飘喃喃低语，像是情浓时的撒娇，语气却又无比坚定。

她知道对于这个时代，对于大秦王朝，对于皇室，这个要求都是极不合理的，百里布愿意正式娶她，她就应该心存感激。再说，皇上多纳后宫是祖制，更是皇室的需要。统治者应该有更多的子孙来延续和维护皇权。

可是她没有那么伟大，顾不了这么多。大局？她才不管。若让她在后宫女人的斗争和倾轧中度日，她宁愿把最美好的一刻，留在这里。

或许，做地下情人也不错，借个龙种更好。他立后时，她远远地避开就是，带着孩子隐居去。

果然，此言一出，百里布愣了下，他缓缓站直了身子，走到平台上去。正当乐飘飘以为他这是放弃并离开时，他却站定，深深吸着山间清新的空气，沉默着，很认真地考虑着。

他这样，乐飘飘非常满意。她要的就是深思熟虑的结果，不是因为感情的冲动而随口答应。

百里布正是这样的人，要么不说，说出来就一言九鼎，至死也会做到。

约莫过了一炷香的时间，他走回来，脚步很稳，"我答应。"他说得郑重，"但是……"

乐飘飘听了前半句，心头一喜，可这个"但是"，又让她如坠冰窟，脸都白了。百里布看她这样子，心软软的，倒放松了下来。他唇角微微上翘，坐在床边，把她轻轻揽在怀中。

乐飘飘就乖乖倚在他胸前，听着他强有力的心跳和头顶上传来的低沉性感的声音，"我和你的事，能不能先保密一阵子，等我找机会慢慢劝服父皇再公开？"

偷偷摸摸啊！她……其实蛮喜欢的，因为特别有情调。而且，她决定交出她的心，享受并付出她两世中唯一真正的爱情，但是她真的不看好他们的未来。这样也好，万一结局很破碎，至少伤害面会小一些。这就是现代女人的悲哀，看得总是太清楚。

"好。"她答应，决定抛开所有，不顾一切。

紫霞仙子说得好：飞蛾扑火？扑就扑吧。

"不过请殿下不要总是偷偷潜入我们二仙门了。"她往他怀里钻了钻，轻笑，"殿下如入无人之境，我这个当掌门的很没面子呀。若是加强防御吧，万一殿下不察，受了伤，我可是会心疼的。"

她突然就轻松下来，令百里布瞬间柔肠百结。

他不习惯这种感情，虽然不是未经人事的少年，但全心喜欢一个人，爱着她，对他来说却是全新的体验，不禁局促万分，还有点儿尴尬。所以，他只嗯了声，没说别的。

乐飘飘知道他闯进来时就布下了结界，因而也不低声说话，只是突然想起什么似的，"坏了坏了，燕大哥知道我们的事。今天白天，我告诉过他，我真的很喜欢殿下。"

这是……表白吧？百里布很恨自己，因为让女人抢了先，他的脸还有点儿发烧，幸好房间里没有点儿灯，瞧不出来。

"殿下。"

"嗯？"

"能问你个事不？"

"问。"

"你是从什么时候开始喜欢我的呀？殿下是喜欢我，才要娶我对不对？"

"这个问题不回答。"

哼，难道她还有什么值得利用的吗？不喜欢她，他的心会乱成这样？会做到这一步吗？没良心的丫头！

"那我换个问法。"乐飘飘不死心地在百里布怀里蹭了蹭，"殿下是从什么时候开始记住我的，而且还时时想起？"

百里布沉默了。

什么时候？从那年大雪纷飞的初次见面，那一片洁白中的她的眼神，就让他记住了。至于说何时经常想起，应该是这丫头看光自己的时候。再然后，她还冒充师父入了他的梦境……其实他已经分辨不出当初的心思是羞恼还是愤怒，是惦记还是憎恨。自从他动了心，一切的一切都缠绵起来，现在想来都变了味，都是怦然心动的感觉。

"这个问题也不回答啊。"见他沉默，乐飘飘给自己找台阶下，"问下正经事好了。为什么我主动接近殿下，只要有了肌肤之亲，殿下就会僵住呢？不过后来在画不成山谷待了五十年，好像这个症状减轻了吧？"

"我也不知道为什么。"百里布轻咳了声，掩饰尴尬，随即脸一板，"这也叫正经事？"

这事也很丢人啊。他堂堂一国太子，身份比她高，修为比她高，年纪比她高，却还会出现那种情况！他不甘心！不过他主动碰她，便不会有问题。虽说后来情况好了些，但她若先动手，到哪种程度他才会僵硬，还真不好确定了。

"要不，我们试试？"乐飘飘咬着唇坏笑。

百里布的目光下移，固定在怀中人的脸上，又在她饱满的胸前和纤细的腰肢、修长的双腿上瞄了一圈，语带威胁地道："乐飘飘，你是在勾引孤？很好，孤不介意今夜就临幸你。"

乐飘飘嗖地跳下床，忍着笑。没错，她是在调戏太子殿下。

"殿下，注意节操。"她板着小脸，重复小一郎平时爱说的话。这一刻，她忽然发现自己不愧是他的徒弟，一脸的仁义道德，却一肚子的男啥女啥。

"对了，我还想问殿下个事——狐妖王乱，到底怎么处理的？"她迅速改变话题。

百里布被成功地转移了注意力，冷哼了一声道："他？他没想到我已经到了化神中期的实力，上来就吃了暗亏。不过他在逃跑方面真有本事，我本想杀了他，以绝后患，但终究让他跑了。"说着，他走到乐飘飘身边，再度拥她入怀，安慰道："放心，他再不会来找你的麻烦，因为他必须不停地跑。也许能稍稍休息片刻，可是绝对不能腾出手来再做坏事。"

"你把他怎么啦？"乐飘飘很是幸灾乐祸，接着大感痛快，她之前可被乱欺侮得太狠了。

百里布微微一笑，"我的日月弓、乾坤箭有一个妙处。若我想谁死，只要在箭头上沾了那人的精血，弓上再喂了我的血，此箭就会一直追击他，不死不休，除非大罗金仙重现，不然谁也破不了此法。"

就是说，乱再也不能折腾别人，要永生永世不停地逃亡？那她以后要提防的，也许就是付采薇了。

等等……他到了化神中期？！天哪，这是什么修行速度？而他这样直接告诉自己，完全不隐瞒，是对她很信任吧？还有，他之前一直深藏不露，肯定是有考虑的，但是为了救她，他竟然在乱的面前毫不犹豫地全施展了出来。

他爱她，很爱。此刻她确定得不能再确定。所以，她付出什么都是值得的。

"是谁告诉你，乱绑架你的事是我去解决的？"他明明下了封口令的。

他对乐飘飘这样坦诚，乐飘飘当然也不瞒他，于是她把烈阳九天镜拿了出来。

"魔镜魔镜告诉我，布殿下在一个时辰前，做了什么？"她不知道这是不是咒语，因为顺口好玩，也就这么念了。记得之前她忽悠过狐妖王乱，说天地间有面魔

—408—

镜,可以告诉他,谁是世界上最漂亮的人。没想到真让她说着了。烈阳九天虽然没有那项功能,却能反映影像。

镜子变成等身高,镜面水波流动,在百里布惊异的目光中出现了一幅画面……百里布在离恨宫中,有如困兽一般来回走动,好几次走到门边,却又转回来,纠结又烦恼地喃喃自语,"要去见她吗?"接着,又转悠了半天,最后终于出门。

看到这些,乐飘飘笑得眉眼间满是柔情,百里布却涨红了脸。

他习惯了高高在上,有如神祇般高贵威严,哪会泄露出这么幼稚的感情和白痴般的行为?

于是他连忙道:"快收了!孤命令你!"他一贯是摆架子时就改称呼。

乐飘飘乐得浅笑出声,看出他是真的不好意思,才连忙挥手拂去这一幕,又说:"魔镜魔镜告诉我,乐飘飘一个时辰前在做什么?"

百里布大感兴趣。

镜面波动,影像中的乐飘飘盘膝坐在床上,也不点灯,但凭借着月光可以看到她在发呆、在痴笑,然后她抓起枕头,又抱又咬,最后还滚到床上哼哼。

说实话看到这模样,她脸皮虽厚,却也有点儿尴尬,连头也抬不起来,只是勉强道:"看吧,我比殿下还傻呢。"男人哪,好面子的动物,非得女人比他们还笨才舒服。

果然,百里布面色好多了,又指着镜面道:"你是把那个枕头当成我,要咬我吗?"

"没有具体特指。"乐飘飘笑,"我就是欢喜得没办法,怕笑出声来,所以咬点东西。"

"你喜欢……孤喜欢你?"

这算是表白吗?乐飘飘眉开眼笑,刚想调戏两句,又考虑到眼前人十分骄傲害羞,便又生生地把话憋了回去,只用力点点头。

百里布很满意,他清了清喉咙,腰杆挺得笔直,目不斜视,表现得很不屑似的,"没见过比你更能胡言乱语的丫头。"

闻言,乐飘飘笑道:"爱就要说出来啊,我为什么不承认?多光明正大的事呀。殿下你知道吗?男女之间有了感情,脑子都会变笨的。"

"你说孤是笨蛋?"百里布拧眉。

唉,真是爱情降临一瞬间,智商回到学龄前呀。

乐飘飘突然跳起来,扑到百里布身上,"殿下,我们约会吧。"

"约会？"

"嗯，男女之间相互了解的重要步骤。"

"你觉得，孤对你不够了解，还是了解不够？"

呃，这个……确实。虽然之前他摆出一副不乐意和她说话的样子，但两人相处了那么久，还都在对方面前故意表现出自己恶劣的一面，从不隐藏和掩饰。她对他，更是什么过分的事都做过，若说了解，应该足够了。

看着他近在咫尺的脸，那一脸认真的神情，乐飘飘就觉得这个男人特别可爱，总引得她想逗逗他。

于是，她吧唧一声，重重吻了百里布的唇一下，"不是那种了解，而是……不约会就没办法搂搂抱抱亲亲呀。"

"那你现在正在干什么？"

"搂搂抱抱亲亲呀。"乐飘飘眨着无辜的眼睛，"约会嘛，就是这个样子，再看点好景，吃点好吃的，玩点很低能的游戏。"古代男不懂得这些，还得靠她主动啊。

想起主动，她就又去吻他。

看着乐飘飘主动的样子，百里布也不禁心动了，但他还是板起一张脸，摆出一副很正经的模样道："约会的事，孤准了。"

"谢殿下。"看他端架子、装矜持，真好玩啊。

"这两天比较忙，可能不能出宫。后天一早，孤要去潼川以北三百里处的龙门，你去那里接驾吧。"百里布头也不回地说："要小心，别被人发觉。我会叫北天在暗中保护你，免得你又惹出什么事来。"

"殿下……"这叫讨论约会吗？明明是通知啊。

"就这样。"百里布一边说一边往外走，转眼就不见了，只扔下一句话，"不许偷窥孤。"

乐飘飘忍着笑，胡思乱想中，她居然睡着了。第二天，她以自己都没发觉的好态度在门里转悠，见谁都和颜悦色，见谁都笑眯眯的，结果搞得门人们都觉得瘆得慌。

"她肯定是没在沉默中爆发，就在沉默中变态了。"小一郎运用起乐飘飘言传身教的现代语言，相当得心应手。

"你什么意思？"凤九疑惑。

"我都跟你说了，她这年纪不思春是不正常的。可她喜欢的，偏偏是个不能喜欢的人，这么一直压抑着，于是花痴了呗。"

"你才花痴！"凤九怒道，"我家飘飘那是心眼儿好，怕你我担心她，强颜欢笑而已。"

两人观点不一，争吵不停。

乐飘飘却不知道这些，美滋滋地逛完了二仙门，只觉得夏天真美好。然后又拿了钱，叫上紫墨去逛城里，买了很多精美的衣服、鞋子和首饰。当然，她也给皇庄其他几个姑娘家捎带了不少。

看到一群丫头片子围着衣饰叽叽喳喳，小一郎和凤九才放心，凤九还说："以前听飘飘说过，女人不高兴或者感情失败了就会拼命花钱买东西，这叫减压。"

潼川以北三百里处的龙门。

乐飘飘正望着前方笔直的大路，心中悲催万分。

哪有她这样约会的？女方等男方不说，明明纯洁的爱情，却怎么看怎么像私会姘头。

"龙门山里有我大秦精兵部署，太子殿下要务在身，午时后才会过来。"燕北天低声说。

午时后过来……

不过她没有不高兴，因为她不是不明事理的小女孩。她只是小小二仙门的头儿，还是放羊式管理。而百里布协助他父皇管理的是一个国家，又是外敌环伺的那种，他肩上的担子很重，哪可能扔下一切只哄着她？若他是那种男人，她也不会爱的。

她只是……很紧张。

和男人约会，在现代时很平常，光是相亲她就参加了不少。但没有一次像今天，一直怕哪里做得不好，会让他不喜欢。说到底，百里布太完美，对她来说还是很有压力的。所以说，门当户对很重要。可是，谁让他们爱上了。

"你饿不饿，要不吃点东西？"燕北天见她不说话，手指无意识地扭动，就体贴地建议，"虽是山野村店，却有几个野味做得不错。"

对太子殿下和乐飘飘的感情，他真的不看好，但作为唯一的知情人，他说不出劝解的话来。因为他明白殿下之前忍耐得多久、多狠，若能控制，必不会走到这一步。那么，他也只有为他们保密，再出谋划策，争取皇上的首肯。

"我还不饿，大哥一路护送辛苦，不如先吃吧。"乐飘飘摇摇头。

她心里像塞着一团温热的毛绒似的，哪里吃得下东西。

再说，她带了吃的。

古代娱乐生活匮乏，没有电影院、主题公园什么的，他们这种见不得光的情侣，又不能一起逛街，她实在想不出约会的花样。不过相比现代，这里的优势就是山清水秀，食物天然，所以她决定野餐，也提前做好了准备。

"好。"燕北天也不跟她矫情。

山野村店，没什么雅间一说，但他们包下了二楼，倒也清净。

"殿下这次要出来多久啊？"乐飘飘打听道。

"明天一早就回。"

那就是说，他就算很快过来，他们也只有半天和一夜的相处时间。

自从他们确定了感情，也不知怎的，她就突然思念了起来，恨不得能时时和他在一处。

"最近很忙吗？"她又试探性地问。倒不是有什么心思，就是怕涉及朝政秘密什么的，让燕北天为难。

但是燕北天却很坦诚，"是很忙，只怕殿下很难再像今天这样一出宫就一整天了。若在潼川城内，你们不能频繁见面。咱们那位皇上……精明得很，很难有什么能瞒住他。"

乐飘飘心头一凛，怎么听都觉得燕北天在提醒她。谁都知道，在百里布说服百里松涛之前，她是不能曝光的。若被发现，还不知要闹出怎样的风波。所以，他们必须承受相思之苦，行动也要极为小心才行。

"我明白。"乐飘飘点点头。

看着她脸上的失落，燕北天非常不忍，遂转移话题，"飘飘可曾关注过大秦的国事？"

乐飘飘茫然，因为她还真没注意过。修了仙，有了那个小村子、小门派，现在还有了修仙证，她几乎不问身外世事。燕北天这样问，她才记起自己属于大秦后备营。

而且，身为太子殿下的女朋友，她是不是应该关注一下局势、关心一下他的工作和生活呢？

"大哥给我讲讲。"她把微温的汤送到燕北天面前。

燕北天喝了几口，深吸了一口气才说："我们大秦的皇裔比较单薄，百里家的继承人只有太子殿下一人。所以你们被困在昆仑秘境时，很多人就很不安分。"

"有人觊觎他的皇位？"乐飘飘有点儿惊讶。

燕北天摇头，"那倒没有，皇上一直铁腕统治，自登位以来，对朝政有异议者、对皇位有私心者，早已被铲除干净，目前的大秦就是铁板一块。虽然有人说皇上好战嗜杀，但全大秦子民都相信皇上，相信战争会给大秦带来永久的和平。这也就是为什么其他六国围攻大秦多年，却始终不能动摇我大秦根基的重要原因之一。没有裂痕，何来弱点，又怎么侵入？"

"那又是什么人不安分？难道是那六国？"

"正是。"燕北天眼中闪着复杂的光芒。

"你们被困，被传成太子殿下已经死了。大秦没了继承人，那六国就蠢蠢欲动。皇上再强势，膝下无子也令国民难安。于是，除了鲁国态度暧昧，剩下的五国早在五十年前就联手挑衅了数次，都是大败而归。但越是败，他们就越怕有一天被吞并，而且，最近他们好像又有什么举动。"

"要打仗吗？"乐飘飘吃了一惊。

"应该不至于。"燕北天说完，突然一笑，"这是我的判断。虽然他们又联盟又调兵，忙得不亦乐乎，但殿下不在时他们尚且不能赢，如今殿下回来了，他们就更没机会了。只是做做样子罢了，或者是等待一个时机。他们可是一直想拉修仙者下水呢，可是修真界不愿意介入人界的征战和杀戮，怕因此而误了道心。"

"修仙者？"乐飘飘更惊讶，因为若是修仙者介入人类的战争，那死伤和战争规模……用脚指头也想得出会有多惨烈。

"其实老百姓才不管什么更朝换代，不管统治者是谁，他们到底属于哪国臣民。他们只是想平安地活着，一家人和和美美的。"乐飘飘微微冷笑，"我有点儿不能理解这些统治者。天下大势，分久必合，合久必分，国号真的那么重要吗？要一心为百姓，就不该挑事。他们放不下的，其实是自己的皇位吧。屁股决定脑袋，看问题的角度不一样，得出的结果也不一样。百姓愿意顺服，可各国的皇上怎么舍得奉别人为上？还有，咱们皇上正值壮年，就算太子殿下不继承皇位，皇上也可以再生个小皇子嘛，真不知这些人急个什么。"

她一番言论算不得匪夷所思，但也令人耳目一新，接着瞠目结舌。

燕北天惊异得还没说话，身后就传来一个声音，"说得不错。"

"见过殿下。"燕北天赶紧站起来。

可乐飘飘却很局促，连行礼也忘记了。

百里布没挑刺儿，反正这丫头无礼惯了，此处没有外人，他也不在意。

"不过，说什么屁股决定脑袋，一个姑娘家，言语怎可如此粗鄙？"他又哼了声，"还敢直言皇上的子嗣问题，是要造反，还是嫌命长？"

"是，臣错了。臣以后改还不行吗？"哼，就爱摆架子、教训人，本掌门大人大量，不和你计较。

燕北天不禁微笑道："殿下既然已经到了，那臣就告退了。军营那边还有臣的朋友呢，怎么着也得聚一聚。"

"嗯，明早孤会按时归城。"百里布点了点头。

乐飘飘内心忐忑，不明白百里布是什么意思。明早？这就是说晚上他也和她一起过？那是不是要那啥？可是他说过成亲前不碰她的，不过他也说他定力很差。怎么办？她的定力更差。修为低嘛，没办法。

"去哪儿？"乐飘飘还在胡思乱想间，百里布问。

乐飘飘连忙拎起藏在桌子下面的大篮子，笑道："我们去野餐好不好？"

恋爱中的人，可能都会陷入轻度的精神病状态。

若以乐飘飘的本身素质来说，一个深度宅，最爱的就是待在空调房内，躺在床上玩各种电子产品，吃东西叫外卖，能一个月不出门。

可此时，她顶着夏日的毒辣阳光，走在山间崎岖的小路上，好不容易找到一处风景不错的地方，却被蚊虫咬得浑身是包。

最要命的是她早上新做的点心都坏掉了，只能吃水果。但就算狼狈如此，她还是觉得很甜蜜，脸上一直挂着开心的笑。而百里布虽然摆着扑克脸，到底也还是一直跟了下来，对这么无聊的事也没有怨言。

很多年后，当乐飘飘回忆起这一幕，尽管已经不记得当时说了什么，可她就是觉得很快乐。心软软的，风是轻的，云是淡的，天地之间没有任何人，只有山色如画，水色如新，她所有的爱情都在那一刻肆意绽放。并且，从来都没有后悔过。

他们还把各自的灵宠召唤出来，让它们彼此熟悉。鬼车和飞廉都是凶煞之物，大吉是天生胆小，大利则是狐假虎威，倒是外形似兔的包小妞一脸坏相，多少给乐飘飘挽回了些面子。

而到了晚上，山蚊子凶猛来袭，虽然可以创造结界来躲避，但那就没有了野餐的意思。最后，百里布就提议回皇宫。

"殿下，我们不是应该远离皇宫的眼线吗？"乐飘飘有点儿吃惊，"还有，明天一早，你不是要来这里和燕大哥会合吗？"他不是玩"最危险的地方就最安全"的游戏吧？再说，夜游皇宫有什么好玩的？难道他是觉得那样比较刺激？

"我要带你去一个地方，只有皇宫有入口。"百里布说着又皱眉，"你跟北天很熟吗？大哥都叫上了。"

乐飘飘但笑不语，哎哟，好大的酸味。堂堂布殿下，恋爱起来像个小男生哇。

百里布自己也觉得幼稚，于是就召唤回鬼车，跃身而上，头也不回地向乐飘飘伸出手。可他等了半天，手中还是空荡荡的。

微侧过身一看，乐飘飘正笑眯眯地趴在一脸倨傲的包小妞身上，令他很是不爽。

"过来！"他冷冷地命令。

"人家也有骑宠。"乐飘飘眨眨无辜的眼睛。

"孤说过来！"百里布开始端架子。

"这是太子旨意吗？"乐飘飘微笑着挑衅。

干脆，百里布不再回话，而是直接将她抓了过来，把她放在自己身前。

鬼车高兴坏了，嘎嘎叫了几声，朝包小妞示威。包小妞兔牙闪着寒光，看样子很是不高兴，但在主人的示意下，只得愤愤不平地飞回山河悬匣中，跟大吉、大利不满地嘀咕，"我说怎么样？女大不中留，一心只向着男人呢，拿我做手段，太气人了。"

大利表示同情地拍拍包小妞的兔头。

大吉则为乐飘飘辩护，"咱们是灵宠，当然要听主人的话。包小妞说得太奇怪了，完全是三个师父的语气。"

包小妞伸出兔牙咬了大吉的翅膀一下，轻蔑道："雌性就是这样，太温顺，不霸气。"

"那也比雄性长了个雌性的相貌，还起了个雌性的名字好。"大利猥琐地笑。

于是，三只灵宠又打成一团。

乐飘飘当然不知道这些，她其实就是故意折腾百里布的，虽然有点儿恶趣味，但恋爱中的人就是这么白痴。当她坐在鬼车背上，倚在百里布怀里，霎时就什么都忘记了。

"知道我要带你去哪里吗？"当鬼车在天空中兜了几大圈，飞到皇宫上空的时候，百里布低声问。因为那同乘的短暂时光，他的心和语气都变得柔软无比。

"是地下龙神窟？"她倒也不隐瞒自己的猜测。

想来，这皇宫中还有什么让他牵挂的呢？只有他的父皇和他的师父吧。父皇是需要躲避的人，所以只有可能是去找那位从不说话的师父。

这个……算是见家长吧？想到这儿，乐飘飘突然就羞涩了。

"虽然以前你偷偷跟我去过那里，可我还是想正式把你介绍给我师父。"百里布说。

看到他平静但认真的神情，乐飘飘突然感觉他和那条神龙有着极深的感情。这实在有点儿怪异，因为听他说过，从他五岁起，那神龙就失去了生命，事实上并没有教导过他，他所有的修为，都是神龙留在他心里的神识在引导他。

说到底，和她的龙神殿空间差不多。她所拥有的是玉简，而他所拥有的可能只是一段声音、深涩的文字和残留的影像，和自学成才差不多。那他，对那条神龙的师徒之情是哪里来的呢？

两人避开皇宫守卫，先是来到奉先殿，在列皇的牌位面前行跪礼后，他口诵咒语，两人双双踏入脚下的黑色七星芒图案中，转眼间到了地下。最后，走过那长达几里的石阶，来到那巨大的地下河岸边。那河水依旧是阴沉沉的，黑缎子一般闪着光，似乎不动不流，却弥漫着吞噬一切的力量。

在河水中央，光滑如镜的巨大平台上，神龙无言，没有生息，却宛如活着。

"师父，这是徒弟喜欢的女人。"百里布拉着乐飘飘跪下，"我要娶她为妻，所以特地来告诉您知道。"

"师父……"乐飘飘情不自禁地喃喃自语。

"这就是上回我跟您说过的丫头，她一碰我，就会让我发僵，冒充您入我梦境的那个。"百里布继续说，就好像神龙能听到似的，"父皇不会同意，但我希望您知道，而且能认同。"

地下龙神窟里，百里布的声音不断回响，似乎传到那不知尽头是哪里的河水深处，隔着水音，破碎成很多细语，深深化作一腔缠绵之意。

神龙仍旧无言，百里布恭恭敬敬地磕了三个头，然后盘膝坐下，面对着同样姿势的乐飘飘。

"我的生命是两个人给的，"他握住乐飘飘的手，"我的父皇和我的师父。父皇……他有自己的原则和想法，轻易不会改变，你不要为此怪他。不过你放心，我一定会征得他的同意，娶你做我的妻子，唯一的妻子。"

"嗯。"乐飘飘重重点头。

"我师父……你不要以为他是仙去的。我总觉得他还在，只是沉睡了而已。他是给我另一次生命的人，不然你我就不可能遇到。所以，你要和我一样尊重他。我父皇说，他本是天上神龙，误入凡尘却失了神骨，回不去了。而他跟我虽是结的尘缘，却奉的真心。"

"嗯。"乐飘飘再度重重点头。

百里布看着她，看着在漆黑地下河边的她，仍然充满着鲜活的生命力，就像一簇小小的火苗，就像是他的光，心中柔情顿起，俯下身，温柔又深切地吻她，似要把生命交换。

然后在她意乱情迷、就要软化成一汪春水时，他的双手从她的手腕向上滑，抚过整条臂膀，轻轻落在肩膀上，再反转，停留在她的喉咙处。她穿的是琵琶襟的短衣，他的手指就捏在那扣到领口的纽襻上，微微用力。

乐飘飘的心突然狂跳起来。

他不是……他不是要在这里提前洞房吧？神龙仿佛没有生命，可他又说师父还在，难道……难道他们要在龙神师父面前那什么什么？

天热，除了这件短上衣，她里面只穿了自己改良过的内衣，现代内衣。

她觉得她的心都跳到喉咙附近了，几乎震得他的手都在颤抖。奇怪了，明明她碰他时，他会僵硬，为什么现在他碰她，她也动不了了？甚至，嘴张了张，连话也无法说出来，额上迅速冒出了一层细汗，脸也是红得发烫。

殊不知，她这模样在百里布眼里就成了最大的诱惑，他终于出手，两边一分，就把她的上衣全拉开了，露出大片雪白的酥胸。

那美景令他口干舌燥，很想立即要了她，可他却咬紧牙关，没有进一步动作，眼睛虽然还在那迷人之处停留，手却伸到自己的怀中。

片刻，他指尖捏着一个透明的水滴状东西，有点儿像水晶，有点儿像钻石，贴在她双乳之间。

他的指尖火热，但那个水滴却冰凉。她抬起眼睛，只见百里布不知念了句什么咒语，就感觉那水滴轻轻附在她的皮肤上，却再取不下来似的。

"这个宝贝是休。"百里布声音喑哑，"是我给你的定情之物。我不知道它有什么用处，但它是我母后留给我的。我知道，她想让我把它送给我最爱的女人。所以，我送给你。倘若我心负你，我命即休！"

这一夜，乐飘飘就与百里布依偎在一起，在龙神窟内静静坐着。虽然互相没有说话，虽然身处这神圣中带些阴森的地方，但她就是感觉很踏实、很平安、很幸福，恨不能就如此下去，再也不要改变。

第二天一早，乐飘飘回到二仙门，但仍然睡不着，于是把烈阳九天镜召唤出来，拉开衣领，观察那个名为"休"的定情信物。

它几乎完全透明，除非本主，别人很难发现它的存在，面对烈阳九天镜时都无影无踪，十分神异。但是，乐飘飘能感觉到它，凉丝丝的，却又奇异的包含着湿暖之意。更奇怪的是，乐飘飘对休有一种熟悉之感，好像她本来就认识它。

宛如双生，相随相伴。就像……姐妹那样。

她试着拉它，真的取不下来，就只好让它贴心放着，感觉到百里布的气息丝丝缠绕，就像他在她身边陪伴着似的。

太子殿下这招高啊，这样，她就会日夜不停地想着他，想忘也忘不掉了。

乐飘飘注视着那面清晰无比的镜子，见镜中人眉眼含春，忽喜忽怒，又是羞恼，又是不好意思，干脆收了宝贝，窝到床上睡美容觉去了。

另一边，百里布回到龙门，整肃了军队，按计划回到潼川城。正常行军，一天之间绝对不可能达到三百里的，但他带的是仙军，全军疾行，进城后有前锋开道，所以不到中午已经兵士入营，百里布也到了御书房回报情况。

"龙门是通往潼川之咽喉要地，不可马虎。"百里松涛听完汇报，点头道。

"儿臣清楚，所以特别留了意。"百里布正色道，"那边依山而建设的旧阵完好，若有突发状况，很快就能启动。驻扎的仙军日常训练也没有耽搁，这次儿臣去巡视，特别带去了几只异兽，所以北疆……父皇尽管放心。"

百里松涛嗯了一声，眼睛垂了下来，手指无意识地敲着桌面，不知在想些什么。

见此，百里布略有些不安，他犹豫了一下，上前几步问："父皇，我们派去各国的细作，有不好的消息传来吗？"

"自你懂事，朕就没瞒过你，那一战，必会来的，只是早晚的问题。天可怜见，在你被困的五十年里，他们没有动手。那几回小小试探，不足为虑。若那时六国抛却互相猜忌，彻底联合起来攻打大秦，我大秦危矣。"说到这儿，百里松涛抬眼，目中精光灿烂，"现在也不是好时候，毕竟我们找到了龙印，却还没找到地宫。所以表面的太平，能维持还是要维持的。"

"六国开始结盟了吗？"百里布皱皱眉。

他是太子，也是军人，还是修仙者。这三重的身份，都指向一个结局：统一天下的战争。从小他就明白，大秦要么统一七国，要么被六国所灭，没有第三条路。正如乐飘飘对燕北天说的，天下大势，合久必分，分久必合。七国已经分裂千年，却从没有超过十年的安宁，就算没有大战，各国边界的小打小闹也没有间断。

统一，是唯一通向和平的道路。

他们大秦地处西北，虽土地广袤，远胜其他六国，但国土却大多是苦寒之地，不扩张就难以生存。加之民风彪悍，皇族百里氏骄傲不妥协，历来就是其他六国的眼中钉，虽不屈不挠，五百年前也差点儿灭国毁族。

如今，六国亡秦之念不死，始终把他们看成威胁，而久守必败，大秦要想安宁，就只有主动出击，踏平其他六国，统一天下。不是百里家族好战，而是非战不可。只是照乐飘飘那天所说，战争真是为了百姓吗？可若弃之，就算百里家一死以谢天下，又有谁能保证大秦子民不被欺凌？

因为乐飘飘，他坚定的战意有了动摇，但，也只是动摇而已，本心仍然没有变。

"确切地说，应该是五国。"百里松涛的眼神又闪了闪，"齐国……在犹豫，暂时还没倒向任何一边。"

齐国，地处大陆以东，背靠无垠碧海，海外不知通向何处。在齐国和秦国之间，隔着赵魏两国，若是远交近攻，争取到齐国，赵魏就会顾忌腹背之地，韩国也会受到掣肘，不敢放手进攻秦国。那五国之盟就算不破，至少也不是铁板一块，仅剩下燕与楚可全力出手，秦国就有很大的胜机。这就好比弈棋，以一子牵住三子，实在是绝妙的一招。

"父皇可以肯定齐国真心愿意与我大秦做出约定吗？"百里布沉吟了一下，问。

"朕少年时游历天下，与齐国皇帝无意中相遇，曾把臂同游。"百里松涛笑了笑，似乎回忆起少年时光，神情不禁柔和了些，"那时我们不知对方的身份，倒是真心相交，就算后来猜破对方是谁，却也了解了彼此的治国之策。齐国皇帝骨子里不喜征战，性格上有些软弱。若朕给他一个让他放心的保证，再给他一个郑重的承诺，他是宁愿偏安一隅，也绝不愿意动武的。"

"父皇应了齐国什么？"百里布心头一跳，问。

他自是知道父皇一直拉拢齐国，更不惜采取一些手段让其他五国生疑，甚至动了联姻的心思。联姻，算是保证，但他从没问过，父皇给齐国什么承诺。父皇今天和他说这些是什么意思呢？难道要让他马上娶齐国公主含鄢？齐国皇室也是修仙者，那位皇上虽然没什么晋阶，只多了几百年的生命，含鼙公主却是昆仑高徒，如今也是金丹期了。

这件婚事是早就有意向的，虽然没有定论，但他当时也没有激烈反对，反正身为太子，他早就清楚他的婚姻是政治手段，由不得自己的心意。但现在不同了，他有了飘飘，本打算慢慢平息这件事，父皇本来也没特意去说，今天这是怎么了？

"朕许诺，不占齐国一寸领土，只要百里氏仍然是大秦皇室，就绝不染指齐国。"百里松涛站起身走到百里布身边，意味深长地拍拍他的肩，"布儿，你该知道齐国有多重要。两国之间，已经秘密谈妥，只需要最后的保证：你要娶鲁含鼙为我大秦的太子妃。等天下统一，父皇立即让位与你！"

百里布心里咯噔一下，血液瞬间冰凉。

他要娶的人是飘飘，他很清楚自己的心意，也答应一生只她一人。他并不是盲目地答应，他是认真的，而且有计划。只是父皇的旨意来得太突然，他的布置还没展开……难道，是父皇发觉了什么吗？

"父皇，儿臣不想这么早成亲。"他推搪了一句。

"布儿，就算你是修仙者，容貌不变，可年龄也不小了。"百里松涛并没有因为百里布的拒绝而生气，而是温言道，"那含鼙公主是百年不遇的纯阴之体，若与你双修，对你的修为更有助益。难道，你不想早日渡劫飞升吗？若你成了仙者，七国还有什么理由不统一？你母后的仇，又怎么可能不报？你想，若非含鼙体质特异，以昆仑那种清高于世外的态度，怎么会收一名凡尘的公主为内门弟子？从另一方面讲，娶了含鼙，至少和昆仑也搭上了关系。再说，含鼙容貌绝代，性子又温柔，这样仙女般的人物，岂是山野村姑可比的。此事百利而无一害，关键是含鼙倾心于你，不然这等女子，得有多少人求娶？父皇要帮你定下亲事，只怕也不容易。"

"父皇……"

"这件事，你早有心理准备，只是以前没摆到台面上说。"百里松涛打断百里布，突然间生气了似的，"或者你在昆仑秘境这五十年，心思想得偏了，忘记什么事才是最重要的。父皇也不逼你，你回去好好想一想，明日再来，咱们商量一下你前往齐国下聘的事。好了，下去吧。"百里松涛挥挥手。

百里布没办法，一脸阴郁地离开了。

父皇必是知道他对飘飘的心意了，至少是怀疑了。他那么小心，不知哪里出了破绽。父皇说的话很明白，虽然没有直接点破，也是给他留了面子和余地。但于他而言，这变故实在有些突然。

他不直接争辩，是因为他知道父皇正在气头上，多说无益。可他不会娶含颦的，明天他必要想出办法来说服父皇。他不能直接违抗父皇的命令，因为父子感情，因为他的责任，还因为……反对太激烈，会逼得父皇对飘飘出手。别人不知道父皇的实力，他却是清楚的。若到那一步，就算他拼了命，也不一定能保证飘飘的周全。

回到离恨宫后，他枯坐良久，然后从床头的柜子中拿出一张纸。

那是一幅画：一个大圆球，中间套着三个小圆球，最下方有一横一竖两条线，大圆球外面有很多乱草。

这是飘飘被狐妖王绑架时，他在她书房的桌子上发现的，当时还以为是与绑架有关的方位图什么的，后来才知道，那是她想他时，画的他的图像。大圆球是脑袋，三个小圆球是眼睛和鼻头，一横一竖两条线，是他的鼻梁和抿紧的嘴巴。那堆乱草，是他的头发。

那画功，不是一般的烂。可知道画上人是他时，他并没有恼火，而是心里涌起无尽的温柔。她在想他，想得不得了，才要去画。虽然她不会画，但那份情谊却在上面。他似乎能感觉她抚着画，叫他的名字。于是，他把这画视为她给他的定情物。

可若父皇以死相逼，他要把她怎么办？

他努力过了，逼自己远离她，强迫自己不去想。他真的很努力地试过了，可事实证明，他不能没有她，她已经渗透到他的骨血之中，无论用什么方法也再不能拔除，所以他必须想出办法来说服父皇。飘飘和父皇，他谁也不能放弃。

而远在二仙门的乐飘飘并不知道皇宫里发生的事，虽然她对未来不敢有奢望，却也没想到变故来得这么快。内心充盈之下，她恢复了宅的本质，一天一夜连自个儿的小楼也没出，心里不知想念了百里布多少遍。而转天早上，当小一郎见到一脸迷迷蒙蒙的她，不由得惊奇。

"你不是出去云游了吗？这就回来了？"

"我是短途云游，不行吗？谁说一次就得出去十年八年的？"乐飘飘强词夺理，"我昨天一早就回来了，可过了整整一天一夜师父才发现我。看来，咱们二仙门的防御问题还是要加强。"

"死丫头，找碴。"小一郎哼了声，背着手走了。

第二十一章 我们约会吧

他特意拐到凤九屋里，急急地叫道："坏了坏了坏了坏了！"

凤九正盘膝吐纳，眼睛也没睁开，只嗯了声表示听到了。

"我看飘飘情况不对，满面春色，怕是和布太子……"

"你又这样说自个儿的徒弟！"凤九终于有反应了，漂亮的长眉皱紧，"你以为谁都像你这么色？"

"你这个人太不纯洁了，净瞎想！"小一郎很愤怒又很忧郁，"我是说，她可能和布太子两情相悦了，不再是之前互相躲避的样子。"

凤九愣了愣，长叹一声，"你说，这世上的绝顶高手是谁？"

小一郎愣住，没想到他把话题拐到这上面。

凤九也不等他回答，幽幽地道："情，才是唯一不可战胜的大高手，大能者。若中了它的毒，凭你是谁，凭你有多大的能为，到头来都死得尸骨无存，魂飞魄散。"

"你的意思……我们只能等着给飘飘收尸？"小一郎烦躁地抓抓头，"就没办法阻止了吗？"

凤九还没回话，今日的值守人员就来报，说宫里来了人，雪妃召掌门人进宫。

小一郎和凤九连忙按下心中的不安，决定晚上找乐飘飘再谈谈。这边就由凤九传话，并帮着乐飘飘梳妆打扮。因为往常进宫都是穿雪妃亲手改的那件军装，这下倒也方便，只洗了脸，为了掩饰红羽，把长发高高束起，扎个偏马尾就行了。

"不是还让你去讲故事吧？"凤九没来由地有点儿担心，"那雪妃也真是闲的，在宫里哪怕绣绣花也行啊，没事总折腾别人陪她玩。"

"算啦，师父们不用担心。"乐飘飘安慰他，"我琢磨着，再有个三两回故事就讲完了，到时候再送她一本历险记，她还有什么理由总找我呀？好歹咱们也是后备军，有好多正事做，又要修行，那雪妃不是个没眼力见儿的。"

凤九无法，只点点头，目送乐飘飘离开。

其实乐飘飘也觉得纳闷，前些日子，明明雪妃对她的故事已经没兴趣了，好几天没找过她，怎么突然又……

带着疑惑，乐飘飘进了雪云宫。行礼过后，雪妃依旧态度亲切和蔼，她屏退了左右，只留容嬷嬷在一边侍候，又赐了点心茶水，三个女人东拉西扯了半天。

眼见近午了，乐飘飘突然心头长草似的再也待不住了。或者，她隐约间还有些不安，似乎有什么事情要发生似的。她正要寻个借口提早出宫，就听雪妃道："乐掌门，不如你陪本宫到一个地方去走走？"

"娘娘有命，臣莫敢不从，只是……本门还有俗务，臣又是个笨的，不亲自盯着不行。雪妃娘娘恕罪……"

"本宫带你去的地方很近，耽误不了你。"雪妃柔柔地笑着，语气也温和，可就是带着不容人拒绝的意思。

乐飘飘没办法，只得跟着雪妃和容嬷嬷走。不过，虽然她是路痴，但只要去过的地方，倒是记得住，于是越走，她就越感觉不对，直到看到奉先殿的匾额，心头顿时警铃大作。

奉先殿，是供奉历代先皇的地方，雪妃好端端的，带她来这里干什么？

"娘娘，臣突然想起一件特别重要的事，是太子殿下特别吩咐要做的，得立即去办。"她站住，不肯再往前走。只是她也不能快速溜掉，因为容嬷嬷在前面带路，雪妃却有意无意地与她并行，除非她用强，否则根本跑不了。

"本宫倒不知太子殿下什么时候和乐掌门见了面？"雪妃以美人团扇掩着嘴，笑道。

乐飘飘是修仙者，本就比常人敏感，所以就在此时，尽管雪妃仍然像往常一样温婉，但她却从雪妃的目光中感受到了不怀好意。

"太子殿下的旨意，是燕北天大人传达的。"乐飘飘心中着急，表面上却不动声色，"娘娘，您要臣陪着，什么时候不行，何必耽误了太子殿下的事？"

"拿太子殿下压我啊？"雪妃仍然笑。

"臣不敢。"

"不敢吗？乐掌门胆子很大呢。也确实，太子殿下比本宫一个妃子说话分量重得多，可惜如今本宫是奉了皇上的旨意。试问，大秦还有谁能高得过皇上？"

乐飘飘一听雪妃连皇上也抬出来了，更觉得情况不对。她虽不知道哪里出了问题，但却是本能地觉得危险，于是她把心一横道："皇上是天子，为人臣者，自然不能抗旨。可臣接的是军令，二仙门又划归在太子殿下麾下，实在不敢抗命。娘娘，臣斗胆，先告退了。"

大秦以武立国，军令有时高于皇命，把自己摆在军士的位置上，首先要服从顶头上司，所以她这样说虽然很无礼，却也勉强站得住脚。说完这话，她匆匆行了一礼，转身就要走。

"站住！"雪妃的声音变得冷厉。

乐飘飘只当没听见。

可面前人影一闪，容嬷嬷挡住了她的道路。

"容姐姐，你觉得可以拦住我吗？"情急之下，乐飘飘也不客气。

"不敢。"容嬷嬷神色微冷，"乐掌门是金丹高手，我虽有些武艺，却不是修仙者，怎么能自不量力？只是食君之禄，忠君之事，雪妃娘娘不让你走，还是奉了皇命的，你就不能走！"

"奉先殿是供奉历代先皇的地方，非皇族中人不得随意进入。"乐飘飘深吸一口气，最后讲道理，"雪妃娘娘带臣来这里，不是要臣大逆不道吗？臣虽愚钝，却也不会不知好歹。"

"乐掌门说得好听，难道这奉先殿，你没进来过吗？"雪妃的声音从身后响起。

乐飘飘心头一凛，本能地觉得坏事了。

百里布带她来这里，甚至进了地下龙神窟的事，难道被人发现了？他们那么小心，怎么被发现的？再说，雪妃胆子再大，也不会轻易对付她，况且也没有针对她的理由，那么雪妃今天的所作所为，真的是皇上的意思？

想到这儿，她更是要离开。当下也不多话，迈步就向前走。因为她是有修为的人，怕误伤了容嬷嬷，所以她手臂向前一推，想把容嬷嬷推到一边。

没想到容嬷嬷不退反进，一下就扣上她的脉门，令她瞬间动弹不得。

"乐掌门是个心善的姑娘，凡事留一线，不肯做绝。"容嬷嬷似叹了声，眼神里闪过几不可见的同情和怜悯之意，"你对我手下留了情，我自然也不会难为你。只是乐掌门，你就别挣扎了，那样只会伤到自己。"

乐飘飘又惊又怒，没想到一招没过，她就被治住。她立即内视，竟然发现身上的力量似乎被屏蔽了，半点儿也使不出来。

情急之下，她连忙调动修为，可丹田内空空如也，绛火和髓海也堵得难受，全身上下的经脉不通畅，此时别说仙力，就连普通的物理攻击力也没了。

"你们做了什么？"她喝道。

"乐掌门是有修为的人，本宫岂可小视？"雪妃慢慢踱了过来，"你也别怪本宫，一切都是皇上的意思。你之前吃喝的东西，里面下了仙药，若无解药，管叫你比常人还虚弱不堪。"

"皇上要把我怎么样？"乐飘飘急怒攻心，"为什么要带我来奉先殿？"

雪妃和容嬷嬷不再出声，只拉着乐飘飘往奉先殿走。

到这时，乐飘飘也才发现很多异常之处。比如，大秦的皇宫就算再简朴，也不可能她们一路行来，却连一个宫女太监也没见到吧？这说明，皇上早就打定了主意，把她秘密带到此处来，不让任何人，主要是不让百里布知道。

这是什么意思？难道要秘密处决她？可如果想处死她，有无数方法，为什么来这里？再说她来时，是奉召进宫，二仙门人是知道的。其间更是经过很多关卡，暴露的机会非常大。真想让她悄无声息地死，直接派人冒充外敌，在二仙门杀了她就好，犯不着这样费事费时。

难道还要把二仙门灭了门？但时间上，有点儿太晚了吧？那这到底是什么路数？又到底百里布和皇上发生了什么冲突，要闹到这个局面？让她死在奉先殿，又是出于什么考虑？百里父子感情非常好，他这样手段狠绝，不怕伤害了父子间的情分吗？

很多疑问同时涌上心头，可死亡的逼近却让她冷汗直冒，冷静不下来。

才走到奉先殿门口，雪妃就快速打开门，容嬷嬷手上用力，把乐飘飘推出去。随后，那门又迅速地关上，好像雪妃和容嬷嬷连往里面看一眼也不敢。

乐飘飘修为被压制，身上软绵绵的无半分力气，登时就跌了进去。不过，她并没有摔倒，而是倒在一个冰冷的怀抱中。

抬头望去，她才发现那是一名身材高大的兵士，以现代的度量衡来判断，足有两米高，全身上下披着玄色铁甲，连脸上也有同质地的面具。大秦尚黑，军队全是黑衣战袍，所以这是大秦的战士没有错。奇怪的是，他的眼睛死沉沉的，偶有红光闪过，明显不是人类。

而是……变形金刚！

呃，不，应该称为仙甲士。以前她听小一郎提过，原理跟她召唤的力士差不多，但仙甲士是实体，以极为坚硬耐磨的木料和生铁铸造，有人形，有兽形，虽然灵性不足，但若是修为高强者，胜在可一次指挥成百上千，甚至数以万计。他们无知无觉，无喜无怒，为特殊的咒法所控制，只听命于主人，特别适合打仗。说白了，就是机器人战士。

小一郎还说过，此术早已经失传。

乐飘飘信小一郎的话，可为什么皇宫里会有一名传说中应该消失的仙甲士？如果这是皇上的秘密，大秦统一天下的愿望，绝不是痴人说梦！

仙甲士比起肉身凡胎的士兵，不知强悍几多倍，就算对上普通修士也不落下风。而她现在又得知了这一秘密，那岂不是判了她的死刑？

头脑混乱中，那仙甲士拎起乐飘飘，把她夹在腋下。硬木与生铁挤在肉身上，传来一阵阵疼痛。这时候，她反倒不敢放声叫，由着那仙甲士脚踏特殊方位，又在地上扔了一张燃烧的符咒，地面上就出现了黑色七星芒图案。

看到这里，乐飘飘就明白了。地下龙神窟是巨大秘密所在，就算燕北天知道这地方，也未必来过。恐怕，只有百里父子才能随意进入。现在皇上要把她带到龙神窟去，因为怕秘密泄露，不能让其他人执行，所以就召唤了仙甲士。

她突然明白了一件事：皇上恐怕真的知道了百里布和她的感情，也知道百里布带她来过这里。百里布对她的情意如何，通过这件事，表现得很明显。所以皇上震怒，要在此地处决她。

怎么办怎么办？死亡的恐怖瞬间就浸透了乐飘飘的骨髓。修仙日久，两世为人，都没令她勘破生死，如今为何反而惧怕得特别厉害？因为，她才尝到亲情的滋味和爱情的美好。因为拥有，才会害怕失去！可此时，她完全无力反抗，就连聚起心念也难以做到。难道她就要这么不明不白地死了吗？

无意中，她握紧右手。那守约砂，突突地跳了起来。然后，她感觉那仙甲士带着她穿过地下延伸数里的石阶，又沿着死寂得连波纹也没有的黑水河前行，不知走了多远，直走到连光线都无法穿透的地方，便丢下她，转身离开。

黑暗，令人窒息。

乐飘飘很没有出息地晕了过去。

与此同时，百里布左手掌心的疤痕也狠狠地疼着，令他陡然意识到什么，脸色苍白。

昨天父皇半挑明了他和飘飘的事，那是迫他回头，逼他娶了含颦公主。他想来想去，也没想到能用什么办法说服父皇。

首先，他不能弃自己身为太子的责任而不顾。失去齐国，等于增加了四个敌人，那样不仅会令秦军的作战更艰苦，还令百姓死伤增多。

其次，虽然百里皇室一脉只他一人了，但宗亲还是有。然而百里家历来骄傲，不会以女子去和亲，而让含颦公主嫁给其他宗室男子，地位上又不够。

第三，他甚至想过让父皇联姻，毕竟秦国无后，父皇正值壮年，可这想法有些不仁孝，灭人伦，毕竟含颦公主看上的是他。

但是他不明白，为什么父皇对母后一往情深，宁愿后位空虚也不再另娶，却不明白他的一番心意呢？他抵抗过心里的那份情，可是不行！那丫头就是把他的心牢牢占据了，生剜出心来也抹不掉。

国家大义，儿女私情，他无法取舍。

于是，本来说好第二天要和父皇谈谈，他却躲了起来，继续苦思对策。他觉得，父皇一向疼他，应该不至于逼他太狠。到底，现在的形势还没紧迫到要他必须做决定的时刻。可现在，手心中疼痛的感觉告诉他，飘飘出事了，而且一定是父皇下的手！

“父皇，您把飘飘怎么样了？”闯进皇帝的寝宫长生殿，百里布急切地问。

百里松涛看似憔悴不少，百里布心中不忍，暗恨自己不孝。可是，飘飘她……他不能让她有事。

“你想好了吗？到底要如何？”百里松涛坐在龙榻上，腰杆挺得笔直，声音却极疲惫。筹划了多年，眼看就能实现愿望，他不能让一个女人毁了一切。

“父皇不要逼儿臣。”百里布痛心疾首，“给儿臣点时间，儿臣一定能想出法子，既得到齐国的支持，也不必娶含颦公主。”

“含颦公主有什么不好？”百里松涛提高嗓门。

“请问父皇，雪妃有什么不好？这天下美人那么多，又有什么不好？为什么父皇不肯立后？”

“放肆！”百里松涛大怒，“一个山野村姑，如何与你母亲相比？！那女人是不是会什么妖法，你到底中的什么毒？”

“儿臣不知是什么毒。”百里布凄然，“可心里装着她，是儿臣自愿的。”

“你！”百里松涛怒极，腾地站起来，半晌他才平静地道，“那朕就更容不下她了。若你不是对她这般维护，倒还有些转圜余地。”

“父皇，自从您知道儿臣一心只爱她后，就容不得她了吧？”百里布跪下道，“所以，儿臣才要隐瞒您，并非是故意。父皇，求您，儿臣自幼就从不违背父皇之意，这一次，请您成全！”

“朕绝不答应。”

“那也请您把她先还给儿臣！”

“你什么意思？”百里松涛眯起眼睛。

“父皇，儿臣与她心意相通。”百里布伏在地上，恳求道，“她出了事，我心有所感。请您，放过她吧。”

百里松涛沉默了。

他看着自己的儿子，那个骄傲得睥睨天下、不惧神鬼的儿子，心中满是无力和悲凉。情之一字，真是害人不浅，从前毁了他的其华，如今又要毁了布儿。其华为情而死，那么布儿呢？为什么他们百里家，总是陷入这种结局？

人都称龙性最淫，龙神的女人最多，从不为任何一个女人停留，可又是为什么，再一次出现这种情况？是命运，还是那个叫乐飘飘的低贱村姑耍了什么手段？又或者，这是那些老不死布下的局，乐飘飘只是一个饵？

不行！他不能容忍！

"想要她活吗？"他开口，冷酷到没有一丝感情，"你娶了含鞶公主，朕就放她出来，不伤她一根寒毛。不然，你永远也找不到她，她也会尸骨无存。这是朕饶过她的条件。"

"父皇！"百里布猛然抬头，瞪大了眼睛，"您把她关到哪里了？"

"地下龙神窟。"百里松涛倒也不隐瞒，"你该知道：黑水河尽头的山洞通向何处，那里面的道路四通八达，支路和大小结界何止亿万，就算你和她有心灵感应，若无人带路，你也是找不到她的。所以你尽快做决定吧，你娶含鞶公主，她活；你不娶，父皇也不强逼于你，但乐飘飘必死无疑，而且死得极其痛苦。千万别犹豫，不然你就算答应了朕，再找到她只怕也晚了。"

看着儿子痛苦的脸，百里松涛略有不忍，但，不是他狠，而是他必须狠，否则所有悲剧都会重来。他宁愿布儿恨他，也不能让布儿消失在这天地间。布儿是他母亲唯一存活于世的证据，是龙神倾其所有才保住的，不能再被所谓的情毁掉！

为此，他不惜牺牲所有，哪怕是父子感情！他抓了乐飘飘却不瞒着布儿，就是这个道理。他要逼布儿放弃，布儿只有按照他指的路去走，才能回归神体。

"儿臣……遵旨。"百里布匍匐于地，字字椎心泣血。

知子莫若父，知父也莫若子。事情到了这一步，话也说到了这个份儿上，他知道，多说无益，父皇决定了的事，是不会改的。可是，这就像是剜他的左眼还是右眼的问题，要他怎么决定？再者，父皇手里攥着飘飘的命，哪里还有余地？他若真不应下这联姻，飘飘必死无疑。

一切，全是他的错。

他不该克制不住自己的感情向飘飘表明心迹，明知道自己没有自由，还和她订下永不相负的鸳盟；明知道自己有不可推卸的责任，却任性地渴求那些他不能拥有的轻松和快乐。

他不该太过自负，以为自己修为高，安排细致隐秘，父皇就发现不了他和飘飘的事。现在想来，之前雪妃三番五次地宣飘飘进宫，就是父皇打下的埋伏，可怜他一头扎进来，却不自知。

他不该小看了父皇对天下的志在必得和对报仇的强烈执念，以为凭借父皇对他的宠爱，他早晚都能说服父皇接受飘飘。

他后悔了，不是后悔挖心挖肺地喜欢上一个人，而是后悔他一错再错，伤害了所有他不想伤害的人。

而结果，终是……负了她。

"你去吧，做好迎娶含鞶公主的准备。"百里松涛的声音冷冷地传来。看到自己宠爱了那么多年的儿子，看到其华和龙神用生命护下来的布儿，看到从小到大不管多痛多累也没软弱哭泣过的大秦太子，如今为了一个村姑这般痛苦，他对那女人就更加厌恶了，恨不得将其碎尸万段。

"儿臣答应父皇的要求，只求父皇放了飘飘。"百里布伏地不起，语气坚决。

百里松涛胸中怒火狂炽，因为他看到百里布那种牺牲自身也誓要交换的态度和对他强烈的不满，甚至是……恨。那是从未有过的事，这个儿子从未忤逆过他，如今的情形令他忽然害怕。

他连吸了几口气，压下心中的杀意，怕儿子感觉出来。今天，为着一个女人，他们的父子感情已经出现了裂痕，今后不知要用多少年、多少手段去弥补。虽然他想让那个女人死，但他必须为儿子留下念想，否则，布儿真不知会做出什么！说到底，他也不想彻底激怒儿子，只是要给布儿一个不得不低头的理由。

修仙者的生命那样漫长，争霸和复仇的道路那么曲折，布儿会在那或平静如水或峥嵘热血的岁月中忘记有关那女人的一切，犯不着此刻再冒险刺激他。百里松涛相信，时间能冲淡一切。

他这样坚定地以为，却不想想，为什么过了这么多年，他自己却忘记不了自己心里的痛与爱呢？

"你别打错了主意。"百里松涛最后警告道，"别想一边应下婚事，一边暗中调查是谁带乐飘飘去的黑水河，然后再想办法救她出来。你该知道，那里是旁人去不得的，朕召了仙甲士。"

百里布不由得握紧了手。

果然，父皇连一点机会也不给他。仙甲士外形都是一样的，而且只听命于父皇一人。

真的只有负了她，才能救她的命吗？

"朕叫仙甲士在离乐飘飘不远的地方待命。"百里松涛冷声道，"你现在应下朕，朕立即施法叫仙甲士守在那女人身边，免得她乱跑，自己折腾死自己。等你成亲后，自然会把她放出来。朕一言九鼎，绝不骗你！"

百里布沉默不语，但心却紧揪着，片刻不能放松。黑水河尽头的地下暗洞到底是通向哪里，他们父子探了那么多年也不清楚，只知道地宫就在其中。他得到了龙印，要配合着地宫中的东西才能发挥作用。但地宫的尽头又是哪里？飘飘就被困其中，叫他如何不担心？

罢了！为救她，也只有尽快成亲一途。

想到这儿，他再不多话，起身行了礼，转身就走，连头也不曾回过。

望着百里布倔强的背影，百里松涛整个气势都坍塌了下来。他做错了吗？才只片刻，他就能感觉到布儿对他的疏离。可他是为了布儿好，若要恨，就让布儿恨他吧！

呆坐片刻，他不敢大意，立即施法，召唤仙甲士盯牢乐飘飘。他算看出来了，那女人若出点什么状况，布儿会发疯的。他心中虽恨不得那女人死，却又必须保住她的命。

第二十二章
幽冥

地下暗洞中，乐飘飘悠悠醒转。

四周黑得伸手不见五指，又静得吓人。她很害怕，怕得要死，半天不敢动弹，好不容易才鼓足勇气坐起，却被自己发出的细微声响吓坏了，就好像看不见的地方有很多东西盯着她似的。

淡定！淡定！在冷汗迅速冒出一层又一层后，她拼命对自己这么说着，全身戒备地绷紧。可是看不到，视线就没有坐标，甚至令她都坐不稳，摇摇晃晃了半天才定下身形。

她从昏迷中醒来，眼睛应该适应了黑暗才对，可她却什么也看不到。这让她感到异常恐惧，咬着牙伸手摸摸，发觉屁股下是冰冷的石头，身后倚的也是冰冷的石头，但前方、上方和左右都什么也触不到，她大着胆子轻咳了一下，回声传到很远，显然周围非常空旷。

她的道心从来都不是很坚定的，此时被扔到这样一个地方，只感觉到孤独和绝望，没发疯或者立即乱跑算是定力强的了。

可是她也不能坐以待毙。她检查了一下自身，由于被下了药，身上软绵绵的，灵力和法力仍然无法调动。听雪妃的意思，不吃解药就不能解除这种"锁定"状态，可她拼命集中念力，却发现有松动的迹象，很微弱，却足以令她惊喜了，难道是身体适应了药物状态？

不管怎么说，她都应立即盘膝调息，一门心思脱困。求人不如求己，在这种类似于被埋葬的状态下，她必须自救，哭泣和软弱是没有用的，害怕更是没用。若周身外有可怖的东西，她一动不动也会被攻击，甚至被杀死，索性大方些。

可惜，这到底是在一个陌生的环境，她心基不稳，而且不能视物最容易让人心生恐惧，所以尽管她拼命克制，也还是聚不起一丝灵气，丹田内是空的，别处也仍然阻塞。

也正在此时，她突然听到远处传来咔哒咔哒的声音，沉重又规律，像是有什么向她走了过来。同时，在极度的黑暗中，两点闪烁的红光时隐时现。

乐飘飘吓坏了。

这么黑的地方，莫非她到了幽冥之地？

她是死了吗？可她明明有心跳和温度，而且身子也沉重地飘不起来。可谁也没做过鬼，谁知道人死之后是什么样？

来者是谁？就算她现在没死，那来者会不会是……鬼差？

乐飘飘觉得身为修仙者，是不应该畏惧这种情况的，可她就是害怕了。她看不见，心里就没底，惊吓之中，满心就想躲避。也不知是不是恐惧产生了巨大的念力，她只觉得身上悚然一轻，人已经进了龙神殿空间。

她大松了一口气。

能躲，就说明还活着，而进了空间，她的安全系数就很大了。更奇异的是，她在里面倒突然看得清楚了。

她看到她身处一个巨大的坑洞里，面积极大，周围密密麻麻的全是支路，有如蛛网，不知通向哪里。那名带她来的仙甲士就在不远处，不停地三百六十度转动脑袋，双目中红光迸射。

大约是在找她吧？不过，她既进了龙神殿，别说仙甲士了，就连狐妖王乱那样的大能者都找不到她，何况还是在这种光线条件下。可是这仙甲士是奉命宰了她还是要把她带走？它的肩膀上一闪一闪地落着一只引路蝶，所以才不致迷路，她怎么办？似乎……自己找路出去是不可能的。但她觉得仙甲士的主人对她没安好心，她也绝对不能自投罗网。

犹豫良久，见那仙甲士找不到她，就一直傻呆呆地站在原地不动，她也决定先不出去。既然身上的灵力有松动的迹象，至少她要解除了自身的禁制才行，万一有什么不好，多少应该自保。

她只恨没带着山河悬匣，通过上回被绑架的事，她已经决定把那匣子炼成本命法宝，那样就可以虚化它为无形，放在丹田内温养。一旦炼成，她所有的家当就能随身携带，那匣子也许还能开发出其他功能。可惜最近一直被感情占据身心，没有时间修行，被雪妃召见时又来得匆忙，以致手头没有趁手的家伙。

也不知现在是什么时候了，她迟迟未从宫中回去，师父们会着急吧？也会去打听吧？可如果雪妃说她早出了皇宫，来个死不认账，师父们也毫无办法。那么，布殿下呢？他会不会知道她面临的危机，会不会来救她？唉，靠山山倒，靠水水干，还是靠自己吧。

叹息一声，乐飘飘盘膝坐在空间里开始调息。

也怪了，因为不知什么药物的控制，她的经脉像是被灌了铅似的，但一进龙神殿，却像暖阳融雪，她阻塞的经脉竟然慢慢软化松动，空荡荡的丹田也可以吸收散落的灵气。狂喜之下，她连忙依法运转周天，也不知过了多少日夜，她猛然睁开眼睛，身体已经恢复自如。

宝地啊，龙神殿空间是她的宝地加福地啊。对那位不知名的、把这神奇的仙术图书馆兼防空洞般的空间传给她的仙人，她特别特别感激。

只是现在她要怎么做呢？出去跟仙甲士打一架，夺了引路蝶，自己逃出去？说实话，她不太有信心，万一输了，她将会失去自由。可是凭她自己，她觉得寻不到出路。想来想去，她便感觉左也是死，右也是死，生路全绝似的。

乐飘飘正暗自纠结，龙神殿空间却突然飘浮了起来。并非空间内不稳当，事实上不管红羽以什么姿态存在，空间内部都是稳定的。那只是一种感觉，就好像……怎么说呢，开船了的感觉。

乐飘飘连忙往外看，见周围的场景不断变换，缓慢，起伏不定，说明红羽正在非常轻巧地飞，轻到那个仙甲士都没有察觉，好像是哪里吹来的风，把羽毛托起来，悠然飞行。

哪里来的风？要把红羽吹向哪里？

这两个念头在乐飘飘的脑海中浮现，愣了片刻后，她突然意识到大事不妙。黑水河尽头的暗洞太神秘复杂，如果她被送入某个支路或者结界，看不到仙甲士，那她可能会永远被埋葬！

她必须出去！立即！马上！哪怕被仙甲士捉到也好、宰了也罢，好歹还有一丝希望，胜于无声无息地消失在地下！

意随心动，她拼命向空间外跑去。然而，还是晚了。红羽看似飘浮在半空中，哪里也没接触，却突然被吸入一个结界。此时，倘若旁边有人，那人就会看到一根红色羽毛凭空消失在黑暗之中，就像被看不见的河流淹没，连个气泡也没有冒。

与此同时，在昆仑之巅，昆仑派的太上掌门、西尊朱俊站在观星台上，仰望星空，眉头越皱越紧，并叹息一声。

他身后，昆仑掌门向天笑躬身垂首侍候着，听到他的长叹，向笑天连忙问："师尊，星相可有凶意？"

"荧荧火光，离离乱惑，大凶之相。唉，该来的，终究是躲不掉啊。"朱俊摇头苦笑，缓缓盘膝坐下。

"难道是荧惑星现？"向天笑尽管有心理准备，也是吃了一惊。

他说着，抬头望向夜空。

繁星似锦，云雾如纱，月光黯淡。这样的星相，普通凡人、修仙者，甚至各国的国师都不懂，以他的修为，也只勉强看得清楚。只见不仅荧惑星，就连月亮所依附的毕宿八星也出现了异状，分外明亮，不，应该说颜色特异，是红色的，就像妖火在燃烧。他的观星术自然比不上朱俊，却也明白，荧惑星预示着字乱、疾病、饥饿和战争，毕宿八星，也主边兵弋猎，如今这些异状齐齐现世，预示着天下势必大乱！

再细看，荧惑星上火色朝西北急行，说明有兵马聚于此地。昆仑在人界以西，除了他们之外，就是大秦国！

"可看明白了？"朱俊疲惫的声音在夜色中显得格外清晰，"我们修仙界本不应插手人界凡俗之事，破坏人界自有的秩序和规则，也免得被凡尘中的事沾染了道心，于修行不利，将来无法得证大道。可我辈修行者，却是为捍卫人间正道而存，当天下危难，到了亡种灭族、妖孽横行的时候，就不可袖手旁观。"

向天笑更惊，"修仙界要出手卫道？"

"天界与仙界自封、妖界与魔界自守、人界与冥界自存，修仙者是人，因修行而脱离了人界，却也没到能进入天界与仙界的地步。苦苦修行，为的就是飞升而去。但是，在未得大道之前，就如同观棋者，任由棋盘上棋子如何厮杀都不得过问。因为对于百姓而言，生老病死，失怙流离，本就是必须承受之若。可若连棋盘也要毁了……"

"大秦有这么大的本事？"向天笑难以置信。

朱俊微微摇头，冷漠的神色中流露出一丝悲悯和无奈，"人的野心，永远是想象不到的大。若是那野心得到邪魔的助力，蝼蚁般的凡人又如何能应对？就算，咱们修仙界倾力而出……"说着，他又望向星空，"也未必能正得了天道啊。"

什么？！向天笑震惊得退了两步。

会是什么样的大凶之兆，令师尊说出这种话来？又是什么样的力量，令师尊这样没有信心？

要知道修仙者之于普通人是多么强大的存在，真如雄鹰之比虫豸。修为高者，一人可对千军万马。若天下修仙者联合起来，别说大秦，就算七国也不在话下。何况，人界一直是六国对一的情况。

难道……

突然想到一种可能，向天笑倒抽了一口凉气。

"想到了？"朱俊低低叹息，"五百多年前，你还小呢。那时，只怕和城东是一个模样吧？"

"师尊！"向天笑突然心头一酸，跪倒在朱俊脚下。想想当年青涩的自己，想想如今那意气风发的徒弟，不禁眼眶发酸，差点儿落泪。

轮回吗？难道真的要再经历一次当年的景况？修行，勘的就是生死，可他却实在不愿意再经历一次了。那记忆如同烈火焚烧，痛感延绵不断，至今都不能触碰。

他们两个，面目都是中年人，可年龄相差了足足一倍有余。但这样一跪一立，却无丝毫违和之感。朱俊千年修行，历经多少苦难，如今已经是化神期大圆满，只差一步就可飞升而去，成为近五百多年来，继犬牙道长后第二个得证大道的人，可若天下刀兵起，修仙界插手，师尊千年苦修，极可能毁于一旦。

"这，许是为师的劫数。"朱俊冷峻的脸上露出罕见的淡淡微笑。

"师尊，可有法子避劫吗？"向天笑急问。

"人间有句话说得好：是福不是祸，是祸躲不过。我们只能做最充足的准备和最坏的打算，避是没有用的。"

"若是能再等百年，哪怕只有五十年……"向天笑恨声道。

朱俊拉向天笑起来，声音平静，"气数到了，人力岂可改变？想五百多年前，冥界与妖、魔、人三界大战，天界和仙界早就封了下界的通路，只少数几个仙人助战。虽然，终究邪不胜正，但那一战之惨烈，到现在各大派也没有完全恢复元气。可是，为师就是在那一战中获得了实打实的修为，之后进境一日千里，算是踩着前人的肩膀才走到今天这一步。如今，轮到我背负着小辈们前行了，有何不甘心的？求证大道，不也是为了天下苍生吗？我昆仑千万年不倒，就算我有什么闪失，也无遗憾。再者，毕竟当年那魔头死了，大秦就算还留有余孽，也未必成得了大气候。"

话虽这么说，可向天笑却觉得朱俊是在安慰他。他心里隐隐不安，因为让师尊如此失态的事，五百多年来，这还是头一次，也已经充分说明局势的凶险了。若让

第二十二章 幽冥

师尊闭关，专心渡劫飞升，不理俗物，师尊必不肯的。而且若没四大天尊坐镇，只怕更难有胜机。

所谓皮之不存，毛将焉附，若人界毁了，师父的飞升之路也会堵死。妖界、魔界，又岂能独存？而天界和仙界缺少人间万物的供养，又将是什么情况？

人界，凡人，被其他几界之人视为蝼蚁，最被看轻。可是其他几界能消失，唯独人类，恰恰是最重要的，他们支撑这天，这地，五行要素，万物生息。

向天笑正想着，就见朱俊第三次抬头，微眯了眼，笑道："其他三大天尊者来了。哈哈，为师还存了看错天机的侥幸，结果真是天不欺我，定无幸理啊。"

笑声未落，空中黑、碧、红三色光点已经迫近。朱俊白衣飘飘，临崖而立，双手连挥，结出七种不同形态的火焰法印，以七星位排列半空。片刻，护山大阵裂开一隙，时间虽短，空间虽小，却足够三大天尊驾临了。

"可是为这天相而来？"朱俊笑问。

"你倒还笑得出。"东尊付采薇哼了声。

北尊狄人杰微微点头，却不言语。

南尊布缕衣神色严肃，回答道："正是。"

朱俊也不多话，只做了个请的姿势，四人就一起到了昆仑静之界。这里向来是他们密谈的地方，隔着层层结界，在其中说话，就算大罗金仙偷听，也绝对办不到。

"上次昆仑论剑时，我怎么说来着？"才坐下，付采薇就质问道，"我说养虎为患，你们偏不听，结果如何？大秦国坐大，如今星相显示，必起刀兵大祸。当时，百里布被困昆仑秘境，百里松涛孤掌难鸣，若灭之，岂有今日的为难？"

"东师妹，不是我老头子说你。"南尊布缕衣接过话来，免得朱俊又与她争执，"那时我们只是怀疑百里松涛野心不小，派人盯着就是，怎么能随便就先下手为强？若非天翻地覆，绝对不插手凡间事，这是我们的规矩，不能乱！"

"那现在怎么办？"付采薇冷笑道，"不嫌晚了点吗？"

"东师妹！"北尊狄人杰皱了皱眉头。

"非是我怨怪三位师兄，实在是三位师兄比我一个女流之辈还要妇人之仁！要知道斩草不除根，春风吹又生。当年，若灭了百里一族、大秦一脉，如今就不会有这个局面。"付采薇缓和了语气，"五百多年前，多少师长亲朋殒命，生灵涂炭，我真不想再面对一次了。"

"当年之事，非是心软。"西尊朱俊也皱眉道，"那时候两败俱伤，哪里还有别的精力？为了最后的胜利，仙帅、妖帅和魔帅联手，倾尽全力，仍不过是同归于尽的结果。能这样已经是侥幸，魔头赤羽是来自天界，若不是后来他莫名伤残，我们即便是全死了也阻不了他。"

"那后来呢？谁不知道凌绝剑是昆仑老祖无言的神兵，当年那场大战时被赤羽那大魔头封印，非与那魔头相关的人是拔不出剑的。昆仑现任掌门把这几乎废了的神兵给洛城东玩，怕徒弟缠磨，还编出什么拔出剑者就是命定之人的谎话，哪想到还真有人拔得出来。"

"这事不是调查清楚了吗？"狄人杰道，"因为那个乐飘飘运数太高，无意中得了魔头赤羽的那件神器，所以身负他的气息，才能拔出神剑。"

"应该说，那神器遗落民间，自有灵性，不慎长在了乐飘飘的身上。"布缕衣提醒。

"对啊。"狄人杰一拍掌，"想她是什么人，不过是个不入流小门派的掌门，五行杂驳的灵根，撑死修到金丹期。再者，她往上查八百代，与五百多年前的大战也搭不上半点儿关系，祖上更是没人修过仙。一切都是凑巧而已，以她的修为，参透神器的妙用根本不可能。若要强取神器，必然要伤她性命，或者把她直接炼化。她何其无辜，我辈修道中人，又不是邪修，岂可不分青红皂白就动此心念？"

"哪个说要杀她了？"付采薇气道，"她身负神器的事，还不是我的门人以性命换来的消息？可怜我的门人如今只能以一息魂魄寄于灵宠身上。可是我们原就说好，让她嫁给城东，也算神器归于正道手中。到时候，咱们四个齐心合力，想办法拔出神器，再彻底把它毁掉，以免贻害世人。可我们计划得虽好，这事却拖了这么久，到底不能让人放心。"

"城东那孩子说自己的修为不足以匹配佳人，闭关去了。"朱俊叹了口气，"而且，乐飘飘和布太子一直在昆仑秘境中，这才出来半年不到，哪里就耽误了呢？神器之事如此隐秘，我们不说出来，有谁会半路劫杀？她现在在自己的门派里，又被编入秦国仙军，又有哪个不长眼的敢直接去招惹。"

"就是在秘境的五十年才奇怪。"付采薇眯起一双美目，"都还记得吧？大魔头赤羽当年硬闯进去，他也不惧罡风。谁知道他是不是藏了东西在里面？谁又知道百里布有没有取出来？当年那魔头虽死，可他的军队却突然无影无踪了。现在，难道你们不担心这个？"

三大天尊面面相觑，无语。

百里布和乐飘飘能在秘境中生存五十年，是奇迹，确实令人怀疑。但想来，必

第二十二章 幽冥

定是躲在某处。若说还能在那种情况下四处寻找赤羽留下的东西，实在难以想象。再者，有谁知道赤羽到底留下东西没有？

况且，在这二人出来时，他们四个也在场，还仔细观察过，并没有任何宝气出现。以他们的修为来说，怎么可能看走了眼？为此，他们才放那二人离开昆仑，不愿意打草惊蛇。现在星相有异，他们把前因后果联系起来看，心中的疑惑又升了起来。想起赤羽那消失的百万大军，他们不禁心里发寒。

"百里布能拔出凌绝剑时，咱们就该格外留心。若说乐飘飘是因为得到神器而身具赤羽的气息，那百里布呢？"付采薇继续说："谁也不知道赤羽当年为什么会突然和百里家族搅在一起，后来又为什么突然伤残了，说不定是百里家的人暗算了他，得了他的什么东西也说不定。所以，百里布身上有赤羽的气息，也所以，百里松涛才有恃无恐！"

"你是说，百里氏因私下里得了赤羽的遗物，故而拥有抗衡天下的实力？"朱俊的眉头皱得死紧，冷清无波的脸上露出些许惊讶来，但随后又释然道，"百里家虽有修行者，毕竟是凡人之躯，不可能有这个本事。就算得了什么宝贝，又怎么驾驭得了？至于……百里布拔出凌绝剑，我们之所以没有细查，一是因为乐飘飘先拔出的，之后作为剑的继承者，城东也拔得出了。难保百里布没有特殊的力量，亦可做到。终究，首个拔剑的人才是破封印的啊。"

话说到这，四个人再度同时沉默。

好半天，一直不语的布缕衣说出一句更令人震惊的话，"魔头赤羽，当年真的死了吗？"

即便修为深厚的、接近于仙的人，闻言也都倒抽了一口凉气。

是啊，都说赤羽死了，其实只是再没人见过他。当年与他一战的三大帅也灰飞烟灭了，不仅没有尸体，也难有有力的证人。所有人都深信他死了，其实只是因为太渴望他消失在这天地间吧。

若真是赤羽复活，那人界必然毁灭。他们四个是当今修为最强者，可就算联手也如螳臂当车。当年三大帅那样惊才绝艳的人物，已是仙人的份位、大乘的修为，再也不会有了。

"真的是五百年一轮回吗？"朱俊轻叹一声，"不过事到如今，说什么都晚了，也只有先准备起来。而且，我并不后悔没有先发制人，哪有为了自己安全，先灭了别人的道理？那岂不是一心为私，还修什么大道？事实和真相，永远不是表面上能看得出来的，就像我实在看不透赤羽、百里父子和乐飘飘的二仙门之间，冥冥中到底有什么联系。"

狄人杰闻言，点了点头，"没错，我辈修仙者但求倾尽所有，无愧于心。能战，则战，不能战，也要战。若天意如此，就让这次做个了结吧。"

最后四人商定，由修仙前做过燕国大将军的狄人杰布置防御和应战，人脉很广的朱俊联络人界各国的当权者和潜伏在其中的修仙者。布缕衣人缘很好，谁都卖他面子，所以由他亲自去妖界和魔界，组成新的联盟。而付采薇则会亲赴秦国境内，观察和了解第一手情况。

且不说修仙界谨慎准备，也不说秦齐两国积极联姻，更不提二仙门的掌门失踪后门人们有多么焦急，单说身处龙神殿空间的乐飘飘，身不由己地随着红羽飘飘荡荡，不知日月时光几何，直到昏昏欲睡的她，被一股居然能透过红羽的寒意冻醒。她身上一激灵，意识清醒时，发现自己不知何时被从空间内丢了出来。

四周极度空旷，乐飘飘甚至分不清围绕着她的是石壁还是遥远又穿不透的暗沉。

有光，来自不远处一块石碑。

确切地说是一块界碑，黑色水晶的质地，数丈之高。谁能想到，那光芒是从最黑暗石头而来？

碑面上，鲜红淋漓的两个大字：幽冥。

乐飘飘吓了一大跳。

幽冥是什么地方，有没有正常智商的人都知道，那是死人的必经之路，灵魂轮回之所。但鉴于这是个修仙的世界，小一郎说过幽冥分为两部分，一部分是正常的魂魄中转地，不是真死了的话，谁也不知道是什么样子，也无法进入。另一部分，则是死魂或者特异的生魂修行聚集的地界，就像超级大门派一样。

乐飘飘在听修仙历史故事时得知，统治修行冥界的人也称为冥王。五百年多年前的那场大战，就是冥王挑起的。他以冥界一门，独战人界、妖界和魔界三界。最后，好像是输了，还输得挺惨，并付出了生命的代价。而具体细节、起因、过程，乐飘飘虽极为感兴趣，但小一郎这个万事通却首次说不清楚，只记得当年参与大战并活下来的人少之又少，基本隐匿在各大正道门派和妖、魔界中。光阴匆匆，当年的事似被流沙掩埋，世人早已淡忘。

冥界与她，八竿子也打不着的关系，可现在，为什么她到了这里？是凑巧，还

第二十二章 幽冥

是什么冥冥中自有天意?

她最恨"冥冥中"和"天意"这两个词了,完全是推断无能后又推卸责任的说法。

最初的惊吓和惊讶过后,她努力感觉了一下自身,心脏是跳动的,血液是温热的,呼吸是正常的,活动是自如的。这说明,她没有死,而是以肉身来到幽冥界。

可是……她要怎么办?

她自然不能傻待着,但要往哪里走?她早已经彻底失去来路的方向,难道要上穷碧落下黄泉吗?

没有选择之下,她小心翼翼地靠近那块巨大的黑水晶界碑,可是她还没有决定是否触碰碑面,就感觉身上蓦然一热。是那种由内及外的、不知不觉的、没什么痛苦的热,并伴随着抽离感。

乐飘飘感觉自己就像雪糕,还没反应过来时就已经彻底融化,灵魂已经从肉身中脱离。她亲眼看着自己的肉身软倒在地,就像个破布娃娃,灵魂却飞离了地面,向无尽的黑暗飘去。

她不是不怕的,但这么久一直发生奇怪的事,都已经麻木了。她现在无法判断自己是突然死亡了,还是因为一些技术性问题而使得灵魂暂时脱离本体。

再者,幽冥啊,不是应该往下走吗?为什么向上?

很快,她失去了方向感,无法感知上下前后左右,只知道自己的魂魄飘浮进一个更大的空间,确切地说,是另一个世界。

没有想象中的黑暗,苍穹呈现黯淡的黄和灰,空气闷沉沉的。地面是无垠的荒漠,不时有泛着碧色荧光的、刀锋般狰狞的石头或者山脉刺破大地,像呐喊般向上伸展。间或还有森森的白骨堆在路边,伴随着一丛丛火红的野草,诡异地摇摆着。

若在黄泉路上,最艳丽的应该是彼岸花吧?乐飘飘想着,耳朵里满是凄凉的声音,像是远处的鬼哭和地狱深处尖利的痛喊,但细听其实是风声,以及,风与沙的摩擦声。

再往远看,地平线处黑压压一片。

乐飘飘身不由己,而且很有些好奇,于是就想去看看。哪知道心随意动之下,瞬间就到达那尽处,结果却惊得乐飘飘目瞪口呆。

好多兵马俑啊!

数以十万甚至百万计,密密麻麻,纵横阡陌,排列整齐,所结成的各种队阵,一眼望不到尽头。那些兵俑全部身着黑色铠甲,头盔上垂着血红色的流苏,在全身暗沉之下，格外醒目。

他们手中武器以方阵的不同而不同，大多是刀枪戟槊等重型冷兵器。兵俑的身材高大健壮，面甲只在口鼻处留有一丝缝隙，其余部分雕刻着简单的图案，都是地狱里的可怕形象，看起来格外狰狞。

而他们全体紧闭着眼睛，一动不动。明明是死灵的状态，却有着摄人心神的力量，好像他们是活的，只是在沉睡，而那黑色的身体下，是疯狂燃烧的灵魂！一旦他们被解除封印，必将悍不畏死、毁灭一切！只要他们睁开眼睛，带来的就是死亡！

他们到底是活物还是死灵？是谁令他们长眠于地下的？又有谁，能令他们再度苏醒？

乐飘飘被吓得魂不附体，连往后飘的勇气都没有了。数十上百万的兵俑封着五识，既看不到她、听不到她，也闻不到她、感觉不到她，她却还有一种被困在坟墓中的感觉。

风，不知何处而来的风，堪堪掠过她的脚底，把她卷得跌到兵俑阵的最前面。横向看，也是大片兵俑阵的最中央。她是魂体，感觉不到疼痛，落地也没发出声响。不过好巧不巧的，她的魂身落在一根竖立着的铁杆子上，直接被穿透了。

不疼，但有个铁杆子从背心一直穿透到前胸，那感觉也是很难受的好不好？

她试着把自己拔出来，却没有办到，把身子扭成无数可怕的形状，就算变成麻花也还是没用，那感觉就好像魂体和铁杆子粘在了一起。不得已之下，她只好凝神静气，把能调动的所有力量都集中在双手上，猛地推向地面，借助反作用力，站了起来。

再低头看，那根铁杆子还是横贯她的胸口，因为前短后长，差点儿坠得她向后仰倒。奇怪的是，她是虚无的形体，那实质的铁杆子怎么就跟她耗上了？

乐飘飘把头奋力扭转过去，这才看到那铁杆子居然是旗杆，两丈来高的巨大旗帜，成年男人手臂粗的旗杆，穿透她的身体。旗面是鲜红色，中间有一个黑色的龙纹，在一片黯淡中，那颜色特别刺目。只是那旗帜相当破旧，到处是一缕缕的残布，上面还有很多撕裂和漏洞，更不用说斑斑的已成锈色的血迹和焦痕，处处彰显着它的历史和尊严。

这说明，这是一面战旗，经历过无数的腥风和血雨，见证了杀戮和伤害，它本身就是一名战士！

这种战旗，是有旗魂的吧？应该有！何况它还站在数以百万计的兵俑最前面，显然是个大人物。虽然乐飘飘没有打过仗，可她也知道这种站位最前的旗子是王旗，是军队的标志和象征。

"我说，旗子大哥，醒醒。"她试探性地叫道。

由于空旷，由于寂静，她的声音传出很远，不断回响，倒把她自己吓得心头一紧。

旗子无言。

于是乐飘飘拿手碰碰旗杆，虽然她是魂身，但手却没有穿透，而是实在地拍上了。

她咳嗽了一下，清清喉咙，咬牙继续说："如果你有灵，旗子哥哥，拜托从我身上下去好吗？我这样，就要站不住了。真趴下的话，姿态不会很美观哪。我也就算了，坠了你旗子哥哥的威风，我罪过大了呀。"说完，她耐心等着，直到那旗帜忽然缓缓地动了，就像一片洒落于地的热血，渐渐收拢。

"你是谁？"男人浑厚的声音响起。似乎，是来自四面八方，但细听，却是旗子发出的。

乐飘飘屏住呼吸，连回答也忘记了，只盯着那面军旗。

只见眼前红光迸射，就像卷起一团红色旋风似的。接着，她胸口一凉，就在那旋风停息的时候，旗子消失了，眼前却出现了一个高大的男人，赤着一双大脚，瘦长的身躯被一件红色破旧的斗篷完全包裹住，长发没有束起，披散着，遮挡了半边面颊，额头上勒着三指宽的头带，五官俊帅至极，英气勃勃，可脸色却苍白，被那血样的红斗篷衬得近乎透明。

"你是谁？怎么来到这里的？"男人又问。

"我……我叫乐飘飘，是二仙门的掌门。"乐飘飘愣愣地说："我被人陷害，丢到地下龙神窟的黑水河边，然后不知怎的就闯进来了。"她有点儿词不达意，可确实没有更好的解释了。

男人想了想，看样子不知道地下龙神窟和黑水河是个什么玩意儿，只唔了一声，之后突然上前一步，把乐飘飘拢在怀里，垂头埋入她的秀发。

这这这，太热情了吧？还是这地界的礼仪？

瞬间，乐飘飘僵住了，完全不知所措。等好不容易恢复理智后，才发现旗魂是在嗅她头上的红羽。没错，她现在是一缕芳魂，可那红羽很坚贞，生是她的人，死是她的鬼，虚形仍在她头上插着，自然，气息也存在。

"怪不得。"男人放开她，"你身上有冥王赤羽的龙气，所以才会被引进来，不然，普通的人或者魂魄怎么能通过幽冥界碑，来到这里？"

事实上，对这些话，乐飘飘根本听不太懂。

那个死了的冥王名为赤羽吗？那个五百年前大战的始作俑者，那个世人口中的大魔头赤羽吗？赤者为红，与她头上这根羽毛有没有关系？她记得，这羽毛是在她穿越伊始出现的，似乎是那个紫发金瞳男相赠。

那么，他是赤羽？三番五次，她总跟那人有扯不断的瓜葛似的。那男人有时候会莫名其妙地来到她面前，有时又消失很久，仿佛从没出现过。若说没缘分，连她自己都不信。可是冥王，不是幽冥之地的人吗？他与龙神有什么关系，又为什么会身负龙气？

龙者，天地至阳。冥界之王，又怎么会身负龙气？一至阴，一至阳，太极端了。再者，他为什么把神器送给她？是她抽中了大奖，还是她体质特异，又或者，她前世和那魔头有亲戚关系？若是上天安排的，可为什么选中她啊？

此时，她已经彻底糊涂了，仿佛深陷迷局，而且越陷越深，看不清前世与来生。但她明白一件事：现在不是追究的时候，而这个什么冥王赤羽的名号可以罩她，至少旗魂对她完全没有恶意。

"你怎么会有冥王的龙气？你来干什么？为什么唤醒我？"旗魂又问出一连串的问题，还伸出手，碰了碰乐飘飘头上的羽毛。

"我不知道。真的。"乐飘飘摊开手，"是命运推着我走，所以你问了也白搭。话说，也别总你问我答啊，你也得告诉我你是谁，这里是哪里，这些兵俑……他们……是人是鬼，站着不累吗？"焦急之下，她又无厘头了。

"我是帅旗。"男人认真地说。

"啊呀，哪有人这么直白地夸自己帅的？"乐飘飘拍了旗魂一把，非常自来熟。

可旗魂很认真，"不，我真的是帅旗。"

"没错啦，你是很帅。"

"我是帅旗，不是长得帅的帅，是大帅的帅。"旗魂耐心解释，"比方有队旗、有将旗、有旌旗，我是帅旗，同时也是王旗。因为征战中，冥王会亲自上阵，我在的地方，就是王在的地方。全体阴兵都以我为中心，听从号令。"

乐飘飘这才听懂了，很小白地哦了声，露出崇拜的神色来。

帅旗很骄傲，又回答说："这里是幽冥界，你进来时应该看到界碑了吧？但是，幽冥界应该是被封印了，和冥王的军队一起，被冥王亲自封印的。你怎么进来的？能进来的话，就是有入口，旧的入口塌了，新的入口是开在哪里？听你说什么地下龙神窟、黑水河，难道就是新的入口吗？那冥王呢？他为什么不回来？"

"等等。"乐飘飘举起手制止，因为她又被帅旗的诸多问题砸晕了，定了半天神，才反问道，"你是说，这里是冥王的军队？"

"是当年追随他叱咤四海的百万大军。"

"百万？！"乐飘飘惊得差点儿吞了自己的舌头，"他们都是活的？"

"没错。他们不是兵俑，只是被封印了，若解开，就是完整的军队。其实我也是被封印的，但不知道怎么会被你唤醒。我知道了，是冥王派你来的！"

"我可以很负责任地告诉你，我真的不认识冥王陛下。"乐飘飘只觉得心里有什么东西掠过，但一时却抓不住，只能拼命让自己冷静，"五百年前的大战……"

"我们打的。"帅旗很骄傲地承认。

"最后……败了？"她小心地又问，生怕帅旗恼火。

可帅旗仍然是一脸嚣张和桀骜，"有谁能打败我们冥王陛下？"

"那……那我在上面听说，是你们输了，不然这五百年怎么会是三界安好？"

"我们没输。"帅旗激烈反驳，"冥王只是突然不打了，收兵了。你想，若我们败了，为什么百万雄兵还可以保有？为何只是被封印这么简单？你要知道，修真界的战争，只有死亡和胜利，没有投降和妥协！"

"为什么不打了？"乐飘飘抓住最奇怪的一点。

帅旗苦恼地摇摇头，"没人知道为什么，陛下突然就放弃了，当时我们只差一步就能彻底占领三界。但冥王是我们的神，他说什么就是什么，就算是错的，我们也认为是绝对正确的！"

"那他……冥王陛下，现在在哪里？"乐飘飘小心地问。

在外界的传言中，挑起战争的魔头已经死了，但她不敢说，怕眼前的帅旗疯狂。

从她目前了解到的情况来推测，紫发金瞳男很可能就是那大魔头，虽然他的模样以及他几次出现时的神情和气场都不像是个凶戾的魔王，而像个为情所伤的痴情种子，让她看到就心里酸酸的，想为他掉眼泪。

可如果紫发金瞳男=大魔头赤羽=龙神（或者与龙神有关系），那么，百里布是谁？龙神的徒弟，是不是就是大魔头冥王的徒弟？所以，新冥界的入口在潼川皇城之下吧？那具龙尸是紫发金瞳男的本体吗？记得百里布对她说过，他的师父是独目的，紫发金瞳男也是。

可为什么，百里布从没找到过冥界呢？又为什么偏偏是她闯了进来？！

还有，她的第一次穿越，就是看到紫发金瞳男，暂且称他为冥王赤羽吧，那时他正和三个男人斗法。在那么激烈的时候，他看了她一眼，红羽出现，然后她第二次穿越。这样说来，她第一次出现在这个世界，是正赶上那场大战的结束，但那时冥王已经残了，那一战，以一敌三，结果如何？那三个人又是谁呢？

照帅旗所说，冥王在形势一片大好之下突然放弃战争，又有什么天大的秘密？他之前挑起大战又是因为什么？野心？欲望？报仇？还是闲得无聊？他为什么选择让本体在大秦安眠，为什么收百里布为弟子？百里松涛知道这个秘密吗？大秦国和幽冥界有什么秘密协议？

乐飘飘抱住脑袋，真是越想越头疼。

帅旗看着她，有点儿莫名其妙，又有点儿沉痛地答道："我们都不知道冥王陛下去了哪里。他把我们封印后就离开了。现在，是什么时候？"

"离上次大战，已经过了五百多年了。"乐飘飘叹息。对这些兵将来说，一睡就是几百年，也只是一瞬间而已吧，而她，咻地一下穿越到了五百年后，大话西游啊！

"已经这么久了啊。"果然，帅旗流露出一丝惆怅，"冥王为什么还没有出现？"他又转向乐飘飘，"你知不知道？"

"我怎么会知道？"乐飘飘吓了一跳。

"你有他的气息，证明是见过他的。"

"旗子哥哥，有一种高人，可能见了某个小朋友，觉得很可爱，就偷偷给她些东西，完全是一种游戏的态度。但这个小朋友，却不一定认得这个高人对不对？"乐飘飘无奈，然后又斟酌着词句，"冥王陛下封印你们时，身上有没有受伤？"

"谁能伤得了我们冥王？"帅旗很肯定。

于是乐飘飘明白，假如紫发金瞳男=冥王=龙神，那他一定是封印了自己的军队后才伤残的，而他也是在伤残之后，才与三个人打架的。那样的话，谁能伤他到那个地步？他是不是预感到了什么，才把自己的部下保护起来？

当年到底发生了什么？

"不行，我必须出去看看。"又互相问了半天，帅旗决定。

乐飘飘很惊喜。

终于能出去了！本来她还愁得不行，现在问题迎刃而解。帅旗是冥界中人，他说能出去，就一定能找到路的。

但随即，她又有点儿担忧。外面是什么情况，她一个修仙低层人士实在搞不清楚状况，可却知道对冥界中人是绝对不利的。在这种情况下，帅旗出去合适吗？万一被正道人士抓到，岂不是很糟糕？都说冥界的人是坏人，可帅旗没伤害她，带她出去还算小小的恩情，她怎么能看着他倒霉？

再者，从自私的方面考虑，万一有人发现帅旗是她带出来的，会不会以为她和冥王是一伙儿的，继而连累到二仙门？而帅旗出去，会不会伤害到普通人？会不会给平民百姓带来灾祸？她不想伤害帅旗，也不想累及无辜。

"答应我三件事，好吗？"她以商量的语气说，因为，她没有阻止的立场。

对幽冥界来说，她是闯入者。假如人家不看冥王赤羽的面子，把她弄死在这儿，或者不带她出去，她有什么办法？而且人家硬要离开此地，她也拦不住，不如放低姿态，说到底，她现在是求人，人家可不用求她。

"说来听听。"帅旗皱起眉头。

大约旗帜是起标杆的作用，所以帅旗的形象充满正能量，让人很信赖。于是乐飘飘请求帅旗一不要暴露身份，二不要伤及凡人，三不要逗留太久。

帅旗很痛快地答应了，他也明白乐飘飘的要求是为了他好。此去，他只是想看看五百年后的天下是什么样子，打听下冥王赤羽为什么还没有出现，并不打算长久离开那些仍然沉睡的兄弟们——身为帅旗，他应该守护他们，指引他们。

乐飘飘也没告诉他赤羽的死讯，一来怕刺激人，二来她自己也不能确定。如果帅旗找到正确的道路，自然能看到那巨大的龙体，那时若他再问，她再告诉他。至少，得哄着他先带她出去再说。

从外面进到幽冥界，再遇到帅旗，虽然不知道花了多少时间，但肯定也过了一段日子了，可出去时却快得多，帅旗化身为一团飘忽不定的红色旋风，先卷着乐飘飘到界碑处，令她的魂魄回到肉身之内，然后，又带她以极快的速度穿行于黑暗的地下暗洞，差不多用了一盏茶的时间，就到了黑水河畔。

"若我的兄弟们解除了封印，会行动得更快。他们可化形、聚形，只几息就能行千万里之遥。兵贵神速，这话知道吗？就因为冥王的阴兵来去如风，所以才百战百……"帅旗突然停下了话，惊诧莫名地盯着黑水河中央巨大石台上的龙体。

"陛下！"他奔跑向前，匍匐于地，虔诚、崇拜、绝对服从和忠诚，多种情绪一览无余。

乐飘飘心里不知是什么滋味，从帅旗的表现上来看，她的猜测是正确的。五百多年前，挑起战争的大魔头就冥王赤羽，也就是这条神龙，百里布的师父！一条龙，不当龙王，为什么当了冥王？妖有妖界，龙虽然不是人，但也算不得妖，是上古的神物，那他的来历是什么？为什么要为祸人间？

"陛下的龙体在这儿，龙魂去了何方？还有，陛下的眼睛怎么只剩下一只？"帅旗化形为风，在龙体的上空盘旋，"为什么伤了半边龙身，失了些龙鳞龙骨？是谁，谁伤害我主？"

他暴怒中突然凌空向乐飘飘罩来，一张英俊的脸突然变得分外狰狞，吓得乐飘飘连退了数步，她强自镇定着，把自己所知的情形都告诉了他。

"陛下没死。"呆了半晌，帅旗恢复理智，喃喃道，"若魂魄灭亡，肉身怎么还能保持完整？他的魂魄一定是被困在某个地方，暂时出不来。"他一边说，一边四处观察，显得悲愤又急切，"你说这里是大秦的国都潼川，更是皇宫脚下，那么我主必然与秦主交换了什么条件，不然以他的骄傲，不会栖身于此。快，带我去找大秦的皇帝！"

乐飘飘有一瞬间的犹豫。

她是被百里松涛丢进来的，那位皇上一定恨不得她死，却又没杀她，思来想去，大约是用她威胁百里布吧。

"你答应我，绝不伤害大秦的太子殿下。"她咬咬牙点了头，又补了一句。

帅旗很敏感，斜着眼睛笑道："是你的小情人吗？"

乐飘飘涨红了脸，也不回话。

而帅旗的调笑也只是一时，随后就想起他的冥王陛下不知所终，露出一副很犯愁的样子。乐飘飘忍不住又提醒他，百里父子修为很高，又炼有仙甲士，他要乱来的话，必定会吃亏。

从刚才帅旗化身为风、带她飞来飞去的能力上看，他的修为也很高，但这只是对她一个小小的金丹修士而言，对大能者、大高手，肯定不够的。

乐飘飘想想就觉得悲剧，从前没修行时，觉得金丹修士是神一样的存在，可自己到了这阶段，又觉得一山更比一山高，在高手丛林中，她就是猪一样的档次，不过她也很想了解冥王赤羽和大秦皇族的关系。

她想知道紫发金瞳男是不是赤羽，如果是，为什么要把神器给她？还有，记得破了昆仑秘境中的五龙渊后，紫发金瞳男出现在神台上，难道那地方也是他的？很多奇怪的事，以前她没有注意，现在联系起来，似乎牵着一个巨大的秘密似的。

"大秦皇族能炼出仙甲士，就更证明我主与他们之间有什么关联。"帅旗紧张地说：“那种失传的东西，除了我主，还有谁会？”

乐飘飘想了想，觉得甚是。因为她得到的龙神殿空间，里面就有无数修仙秘籍，更有不少早就失传的术法。所以帅旗的判断，她信。

“走吧。”她有点儿不安，但强行压住。

沿阶而上，她走得很快，越是接近出口，就越感觉心跳不平稳，好像有什么事要发生。是百里布太想她了，还是二仙门人找她找疯了，她到底失踪了多久啊？这么一想，她也着急起来。

帅旗沉默地跟在后面，眼见出了地下通道，他忽然化身为一枚小指大的小旗子插在她的发间，与红羽交相辉映。

他这样，乐飘飘倒觉得不错，因为这表明了他的态度：我只看，但不说不动。

对大秦皇宫，她算熟门熟路。从奉先殿原路返回时，天色正亮。她格外小心，怕遇到打扫宫殿的太监宫女，可没想到顺利得出奇，从奉先殿出来后，沿着走廊走了好一段路，居然一个人也没遇到，反倒让她更加不安。

不会是百里松涛设下陷阱，又想害她吧？但是，他怎么知道她这时会回来？

“听，远处有丝乐声。”帅旗在她头发里咕哝，“太阳还没升到顶呢，怎么就开始饮宴享乐了？这样的国主，我们陛下为什么要选他做守护龙体的人？”

乐飘飘也觉得很怪异，因为百里松涛就算万般不好，却是个一心为国的人，平时很是勤政。这是怎么了？难道是有外使上殿觐见，所以他才设宴款待，可还不到午宴的时间啊，而且那个方向，正是朝堂的所在。听乐声，她只觉得庄严，又不像是娱乐性质，倒像是在昭告什么。

到底出了什么事？

乐飘飘正纳闷，前面拐过来一个小太监，手里抱着一个大酒坛，行色匆匆。乐飘飘心里有事，也没看路，两人差点儿撞上。

那小太监登时就怒了，“谁这么不长眼？撞到我就罢了，若是碰洒了酒，耽误了太子殿下的吉时，你有几颗脑袋赔？”

乐飘飘愣住，一时没弄明白：什么是……太子殿下的吉日？

哪想到那小太监看清她后，立即变脸道：“哟，这不是乐掌门吗？您回来啦？我说乐掌门哪，您这是到哪儿云游去了，好歹和门里人说一声啊。这可倒好，您的门人来宫里好几次，说是您丢了，要找人，若不是太子殿下压着，指不定怎么闹腾呢。”

乐飘飘闻言脸色一沉。这么说来，百里布知道她失踪了？他不但不急，还要压制她的门人？还是说，他知道她要被他父亲处死？那为什么他不救她？

"您这是赶回来观礼的吧？"小太监继续说："也是，您那二仙门能编入仙军，全是太子殿下的恩典。您已经到司礼处那边奉过贺礼了吧？"

"贺礼？什么贺礼？"乐飘飘终于回过神，声音干涩地问。

"太子殿下大婚哪。"小太监的眼睛瞪得溜圆，"合着您不知道啊。今天是太子殿下迎娶齐国含鞶公主的日子。皇上高兴，特地让我把埋在长生殿那棵梅树下的酒挖出来，放在待会儿的宴席上。这可是太子殿下出生时，皇上亲自酿制，又亲自埋在树下窖藏的。"

大婚？百里布大婚！他娶了含鞶公主！她在生死线上挣扎时，他娶了别人！

乐飘飘只觉得嗡的一声，全身的血液都凝固了，而后就被各种情绪淹没，直至灭顶。

那小太监还在絮絮叨叨地说些什么，可她全都听不见了，满心只想着一句话：他成亲了！他成亲了！可是新娘不是她！

其实她也从未奢求过，只是没想到这么快就被背叛。他说过，此生只爱她一个人，可转身就去娶了别人，甚至没有等她回来，没有跟她解释一句。

他拿她当什么？闲来逗弄一下的玩具？！

"今天初几？"她僵着身子问。

"八月十二啊。"那小太监回道，"虽然不是今年最好的成亲吉日，但是钦天监说也很不错的。咱们的太子殿下急着娶齐国公主，一个劲儿地往前赶呢。可见太子殿下格外看中太子妃，婚后一定是恩爱的。"

八月！她居然被困在地下将近一个月。而仅仅二十多天，他就要成亲了，这是什么样的速度？可见之前就有准备。他就……那么喜欢那齐国公主，那么中意她吗？他就那么等不得吗？

"你冷静点，别生气。"乐飘飘发间的帅旗劝着，大约感觉到她的僵硬和颤抖。

她说不清是羞恼、是愤怒还是伤心，只觉得心底有一个旋涡，把她所有的情绪、感情和奔腾的血液全吸附了过去，缠裹得越来越大，大到无法承载，就要爆炸了！她必须要亲眼看到那大婚的一幕，看到那个她爱到刻骨铭心的人，她才能平静，才能心死！

乐飘飘伸出食指点在那小太监的额头，一束白光隐现，那小太监连哼也没哼一声就晕倒在地。而在他倒下的一瞬间，乐飘飘轻巧地把酒坛接住，放置在一边。然后，她拖着小太监拐到无人处。

"喂喂，你要干什么？还是不要生气了。痴情女子薄情郎，不都这样吗？他不要你，你再找个男人不就得了？"帅旗劝着，但实际的效果却是火上浇油。

"你少管！好好办你自己的事！"乐飘飘丢过来一句，身上散发出的冷意，令出身幽冥的帅旗也有点儿承受不住，只好装死。

乐飘飘也不管他，快手快脚地除下小太监的衣服，自己换上，又抱起大酒坛，循着乐声而去。

第二十三章
新冥王

大秦百官上朝的地方名为大明殿。因为百里松涛简朴，皇宫占地不大，所以大明殿旁边的偏殿，因为地方宽阔，装饰得又庄严气派，经常用作招待贵宾或者逢年过节君臣同乐的地方。既然太子大婚在朝堂举行，那么午时的饮宴之地，必是偏殿。

于是，乐飘飘准确地找到了地方。

其实不用她刻意寻找，只看到此地花团锦簇，红绸连天，太监宫女和侍卫们穿梭不停，就什么都知道了。而在大秦皇宫内服役的下人本就不多，婚事又办得仓促，所有人都闲不得，忙得脚不沾地，根本没人注意到乐飘飘这个冒牌太监，所以她顺利突破外围侍卫们的盘查，混入了杂役中。

依着吩咐把酒放好，她沿着一条内殿回廊，悄无声息地溜进了大明殿。入眼之处，金碧辉煌，那喜气的红色海洋，刺痛了她的眼睛。

大殿两侧，参加婚礼的全是高品级的文臣武将，个个衣着得体，谈笑风生。四周，站殿将军成双倍数，笔直地立在殿角，无比威仪。侍候太子和公主的太监宫女，成排地跪伏于地，毕恭毕敬，守礼有度。前侧，送亲使满面荣光，得意非凡。远处的龙台上，站着意气风发的大秦皇帝，左侧是内宫之主雪妃，右边是美艳绝伦的东尊付采薇。再看那对新人，站在御阶之下，肩并着肩，端的是郎才女貌，天作之合。

含鞻公主穿着大红绯罗蹙金刺五凤吉服，套着玫瑰红广陵长尾鸾袍。皇家婚礼不像民间，含鞻头上并没有红盖头，而是青丝高盘，戴着七凤吐珠的凤冠，金色灿灿，珠为血红色宝石。凤冠前是一整排珍珠流苏，遮盖了半张俏脸。珠色润莹，更衬得她肌肤如玉，天姿国色。

而那个人，一向不喜欢鲜艳的颜色，此时也不能免俗地穿着大红袍服，宽袖博带，衣袖中隐约以金线绣以金龙，玄色素缎的靴子，腰上悬有装饰性的华丽佩剑。他的头发在昆仑秘境中就长长了，修剪到齐腰长。此时束在顶上成髻，戴着双龙戏珠紫玉冠。

他本就是大秦最好看的男人，就算此时心里怨怪，乐飘飘却仍然为他心折。他看起来不开心，脸上没有一丝笑容，甚至有些绝望的忧伤。可乐飘飘气坏了，感觉不到他心如枯槁似的无奈，只觉得他再好，也与她没有关系了。

原来，他和含罂才是一对。以前是她被情蒙了心、闭了眼，不知道她从来都只是个局外人，上不得这高高的朝堂，也没资格站在他身边！

是她太傻了。

眼中，泪意热辣辣地涌了上来，怎样忍也忍不住，乐飘飘只有狠狠擦掉。

她想疼。她很想疼痛。只有疼，她才会记得住。现在就很疼，可却远远不够。她需要疼得剧烈，能压下心底所有的难过。

她紧紧握拳，差点儿把指骨都扭断。曾以为自己是潇洒的人，所谓爱情，也是合则来，不合则去，可她到现在才明白，若真正爱上，那份情就浸入了血液灵魂之中，若无一番痛苦的脱胎换骨，怎么可能潇洒离去？

失去了，才知道他在心里刻得如此之深，所以这背叛才如此之痛，就像有把刀，从心底最柔软的地方生长出来，每长大一分，就把她重新切割一回，伤口永远不能愈合似的。

上前去，大吵大闹，甚至打他几巴掌泄愤？

上前去，跪倒在地，苦苦哀求，请求他继续分她一点爱？

不，她不会那样做。他不要她，可她还有骄傲。不能相濡以沫，干脆相忘于江湖。她乐飘飘，既然爱得起，就能放得下。

这么想着，她拼出全身的力气，叫自己转身，离开。她挺直脊背，骄傲而冷漠。

她想悄悄退开，以后再不相见，可不知是不是强烈的心灵感应，百里布突然心中剧痛，他猛然转过头来，连人也没找到，就控制不住地大喊一声："飘飘！"

他叫得声音如此之大，神情如此之惶急，黑眸中掠过淡金之色，那痛彻心扉的神情，令整个大殿都为之一震，顿时寂静下来。

"飘飘！"他急切地在人群中寻找。

太多人了，让他厌烦。可他心里有强烈的感觉，她就在这儿，眼睁睁地看着他娶别的女人。

所有人都静止着，所有人都面朝着代表着权势和皇族的方向，只有一个纤细苗条的身影是背对着的，是轻轻移动着的。那背影，他看了无数回、念了无数回，相思刻骨，午夜梦回，刚才还在他心里反复出现，怎么可能认不出来？

"飘飘！"他下意识地就要追上去。

她眼中只有那虚伪的富丽堂皇，而他眼中只有一个她而已。

"站住！"百里松涛断喝。

百里布顿时立在了原地，而百里松涛散发出的威压，令乐飘飘也走不动，只能转过身子。

"参见皇上。"她躬身行礼，却倔强地不跪。尽管那无形的压力压得她抬不起头，腿也开始发软，尽管她这反抗多么无力和不合时宜。

"来人，请乐掌门下去。"百里松涛冰冷的声音响起，隐忍着没有震怒，"今天是太子的大喜之日，应与万民同乐。乐掌门的位置在皇宫外，校场上的百官宴上。"他的意思再明白不过，是指乐飘飘不够品阶，不配站在这大殿之上。

大秦的皇家婚仪和民间区别不大，但为了显示大秦对齐国公主的重视，仪式定在大明殿举行。之后，皇上会亲授太子妃印信，三日后祭拜皇家宗祠，昭告天下后，鲁含颦就正式成为大秦的太子妃，未来的皇后。

刚才，百里松涛正要从容嬷嬷手中的托盘里拿出牒文，交给含颦，乐飘飘却出现了！

她是大秦的灾星吗？为什么只要这女人出现，一切就不顺利？他的儿子，也不再服从于他！

杀意，瞬间充满胸臆，百里松涛死死忍住，生怕搅了今日的局。只要再过片刻，大事一成，他必容不得这女人再活下去，哪怕布儿阻拦也没用！

把她扔到地下暗洞中，这女人居然脱离了仙甲士的控制，而且还能活着出来，这让他怎么能相信她是普通人，而不是修仙界那帮老不死的派来祸乱大秦的？

乐飘飘，必须死！

"谢皇上，但臣自己会走。"乐飘飘不卑不亢地说，倒让百里松涛感到奇怪。她倚仗着什么？这个时候了，还能高傲如斯。

"不，你别走！"百里布又一次脱口而出，异常冲动。

"布儿，别忘记，你是大秦太子！"百里松涛气得再也控制不住声音。

"儿臣，甘愿放弃皇位。"

第二十三章　新冥王

一句话，举座皆惊。

就连百里松涛都没料到儿子说出这种话，竟一时没有反应过来，以为自己听错了，问道："你说什么？"

"儿臣，甘愿放弃皇位！"百里布重复道。

如果说刚才是他冲动之下的决定，这时反倒更加确信了。很多事，想开了就不会再有障碍。他从没想过放弃，现在为了飘飘，他如此选择，心中却一片平静和开阔。

百里布不这么说还好，当百里松涛明白了这话的意思，胸中的怒气有如狂焰，恨不能立即将那惹祸的妖女烧死。似乎他努力构建的一切在瞬间塌倒，那妖女抢走了他的儿子！百里松涛的心中，绝望和愤恨有如无边之火，只有杀戮才能平息。

"来人，把那个女人给朕拉下去！"他愤怒地向乐飘飘一指，"太子中了她施展的邪术，迷了心智。朕本不欲在吉日见血，可妖孽不除，国之焉存？推出去，处火刑！"

立即，四个站殿将军向乐飘飘袭来，其中两人抓紧她的肩膀，把她的手反拧到身后，另两人左右护着，提防她暴起。可她根本没有反应，完全震惊于百里布说出的话。

他要为她放弃皇位？！这么说，他并不是自愿娶鲁含辇，而是被逼迫的？她能理解政治联姻的重要，也知道他的两难，只是不能接受他突然的大婚，甚至没有道一声分别。而百里松涛把她丢进地下暗洞，就是为这事做准备吗？他又是以什么方式逼迫的百里布？难道，是以她的生死？

顿时，她鼻子一酸。

是她冤枉他了。怪不得他那样不快乐，原来，他是为了她，才去娶别人的。

"父皇息怒！"百里布大叫一声，转身扑倒在御阶之下。

火刑，是专门为修仙者预备的。那火是三昧真火，修仙者不仅会失去肉身，就连灵魂也将死去，彻底地，不留下任何痕迹。

"身为您的儿子，身为大秦皇族，儿臣会承担起应有的责任。"百里布急切地解释，"平定天下，统一七国，儿臣愿意领兵征战，生死以赴，绝无退缩！父皇心中所念，儿臣也会不惜一切帮父皇办到。儿臣愿为父皇和未来的大秦之主当马前之卒，鞠躬尽瘁，只是这皇位，还请有德者居之。"

"你是朕唯一的儿子！"百里松涛低吼，"从你五岁，就已经立为储君，如今你让朕到哪儿去找一个继承人来？你说承担责任？你的责任就是成为大秦之君主，带着秦人一统天下！这一统天下容不得你儿女情长。也罢，你舍不得，朕替你舍！还不快把那女人拖出去！"

四名押着乐飘飘的站殿将军一听，立即拖住她往外走。乐飘飘奋力挣扎，才发现他们竟是四名仙甲士，因一直站在殿角无言，又穿着普通的军装，所以没有人注意到。她本就因失了心神而失了先机，此时完全受制，根本一点修为也施展不出了，很快她就被拖到大殿门口。

"父皇开恩，饶了飘飘！"百里布膝行几步，头重重磕在御阶之上。

百里松涛硬起心肠不理，一甩袍袖，坐回龙椅上，俯视殿内。

大明殿中，人何止上百，但大臣、齐国特使、观礼贵宾、准太子妃，没有一个人开口，都只望着这一幕，冷冷地置身事外。或懵懂，或惊讶，或不明所以，或幸灾乐祸。

眼看乐飘飘就要被拖出去，百里布又心疼又焦急，他突然跃起，要扑过去相救。可是他人才在半空，就突然跌落了下来。顾不得疼痛，他猛然看向父亲，"父皇，您对儿臣做了什么？"

"来人，扶太子起来，别让他接近那妖女。"百里松涛冷酷无情，"这妖女的妖法厉害，太子已经迷失心智，请大司马速速监刑。"

大司马是大秦除百里父子外，修为最高的武将军。百里松涛这么做，一是确保乐飘飘死彻底了，不给儿子其他机会。二是表明姿态：二仙门的掌门是一个妖女，她的妖法十分厉害，是妖法迷惑了太子殿下。

"父皇，请开恩！"百里布惊怒。

"你是朕的儿子，你病了，身为父亲，朕一定会帮你的。"百里松涛说得阴沉。

他派去看管乐飘飘的仙甲士传回消息说，乐飘飘不见了，他就预感到会有不顺。虽然没想到那女人会在太子大婚时出现，但为防万一，他还是给儿子下了药，以保证他在明天黎明之前，不能动用修为。那药没有赐给乐飘飘的药霸道，却也足够了。

百里布急运真气，可经脉中空荡荡的，一丝灵力也无，就猜到了是怎么回事。再一次，他对父皇感到失望。他理解父皇要与齐国联姻的目的，甚至，他已经准备妥协，可是当飘飘出现，他才知道他是做不到的。他无法看着她远去，更不用说要她以死成全！

第二十三章　新冥王

只是，他以为父皇终会心软，但他又错了。他心底冰凉冰凉的，因为他终于明白，为了达到目的，父皇不会允许任何人挡路，就算他是父皇最爱的儿子也不行！

他踉跄着爬起来，追了过去。

“还不拦着太子！”百里松涛怒吼，“还要让太子被蛊惑吗？”

几个武将得令，上来把百里布围住。而百里布现在没有修为，根本无法突破。情急之下，他猛然抽出腰上的佩剑，横在自己脖子上。

“放她走。”百里布神色决然，“不然，今天我就立毙于此！”

百里松涛腾地从龙椅上站起，气得抑制不住地颤抖，“你，竟敢，竟敢违抗父命皇命，就为了这么一个下贱的妖女！”

“她不是妖女。一切，全是我的错。”百里布惨笑，手上又用了力。鲜血湿了他身上的红袍，一片一片，因浸湿而红得发黑，触目惊心。

乐飘飘哭得哽住。

她想说话，想劝他不必如此。她明白了，所以其他的都无所谓。她知道他的心，还奢求什么呢？就让她走吧，就像那句话说的，有的人，不管多么相爱，就是不能在一起！

在时间无垠的荒漠中，她记得他的真情，拥有美好的回忆，不让生命如枯井般看尽日出日落，心底有小小的幸福，就足够了。

“布太子，你这样做，置本宫于何地？”正僵持间，一直没开口的含颦说话了。

齐国使者很愤怒，但含颦一挥手，制止了。她自己则慢慢走上前，无比优雅，但浑身上下寒意逼人。她的身后，付采薇眯起了眼睛，一动不动地看着。

有意思啊，真的很有意思。布太子和他的父亲一样，本应该是多情种子，结果却成了痴情种子。天地间的大情痴，就是说的他们父子这样的男人吧。可笑啊，但她又不能笑。也许她要去那天梯之下，笑给高高在上的苍穹听听。

“今天，你若一定要保这个女人的性命，就是羞辱于我，羞辱我大齐国。”含颦从来是温温柔柔的样子，此刻却如冰雪一般，气势凌厉。

“含颦，我并无此意。”百里布手不离刀，神情坚定。

眼前的女人，他本来应娶为太子妃的，他对她有愧疚，却并无为难。没有人知道，在达成婚约之前，他私下里对她坦白过。他告诉她，他爱的是别的女人，此生不变，希望含颦可以拒绝求婚。可是含颦不肯，她钟情于他，认为那些所谓的情情爱爱不足为虑。

她有美貌，有才能，还是几百年难寻的纯阴之体，不管是普通皇族还是修仙才俊，想娶她的人多如过江之鲫，只要他肯娶了她，过个十年八载，多强烈的爱也会消失，而她终究会成为他一心相对的人。

然而今天在大殿之上，她突然不那么笃定了。布太子这样的人，为了一个女人可以舍弃脸面和尊严，甚至还要毁婚，她不能容忍！

"现在，已经不是你我之间的事了。"含鞶冷笑，"倘若你走出大明殿，选了那个女人，或者执意护她，那么就是你发出了战书，逼齐国与秦国为敌。我们齐国虽不好战，却也不能接受这样的对待！"

她这番话已经带了威胁，听得一边的付采薇暗暗摇头。

她还以为这个齐国公主是个聪明人，平时看着还好，哪想到遇到情事，也是脑筋一热，草包至极。

百里布此人，骨子里极为骄傲，做事沉着冷静。今天在大婚仪式上悔婚，已经是意外中的意外、反常中的反常，只能说明他心里爱那个乐飘飘爱到不顾一切了。对这样的男人来说，动情则海枯石烂，不仅不会回头，更容不得他人威胁。

"含鞶公主，欠你的，我会还。"果然，百里布的神情冷了下来。

"你拿什么还？"

"算我欠你一命，若你日后有难，我定万死不辞，护你安全。"

含鞶哈哈大笑，连礼仪也不顾了，可见气恨至极。她的声音回响在大殿之中，竟有一丝凌厉，"我堂堂齐国公主，又是昆仑执法阁长老的内门弟子，有谁敢动？"

"无论如何，是我对不起你，若你要报复，就冲着我来吧。"百里布说着，缓步向乐飘飘走去。他这样做是自私的、不负责任的、不理智的，可他就是拗不过自己的心。

两人分别许久，乍相见时，就是百里布大婚，乐飘飘误会。此时无声胜有声，百里布一步步走过来，两人四目相对，千言万语，心意相通，连旁观的人都看得明白。

哪里是什么妖术，这位姑娘，二仙门掌门，就是布太子心尖上的人啊。

既然看得明白，就有人无法容忍，百里松涛和含鞶公主的眼珠子同时红了。只要乐飘飘活着，就意味着百里布的心永远不在他们这里。他们这种强势惯了、一直高高在上的人，怎么能让破坏他们目标的人活着？

一声尖啸，鲁含鞶和百里松涛几乎同时出手。对外，这二人都是金丹中期的实力，实际上百里松涛已经到了化神初期。此时心情激荡之下，他几乎施出全力，不再加以隐藏。但这也是因为他知道自己弄巧成拙，逼迫儿子与齐国联姻，却造成了两国反目的结果。在这样的情况下，他不如展现实力，还可威慑一番。可终究，七国大战要提前了。

都是因为乐飘飘那妖女的破坏！

有了这个想法，他一出手就是要乐飘飘灰飞烟灭的架势。他是金系法术，随手调动五金之力，瞬间在乐飘飘身边筑起铜墙铁壁，连脚底和头顶都没放过。

而鲁含聱是火系灵根，虽然没有隐藏修为，但手中法宝却是昆仑执法阁长老亲赠的仙器钻心针，以仙法为骨，以火为形，只要刺入心脏，中之即死。不过她见机很快，看到百里松涛以铜铁封住乐飘飘，双掌一翻，把牛毛般的钻心针收回，改为念诵咒法，一团烈火自那娇嫩的掌心而出，燃烧在铜棺之外。

炮烙之刑，不外如此。

殿下众人没有一个蠢材，看情形不对，早就躲到一边去了，唯有付采薇仍然站在高高的龙台上，看好戏一般。

百里松涛表现出的实力让她心头一紧，可以说大出预料。而鲁含聱之狠，倒让她很满意。

"父皇，住手！"百里布目眦欲裂，拼命要冲过去。

但百里松涛比他还快，鬼魅般潜到他身边，手指一点，他手中的剑就化为金粉，同时，百里布整个人都动弹不得。

"不孝子！朕还没死呢，你哪有资格以命相胁！"百里松涛怒道。

"算我求你，父皇，你放过她吧！"听到乐飘飘惊恐的尖叫从铜棺中传出，百里布心疼欲死，"父皇，您这是要了儿子的命！放过她，放过她！"

"朕本不欲其死，是你逼朕的！"百里松涛咬紧牙关，拼着和儿子关系破裂，也绝不能放任有人对儿子有超过他的影响力。

"放了她！您要儿臣怎样都可以。我保证，绝不忤逆！求您，快放了她！"

"休想！"百里松涛大喝一声。

再看那铜棺，很快就被烧红了，再阻止不了，就算乐飘飘有修为，以水术抗之，也会很快就化成焦炭。

百里布绝望了，他像疯了一样挣扎，可是无济于事。不远处，铜棺剧烈震动，大火熊熊燃烧，有敲击声不断传来，可惨叫声却停了。他知道，飘飘不想让他难受，可她在里面被烈火焚烧，他恨不得能以身相替。

她的痛，让他更痛百倍千倍万倍！

为什么，她要为他受折磨？他只是爱她而已，可这爱却要了她的命，还是如此痛苦的死法！

不！不行！他不允许！倘若他不能保护她，就让他承受一切吧！

百里布用尽力气，要绷断自己的经脉。没有灵力，没关系，没有修为，也没有关系。他强烈的念力，那要保护飘飘、要为她挡去一切困苦的强烈念力在胸中迅速汇聚，然后猛地爆发。

百里布仰天怒吼，震得修为弱的人，连耳鼓都流出了血。是怎样的绝望、怎样的心疼、怎样的生死相许，才能发出这样的声音！而其中，竟还有龙吟之声，清越激荡。

百里松涛被震得心神不稳，含鄻更是倒退几步，跌坐在地上。火消失了，铜棺也出现了无数裂纹。大明殿中，金光万道，有如日出东海，那明丽绝伦的颜色，映得所有人、所有物，就连空气都像染上了一层金粉。

而那金色，却是出于百里布，确切地说，是百里布的右手掌心。

他的左手，是为乐飘飘种下守约砂的伤痕。他的右手，是从五龙渊、水晶殿得到的那枚小小的龙印。

龙印现，天下乱！

这是修仙界流传许久的一句话。没人知道百里布得了龙印，百里松涛一直隐瞒此事，宁愿暴露自己的真实修为，也不想这么快就翻开这最后的底牌。然而，他的顽固和狠心令百里布疯了，使他居然在修为被药物所控的情况下，畅通了所有经脉，激发出龙印的气息。

他万万想不到，情之一字，能把人逼迫至此！而且这次的金光和上次完全不同，包含着巨大的力量，就算用无数结界也屏蔽不了！

现在怎么办？在没有得到冥王赤羽的阴兵神将之前，就让人知道龙印为布儿所得，恐怕不到明天，就会有大批修为高强的杀手来袭击大秦皇宫，誓要杀掉布儿，抢夺龙印。

龙印认主，是冥王的标志，一次只奉一主，绝无二意。谁得之，就相当于得到冥王的传承！

百里松涛后悔了，突然就后悔了。他只想到了政治利益，却忘记自己的儿子是半神之体。布儿认定了那个女人，他压制得太厉害，于是引来了强力反弹，造成这样的风暴。

说到底，全是那妖女害的！真是祸水啊！

"关殿门！一个也不许放走！"他咬牙，快速发布命令，紧接着念诵秘咒。

就像百里布的灵宠被安置在异时空，以咒语与之相连，百里松涛的仙甲士也是如此，所以才没有人知道他还有这等实力。如今迫不得已，他必须要把大殿内的人都杀了，一个不留，才能保住秘密。

和龙印比起来，任何事、任何人都必须让出道路！

其他人好说，他的仙甲士排列成阵法，就能把殿中的人都绞成碎肉。只有东尊付采薇很难对付，但他亲自动手，只要拖得片刻，仙甲士就能腾出手来帮忙。不管付出多大代价，所有人都必须死！

百里松涛的命令一出，大殿内登时大乱。含颦立即明白了什么，脸上血色顿失，脑筋连转了好几个弯。只要一个活口不留，今日之事就有很多解释的余地，把她的死推在修仙者的身上，她的父皇就算不相信，又能如何？

而一边的付采薇淡淡地笑着，仿佛事不关己，摆明胸有成竹。看到她这样，含颦公主立即跑到她身后。

"你也只有这种小聪明罢了。"付采薇并没有阻拦，只是轻蔑地冷笑，"人人当你是宝，百里布偏把你当草。你知道什么是真正的聪明吗？对于女人来说，不是琴棋书画，也不是心机胸怀，而是让一个男人，特别是百里布这样的男人爱你爱得要死要活，这才是女人的聪明。以前我遇到过这样一个人，今天开了眼，又出现一个。"

"东尊，百里松涛要杀人灭口！"含颦叫道。

"他得有这个本事才行。"付采薇丝毫不为所动，冷冷地注视着混乱的大殿和杀气腾腾的大秦天子。

而大秦太子，只为自己手中的金光愣了一瞬，之后立即冲到那裂纹遍布的铜棺前，小心地击碎它，把那身上多处烧伤的姑娘紧紧抱在怀里，哽咽着，一言不发，似乎全天下，也没有怀中人的生死重要。

付采薇动了动，想凑近些，欣赏布太子那悲痛欲绝的神情，再看看身负神器的姑娘到底死没死。可是她才迈出一步，百里松涛还没阻止，异变突生。

一阵寒风，莫名其妙地吹了过来，明明是阳光明媚的上午，天色却突然暗了下来。

那风，越吹越大，阴惨惨的，好像来自地狱，还没吹到人的皮肤上就令人寒到了骨子里。大殿上的人都觉察到了这种异动，突然就静了下来。真正的恐怖就是这样，让人连呼喊和逃跑都做不到，只能等着死亡降临。

那是对死亡的敬畏和顺服。

此刻，不仅是潼川，不仅是大秦，三山五岳的修仙者，只要是修为足够，都看到了那漫天的金光，还有瞬间漆黑的天色。

而大明殿中，自乐飘飘的头上飘下一物，落地后，变成身披鲜红斗篷的长发男人。他惊喜又难以置信地迟疑了一下，然后跪倒在百里布面前，"冥王！您就是新的冥王陛下！"

所有人都惊呆了。

百里布似有所感，横抱起虚弱的乐飘飘，大步走向殿外。其他人都魔障了一般跟在他身后。

天空中，阴惨惨的，不知从哪里席卷来大片的黑沙，就像乌云一样，急剧笼罩，很快连天地都遮蔽了。

而当那黑沙吹到殿前的空地上时，居然变成一个个黑衣黑甲的士兵，列着整齐的方阵，带着冷酷的肃杀，怒睁着发红的眼睛，朝着百里布的方向，似乎在等待他的命令。

一抹血红色闪过，帅旗化为旗形，残破的旗面迎风猎猎招展，站在阴兵的方阵之前，"冥王陛下，但有号令，杀！杀！杀！"

"杀！杀！杀！"黑甲兵将们也齐声呐喊。

登时，地动山摇，天地为之变色，草木为之枯萎，修为低的人，居然为这一声而晕倒在地。

"魔头赤羽的阴兵神将临世！"不知是谁颤抖着声音喊道。

一句话，众人神色各异，大多惊恐和茫然。

对于魔头赤羽，很多修行时间短的人都不知道是谁，就算有些许印象，也只是传说中模糊的影子。但对于度过了悠长生命的人以及大能者来说，赤羽和他的军队就像是噩梦般的存在。五百多年前，他几乎以一己之力毁天灭地，后来与人、妖、魔三道大帅对战，同归于尽。

战后，满目疮痍，各门派都元气大伤，至今还未能恢复到鼎盛时期的力量。

但是，没人见过那四人的尸体，也没有人知道赤羽当年的百万阴兵湮灭到了哪里。这始终是修仙界上位者们的心头刺，只是因为这五百多年的平静而渐渐淡

第二十三章 新冥王

了下来。

可今天，阴兵重临，噩梦仿佛又出现了。虽然这队黑甲兵士的人数不过数千，但想来是百里布手上的龙印运用得不纯熟所致。尽管如此，那可怕的气势已经令人心魂摇荡，从骨子里生出的恐怖感，无法自持。

唯有百里松涛目露狂喜之色。

他等的就是这一天。他这么多年的苦心经营、小心谋划，为的就是得到龙印，找到阴兵，让布儿得到冥王赤羽的传承。今天，他终于等到了。有了这一切，他还怕什么？昆仑、蓬莱、蜀山、北冥，天下无数修仙门派，妖修、魔修，还有身为凡人的六大国，都不足为惧。他报仇雪恨的一天，梦想实现的一天，就要来临了！

他想仰天长笑。

其华，你看到了吗？看到你的儿子如此威风凛凛，把天下都踩在脚下了吗？

"布儿，杀掉他们，所有人。"他冷冷地发出命令。

阴兵现世，大战即发。百里松涛宛如拿到一手绝杀的好棋，他不需要顾忌，不需要隐瞒，也不需要盟友了。

他没注意到一边的付采薇不同于其他人的震惊和恐惧，而是露出怪异的笑容，同时她举手向天，三道碧色过后，三只青鸟分向西南北，骤然消失。

"布儿！"看到百里布不动，百里松涛催促道，随即皱紧了眉头。

此时，被百里布抱着的乐飘飘已经醒来。两人四目相对，仿佛周遭的一切都不能对他们造成影响。在他们的眼中，只有对方而已。太久的分别、太强的阻力，令他们的思念更加灼烧着心脏，乍一相见，哪管其他。

"还好你没娶别人，不然我不会原谅你的。"乐飘飘身上很疼，心里却很欣慰。

百里布淡淡一笑，在惨烈残酷的气氛下，在阴风阵阵中，显得格外温柔。

一边的百里松涛看到他们的情形，简直怒不可遏！他的儿子是做大事的，为了大秦的梦想而生，不能沉溺于儿女情长！现在这种情形，联姻已经没有必要。但他仍然要杀掉乐飘飘，为了大局，布儿就算恨他，也没有关系。等到布儿一统天下，坐上人皇之位，与九天之上的天界分庭抗礼时，就会谅解他的苦心。

想到这儿，他鬼魅般上前，一把扯住乐飘飘。百里布没提防，只觉得手中一空，怀里的姑娘已经被抛到几丈开外。他还没有反应过来，就见父皇单手结印，快诵咒语，四面八方所有的金气全部汇聚在一起，迅速凝成无数利箭，朝着乐飘飘射去。

"不！"破空声中，他惊恐大叫，却完全来不及救援。

眼见带着凌厉之气的铁箭就要把乐飘飘穿透，斜刺里突然蹿出一队人，正是二仙门的人，当先带路的，是燕北天。

大秦太子大婚，其最信任的贴身侍卫却抱病在家，不能参与。其实百里布知道，燕北天只是不想看到他的无奈和绝望。但他却不知道，二仙门丢了掌门，一直想到皇宫来找，却没有机会，如今趁着秦宫有喜，特地求了燕北天带路，偷偷闯了进来。

二仙门的人修为低，却极为齐心，见到掌门有难，立即各施法宝，把铁箭挡住。可惜，在修仙的世界里，实力决定一切，百里松涛对外伪装成金丹期大圆满，其实却是化神初期。这样的力量对比，就算二仙门的人再多，也顶不过一个大秦天子。因此，他们只能拦下一些力道稍轻的箭，那些强劲的箭矢根本就无法阻挡。

电光火石之间，根本来不及多做反应。燕北天拼命把乐飘飘拉过来，掩护在身后。而小一郎、凤九和前几天才回来的无迹情急之下，只能以血肉之躯对抗！

铁器入肉，血花飞溅，乐飘飘的三个师父瞬间被射成了刺猬。尽管如此，他们仍然互相扶持，挡在宝贝徒弟的前面。

"师父！"乐飘飘尖叫一声。

"没事没事，挡箭而已，我最擅长了。"小一郎吹牛，嘴里不断涌出鲜血。

"你看，师娘的姿势是不是很漂亮？"凤九笑得绝艳。

"放心吧，师父死一下，一会儿就醒过来。"无迹试图拍拍胸膛，手却抬不起来了。

乐飘飘哭得不能自抑，伸出手，却不知道要怎么办。

没错，三师父有复活术，可大师父和二师父没有。况且，百里松涛的铁箭上不知带了什么法术，在射中人的身体后，自伤口处的皮肉就开始成为灰烬。三个师父说话的工夫，身上已如燃着的纸，寸寸消失。没有了肉身，以三个师父的低级修为，还怎么复活？！

"师父，别走！别走！"乐飘飘哽咽得连气也喘不过来，双手虚空抓着，指尖却留不住任何东西，眼睁睁看着疼她爱她守护她的三个师父，片刻后灰飞烟灭。

哇的一声，她吐出的血染满衣襟。

她后悔了！她真的后悔了！她只要自己的爱情，宁愿以鸡蛋去碰石头，却没想到伤害的是自己的师父和门人。如果她肯服软，如果她肯放弃，今天就不会有这种局面。她太自私了！三个师父对她来说那么重要，他们是她的家人，她的依靠和支柱。现在失去他们，她这番痛彻心扉，锥心刺骨，就算把她打入十八层地狱，上刀山、下油锅，也不会如此之痛！

她一跃而起，瞪向百里松涛，那滔天怒意，令她流下血泪，凄厉无边，看得百里松涛心头一颤。但他马上就恢复了从容，冷笑着，再度抬起手。

百里布震惊之下，挡在百里松涛的面前。

"父皇！"他嘶声大叫，"若您再伤飘飘，儿臣必远走他乡，再也不回来！"

"你！"百里松涛气得发抖，"你敢忤逆我！为了一个女人，你敢这样对朕说话！"

百里布还没有回答，空气中突然传来尖锐的破空之声，西南北三个方向急速飘过来黑白红三道光芒，定睛细看，却是北尊狄人杰、西尊朱俊、南尊布缕衣。

"赤羽的阴兵！"狄人杰失声叫道。

"传闻居然是真的。"布缕衣摇头叹息，一脸悲悯。

"父子和情人的大戏就歇了吧。"东尊付采薇也不理其他人的反应，对百里父子冷笑，"想挑起天下战乱者，天地难容！"

"你待如何？"百里松涛狂妄至极地叫嚣。

"少废话了。"朱俊性烈如火，大声道，"五百多年前没了结干净的事，今天就一并解决了吧！"说着，他率先出手，目标：百里布。

他的意思很明确，龙印在百里布之手，只有龙印才能指挥阴兵，所以只要百里布死，龙印就会消失，阴兵群龙无首，就不足为患。

至于百里松涛，只是普通的修仙者，就算修为强横又能如何？阴兵现世，大秦的事就不再属于普通人界，而是与全体修仙者有关了。他们插手，天经地义。

他要在腥风血雨被掀起之前，就制止这一切的发生！

四大天尊心意相通，朱俊一出手，其他三位也施展法术。片刻间，四道耀眼光华向百里布疾冲而去！

在这样生死攸关的时候，百里布居然没有注意到自身的危险，只因乐飘飘心伤三个师父之死，痛不欲生。他看在眼里，感觉父皇射中的箭穿透的是他的心脏，心底有冰凉的气息不断涌出来，好像天河，把他和飘飘越隔越远，令他痛苦得恨不能死去。

他之前的生命，一直都是为父皇的目标和梦想在努力。是飘飘让他体味到人生中的其他意义，或者说是真正的意义：轻松、快乐，可以软弱，可以没有逻辑，可以放纵自己的心，可以欣赏万千风景，让他觉得在画不成山谷的那五十年，才是他最向往的日子，有爱与信任，不只是恨和戒备。

然后他懂得那种意义，就叫作幸福。

他爱着她，至死不渝。

她是照进他生命中唯一的光芒，轻易就占据了他的神魂，他很坚定地确信这一点。虽然之前没有经验，可当那种情愫在胸中一扎根，他就本能地明白。所以当那颗莫名其妙出现的情种长成参天大树，渗透进他的每一丝血脉，他无法抗拒。

他拼命拒绝过自己的心，可是没有用。于是他小心地接受，暗暗地欢喜，虽然知道有阻力，却信心满满，想要克服所有预知的困难，和她长相厮守，让她幸福快乐，让她的笑容温暖他的心灵。

然而，他没有做到。

结果只是，他让她痛苦，让她受伤害。尽管他的心更痛上一万倍，可又怎样弥补她的泪水？

同乐飘飘一样，他也后悔了，真的后悔了。既然不能给她什么，为什么不让他自己一个人承受煎熬，哪怕是到地狱里去，也好过此时此刻那仇恨的怒火将两个人焚烧成灰。

而就在他痛彻心扉的时候，四大天尊集体向他发力了。他纵使能相抗，却也来不及，更何况，他的修为虽然达到了化神中期，又怎能敌得过四位化神末期的超级大高手？

他转过头，凝望着乐飘飘，恨不能替她的师父们去死。他的目光充满痛楚的温柔，就如当日二人初遇的漫天大雪。好像他放弃了一切，只为换得她的原谅。

不该……招惹她的。

然而他却看到她的眼睛惊恐地睁大，带着极度的绝望和就要失去一切的恐惧，隐约间他听到她大叫他的名字，再回头，四道光芒已至。他微眯了眼，敏锐地嗅到死亡的气息，却没有感到害怕，只是觉得无奈和疲惫。

直到这一刻，他还想对飘飘说：至少，不要为我哭。

在这千钧一发之际，一个魁梧的身影挡在了他的面前，同时，一道道铜墙铁壁竖立在更前面，有如道道坚强的屏障，把他紧紧保护，正如从小到大那样。

"布儿，快躲开！"百里松涛大叫一声。

百里布抬头，就见他那只有化神初期的父皇，以全部的法力和血肉之躯，对抗着四大天尊的全力攻击！那是要把多年修为一朝丧尽，把生命也付之一炬的打法！

"父皇！"他惊恐地吼道。

但一切都晚了，只见水、火、土、木四色光华以雷霆万钧之势，从四面八方猛然轰击而来！

融合了百里松涛修为和生命的金铁之墙瞬间坍塌，碎如金屑，那般的不堪一击，又那般的决然无畏。紧接着，百里松涛被狠狠击中，他的人有如破碎的风筝，向后疾飞，鲜血也猛喷了出来。

百里布这才反应过来，他跃身而起将百里松涛抱在怀中，痛悔无比，"父皇，您怎么样？"感觉到父皇的生命正在流逝，他立即以深厚修为输入，护着父皇心脉和灵台。

"别管朕！"百里松涛面如金纸，每呼吸一次都会从口中冒出血沫来，"指挥阴兵，把四大天尊打回他们的地界去！咳咳……拿出新冥王的威严。犯我大秦者，赶、尽、杀、绝！"

犯我大秦者，赶尽杀绝！

百里布望着百里松涛倔强狂怒的眼睛，想起父皇多少年来想要人治人界，不容许凡人屈从于修仙者，不愿意修仙者凌驾于皇权统治之上的梦想，还有父皇的重伤，突然生出一股酷烈决绝之心，眼眸中金光闪烁，凌然立起。

那一刻，他的人变了，他的气势也变了。那王者的尊贵，睥睨天下的威严，自然散发，仿佛，他不属于人间，只应受万民的膜拜！

一连串的咒语自他的口中而出，不是人类的语言，他甚至不知道那是怎么从他的脑子里冒出来的，就那么自然而然的，随着他的绝望和怒气倾泻而出。随后，他缓缓高举右手，食指向天，掌心中那小小的龙印散发出耀眼的金光，瞬间把四大天尊的法术掩盖。

"不好，他要动用阴兵！"布缕衣大喝一声，"快结法阵！"

四大天尊腾身半空，分守东西南北方位，毫无保留地催动毕生修为。

刹那间，一道彩虹横贯天际，穿透了被黑暗淹没的天空，但，不见其美，只觉杀气腾腾。

百里布的右手食指凌空点向中央，红影闪过，帅旗就像失怙多年的孩子，终于有了正确的方向，而那些自从出现就有如石雕般伫立不动的阴兵，也立即气势汹汹地扑向自己的敌人，悍不畏死，勇往直前！

直到这一刻，所有在场的人才深刻体会到当年赤羽大军的恐惧。只是数千阴兵，就已经让人不寒而栗，若是百万雄兵出现，还不知会是怎样的光景。

此时的乐飘飘已经傻了，胸中被多种激烈的情绪纠缠。师父们死无全尸，心上人被迫出手，以一己之力对抗四大天尊，那个她认为的罪魁祸首生死不明，而天地，在这一刻变色了！

东边，付采薇运用木力令草木以不可思议的速度飞快生长，那本来令人赏心悦目、代表生命的绿色，此时有如蛇魔附体，悄无声息地从四处冒出来，覆盖每一寸土地，缠绕上每一个人。

南边，就像皇天在下，后土在上，天地颠倒，不知何时已经尘土滚滚，巨石如山般压倒下来。大明殿，乃至整个大秦皇宫都像被一只无形的巨手撕裂了一般，片片碎裂，不断发出痛苦呻吟，瞬间被夷为平地。

北边，黑色的水汽掀起滔天巨浪，宛如天河决堤，从半空中灌入。哗哗的水流声远远传来，震人心魂，连空气都似被水波推得摇荡起来，令人站立不稳，似要带走一切。

西边，似乎是到了日落时分，天空瑰丽一片，美得醉人，可是那红色却不见消散，并渐有浓烈之意，向着大秦皇宫的地方奔涌而来。每近一分，人就感觉到火热万分，甚至连空气也开始发烫。近些，一朵朵红云就落在地面上，如天火降临。

还有那四大天尊带来的援兵，也加入战团。这个时候，武器与剑术都是末流，强大修为催动的自然之力才是最恐怖的！

"看到了吗？在修仙者的眼中，凡人如同蝼蚁，随时可死在他们的决定之下。"百里松涛突然仰天大叫，随后吐出更多鲜血，咳嗽得连气也喘不出，可那句话，却印在了每一个人的心里。

在此地的，除了宫内侍候的太监宫女，大多是有修为者，但就算这样，四大天尊为了消灭新冥王的阴兵，也不惜连他们的生命一起葬送。那么，他们口口声声捍卫人间正道，却又曾尊重过哪一条生命？

乐飘飘也愣住了，她似乎有点儿理解百里松涛的理念，可又觉得有哪里不对，一时却分辨不清。

"不想死的，快结阵。"耳边，燕北天的声音急急响起。

二仙门众人训练有素，虽然四大长老已逝其三，但还是在夏凝风的指挥下，结成最强大的防御法阵。虽然不知道效果如何，总比那些来不及结阵的人和势单力薄者强上许多。

一声巨响在天际炸开，就像天公把所有的雷霆一次性全部投放下来。

乐飘飘抬头望去，只觉得天昏地暗，疾风如刀，耳边是鬼哭狼嚎，绝望惨叫，莫说大秦皇宫要顷刻成为废墟，就连整个潼川也要被轰成齑粉，好像世界末日降临！

乐飘飘处在法阵的结界之中，只能无助地看着那些观礼者被火烧、被水淹、被土埋、被阴兵刀剑的凌厉之气穿透，转眼间就被撕裂。整个世界，这时候就像个死亡搅拌机……她亲眼看到那个曾经撞到她的小太监浑身长出野草，生生被闷死，而那草木却吸取他尸身的养分，又再疯长。

"掌门，我们要撑不住了！"村花紫墨带着哭音叫道。

乐飘飘心头一凛，顾不得身上的伤，也顾不得心里的伤，连驭出几个力士，顶住法阵的几个方位。但她明白，他们挡不住如此的重压，在这样的力量对比下，死，只是时间问题。

"飘飘，待我施展傀儡术，把你身上的生人气息掩盖。"燕北天白着脸说："你借机逃走，如果够快，尚有一线生机。"

燕北天的傀儡术可以造出几名替身来，护在本主之外，好歹能抵抗片刻。

可乐飘飘却摇头拒绝了，"不，要走一起走！"

不是不怕，而是这有她想守护的人！

燕北天见她目光坚定，知道再劝无用，也就不再婆婆妈妈，只伸手抚了抚她的头发，"别怕，大哥陪你。"

乐飘飘心里顿时一暖，眼泪差点儿掉下来。

不知过了多久，惨叫声越来越弱，最后几近消失。这不是战斗结束，而是战场上的无辜者都已失去了生命，乃至灵魂。

死亡的气息扑面而来，二仙门的众人反倒不怕了。大家互相对望着微笑，累得没有力气说话，却都明白对方的意思。生而为人，能够相识相聚，能够同为门人，缘分难得，死的时候还有大家相陪，黄泉路上热热闹闹也不寂寞啊。

"布殿下，你要活下去啊。"乐飘飘闭上眼睛，暗想。

生离，死别，一瞬间，她尝尽了。

可就在这时，大片黑影突然扑了过来，很快围绕在结界之外。乐飘飘定睛细看，却是百名黑甲阴兵。他们结成人索，手挽手地围绕在结界之外，里三层，外三层，身上散发出的冥界之力，顷刻间抵挡住了来自四面八方的攻击。

"是太子殿下。"燕北天低沉着声音叹息，"飘飘，他心里……他心里真的在意你。若是能为你去死，他也会毫不犹豫。"

乐飘飘的眼泪一下就掉了下来，心痛得无以复加。

她怎么会不明白这些阴兵是百里布派来保护她的，只是，他的父亲杀了她的师父！杀父之仇不共戴天。

他要走的路与她的截然相反，甚至是敌对！就像他们在交汇的那一刻，命运来了一个急转弯，把他们生生撕裂在两边。

这，叫她怎么办？怎么选？

"看，有分晓了！"一直盯着战况的紫墨又喊了声。

乐飘飘擦干泪水，紧张地关注。

只见天地间有微弱光明透出，好像舞台上厚重的帘幕被掀开了一条缝。随后，百里布的身影出现，身上负着百里松涛，步履不稳地走来。

他的脸色苍白如雪，发冠已落，长发被风吹乱，明明很狼狈，却又有几分妖娆的感觉。

他在败逃！本来是势均力敌，可他为了保护她，分兵之举令他败了！

乐飘飘心痛如绞，她想迎上前去，抱着他安慰，可是三个师父的死，却生生将她钉在了原地。

在百里布走来的同时，他身后的光明越来越广阔，阴兵们如黑色潮水般退却，在他的身后阻挡着四大天尊追击于后的力量。那黑色有如万丈高屏，耸立于他的身后，使他整个人都染上了一股幽冥阴暗的色彩，更加惑人心神。

他望着她，看到她平安，他暗舒了一口气，似乎所求也不过如此。随后，痛楚就染在他眉梢眼角。

这样看着她的机会不多了吧？只要他一离开，他与她，从此就将天各一方。

重伤的父皇他不能不管，她死去的三位师父不能当不存在，大秦与整个修仙界的对立也挡在他们之间。一边是父亲，血浓于水的父子之情，一边是唯一爱着的人，舍不得她受到半点儿伤害。

这一切又让他，怎么选择？！

甚至，他没有时间解释，没有时间告白，没有时间对她说，对不起。

世界上能有的痛苦，都盛在他淡淡金色的眼瞳里。

"我要去帮他。飘飘，你保重。"燕北天的声音响起。

乐飘飘没说什么，只感激地点头。

燕北天对她很好，但绝对抵不过他对百里布的忠诚。这也是燕北天最值得敬

第二十三章 新冥王

佩的地方，他是百里布身边最值得信赖的战士，无论何时何地，他都不会背弃百里布！

"帮我扶着父皇。"当燕北天来到百里布身边，百里布将百里松涛交由燕北天扶着。然后，他一步步向乐飘飘走去。

十几米的距离，他走得很慢，似乎他在拖延着还能互相凝望的时刻，似乎他每走一步，都将把他们的距离拉得更远一些，于是每一分每一秒，都是诀别。

但是，不管多远的距离，都有消弭的时候。

他站在她面前，近到一伸臂就可以把她紧紧抱在怀中。有那样的冲动，想把她抢走，不管她愿不愿意，再也不放手。可是，他伸出手，却对着自己的胸膛。

百里布五指如刀，猛然刺入，温热的鲜血溅到乐飘飘的额头上，衬着她苍白的脸，诡异冶艳。

他微眯着眼，眼眸中再没有其他，连背景也变成漆黑一团，只有她的脸，那么清晰地在眼前。

最后一次，让他这么靠近她！

乐飘飘被百里布痴痴的眼神定住，一个字也说不出，身体也僵硬着不能动弹。直到他的手从胸膛中拔出，生生剜出了自己的心脏，托在掌心中，送到她面前。

"只能给你这个。"他笑道，"可惜，我只能给你这个。"

乐飘飘不知道自己是怎么接住的，她只觉得双手捧着他身上最温热的血和最有力的跳动。她只是哭，哽咽得不能自制，在模糊的泪眼中，她眼睁睁地看着他深潭般的眼眸里那浓得化不开的爱意，再眼睁睁地看着他，宛如行尸走肉般转过身去，傀儡似的回到百里松涛的身边，而她完全无能为力。

"走。"他冷冰冰地命令。

那一行人在黑色烟尘的护卫下，转瞬间就消失于地下，不知去了何方。

乐飘飘心痛得晕了过去，但自始至终，她都把那颗仍然跳动的心脏，紧紧地贴着自己……

醒的时候，乐飘飘发现自己已经身在昆仑主峰白首峰的一间静室里。

她的睡相一向不佳，从没想过自己能团成这样小小的一团，似乎回到母体的状态，寻求着保护，又像要保护着什么，比如还捧在手中的那颗心。

它居然还在跳动。不知是什么力量、什么修为、什么情绪，令它仍然有力地跳着。

"布殿下……"她轻声呢喃，哭了出来。

他不想辜负任何人，并且也在拼命努力。她要他的心，他给她。百里松涛要一个听话的儿子，他就做一个傀儡。可他失了心，胸中空荡荡的痛不痛？有谁肯为他退一步呢？

"掌门，村医田有佳说，最好把它……把这个放进容器中。"村花紫墨从小就帮助师父们照顾她，此时也留在静室之内侍候，"不然时间久了，上面……外围……的修为化掉，恐怕就会……"她支支吾吾地说了一半，就递过来一个黑水晶的盒子。

黑色聚能。黑水晶的盒子上面雕刻着看不出什么意思的咒文。隐约有宝气流过，还有阵阵的药草香。

乐飘飘把百里布的心放进去，锁好盒盖，又紧紧用手护住。

他交给她的，她要用生命珍藏。心在，她在；心死，她死。

紫墨亲眼看到了那惨烈的一幕，感动震惊之余，也为掌门感到难过。

那样相爱的两个人，却因为无法抗拒的意外，生生分离。但她一时想不出什么安慰的话，又觉得什么话也无法安慰飘飘，干脆硬拉着病快快、傻呆呆的乐飘飘梳洗整理，一边报告外面的事。

"皇上和太……走了后，四大天尊下令追剿，但一直没能找到他们……连一点踪迹也没有。后来四大天尊怕夜长梦多，又怕皇上和太……有埋伏或者有援兵，就带人回到了昆仑。听说，这两天妖修和魔修的首领也会来共商大事。"

每说到百里布时，因为怕乐飘飘伤心，紫墨都刻意跳过。可这种刻意却如同乐飘飘心里的空洞，不理会，仍然会疼，用什么也填不满似的。

共商大事？什么大事？一定要杀了他才行吗？

她庆幸四大天尊找不到他，除了她，没人知道前冥王赤羽的百万雄兵就在潼川城下的龙神窟中。就算知道又如何，百里松涛花了那么多年心血也找不到幽冥地宫的入口，何况外人？

快逃吧，殿下，你没有了心，不能再没有了命。

"掌门……"紫墨的眼圈突然红了。

她不应该跟掌门说这些的，可就是忍不住，"咱们的家，没了。二仙门不知怎的塌陷到了地面下，变成了一片废墟。潼川……也没了。"她该怎么说，大秦的国都潼川，那繁华的都城，已经在顷刻间被夷为了平地。

"人还在，就好。"乐飘飘终于有了反应，随即心中又是大痛。

她的三个师父，比亲生父亲还要爱她的三个师父，没能好好地跟着她回来。

紫墨沉默了，她麻利地帮乐飘飘梳好头发，然后指了指床边道："大长老带着我们去宫里找掌门的时候，想到以后说不定会流亡，叫我们都带齐了东西。掌门的宝贝，二长老特意叫人收起来的，现在掌门可能需要。"

提起师父，乐飘飘的心仿佛又被刺了几刀，她机械地转过身，就看到了山河悬匣。这宝贝匣子自从她修为大幅提升后，就似乎变轻巧了，颜色式样也光鲜亮丽了不少，谁都可以拿得动，里面装着她的全部家当，却只有她一个人可以打开。

乐飘飘上前，打开盒盖，大吉、大利和包小妞就从里面跳出来。匣中不知日月，却可以感知外界的事物和主人的心意，所以外面发生的事，除了细节，它们都知道，因而都很安静，没有吵闹。

"关久了吧？去外面透透气。"乐飘飘浅浅一笑。

师父们死了，百里布离开了，对于仅剩的东西，她突然格外珍惜起来。人非得要失去后才明白要珍惜拥有的。

"主人你节哀。"

"主人……唔……"

"这时候废什么话啊，主人需要安静。"大吉、大利的声音都被包小妞捂进嘴里，并拖着它们往外走。可偏偏有人不让乐飘飘安静。

门还没有关上，四大天尊的身影就出现在外面。

看着自行离开的三只灵宠，四人露出古怪的目光，但很快又收回，然后步入静室。

紫墨看了一眼乐飘飘，见后者点头，遂向四大天尊规规矩矩地施礼，默然离开。

"四位前辈请坐。"乐飘飘礼貌地说道。

她是一派掌门，修为虽低，却也代表着二仙门。她不打算依附昆仑，因为有个属于自己的门派是师父们的梦想。为了他们，她拼命也要守护二仙门。

"小丫头，可好些了？"南尊布缕衣是风尘老者的形象，看起来虽然世俗平凡，却让人感觉比较亲切。

于是乐飘飘温顺地点了点头，"多谢前辈们照拂。"

北尊狄人杰看着她的样子，有点儿不忍。一个小姑娘掌管着一个微不足道的小门派，是人都看得出，那不过是师父们宠着她玩罢了，哪能真是她当家做主。现在，她的师父们死了，百里布又剖心离开，别人隔着那战幕看不到，他们可是清清楚楚。所以，知道她连情人也没了。

真的好可怜，其实这些事本来跟她没有关系，也不该由她承担的，现在，却不得不……

"丫头啊，你的机缘真是很好。"狄人杰抓了抓乱发，没话找话道，"刚才看那三只灵宠都不是凡物，可见上天眷顾。你呢，虽非上好根骨，却得了逆天的功法和天下第一神器，若刻苦修行，将来的成就必会不凡。"

乐飘飘仍然低头垂目，眉梢却轻轻一挑。

他们知道神器，怪不得当年追踪她、后来想杀死她的是付采薇的人。四大天尊、四大门派果然是同气连枝，互为助力啊。

"北前辈过奖了。"她礼数周全却又态度疏远地道，"四位前辈找我，只是来探伤吗？若这样，晚辈就惶恐了。"

四大天尊是什么人，等闲修仙者见都见不到，何况亲自来找？何况一次四人？何况她还与敌对方的主帅有那样牵扯不清的关系？真是探病？那才真是见鬼了。她才醒来，他们人就到了，时间掐算之准，显然是格外细心和留意过的。

她正心伤，没情绪和他们绕弯子，不妨有话直说。

"开门见山地说，也好。"付采薇清冷的声音响起，"现在时间紧迫，也容不得细细与你说明是非。你可知道你们二仙门是怎么能躲到昆仑山的？你的伤又是谁给治好的？你受的是术火之伤，若医治不及，可就毁了你那漂亮的皮囊了。"

听她这话，乐飘飘顿生怪异之感。

堂堂东尊，得多不喜欢她，才会说出这么小家子气又尖酸的话来？比小门小户的妇人也不如。至于吗，还是故意要如此？她觉得付采薇在掩饰什么，但她一时猜不透。再偷瞄向其他三人，南尊和北尊面容不变，只西尊几不可见地轻皱了眉，很快又松开眉头。

"多谢前辈们关爱，只不知药费诊金要给哪一位，还是有需要我效劳的地方？"于是，她也不客气地回嘴，语带讽刺。

那意思是说，四大天尊救人求报答，本就没安了济世宽仁之心。而且她故意不提二仙门的事，说到底，如果不是因为那场仗，二仙门也不至毁于一旦。

西南北三尊都有点儿赧然，倒是付采薇冷冷盯着她的脸道："修仙者是为天下苍生，哪个要你的报答。可你作为修仙者，也要以大义为先。"

"那请问东尊前辈，我的大义是什么？"乐飘飘回视，目光中毫无怯意。

"告诉我们，百里布藏到哪里去了？"

"哦，这样。"乐飘飘了然地点头，果然。

她似乎一点也不怒，更不觉尴尬，就那么平静地说："照前辈们的意思，前辈们悉心救护我以及我们二仙门，是因为我值得。那前辈们是否觉得，作为布太子的前情人，他必定带我到过百里皇族最秘密的地方？现在，他带着他的父皇躲了起来，也必定是去了那个地方。他们重伤在身，倘若不能在此时把他们一网打尽，等他恢复了力量，就很难一举歼灭了。"

"你能明白这个理儿，倒也不错。"付采薇点头。

"百里皇族这么大的秘密，前辈们认为他会告诉我吗？"她嘲讽地笑，"我指天发誓，他从没有告诉过我。"

龙神窟，是她躲进空间，无意中跟百里布去的。幽冥阴兵，是她无意间撞到的。

确实，她没有说谎。

第二十四章
师父们的前世今生

四大天尊集体沉默不语，似乎是在揣度乐飘飘这话的真假，又似有些羞愧这样逼问一个小辈。

可赤羽的龙印和阴兵齐齐现世，各大门派还没有彻底恢复元气，若百里父子伤愈出山，那天下将经历又一次浩劫，可他们，再也没有三大帅来联手力抗冥王了。

所以，尽管他们不愿意，却不得不走这一趟。如今没有得到想要的信息，难免失望。

世事往往就是这么奇怪，前一刻还歌舞升平、一派欢乐，但转眼间，一个最微不足道的事件就掀起了巨大的灾难，把毫无防备的人们从高台横扫落地，摔得粉身碎骨。

就像这次，大秦太子大婚，秦、齐两国联姻，可算得上举国欢腾，而就在那喜气洋洋的时刻，看不见的命运转轮只偏离了乐飘飘这几乎可以忽略的角度，却生生毁了这花团锦簇。

平安，从来都脆弱不堪。

"你真的不知道？"付采薇再问。

其实，其他三大天尊也有些怀疑，毕竟他们事后仔细推敲，觉得乐飘飘出现得诡异，是失踪后突然现身的，而她出现时，阴兵也现世了。当时，什么情况也没逃过付采薇的眼睛，她看到龙印发光时，百里父子并不特别惊讶，但阴兵出现时就不同了，显然，连他们也没有料到这一异象，帅旗认主时，那父子二人也是难掩震惊。

这一切，真的和这个奇遇多多的二仙门掌门无关吗？百里布为了她剖心，大家全是过来人，这得多么深刻的感情才能做到这一点？如果如此相爱，彼此间还有什么可隐瞒的？

听了付采薇的话，乐飘飘冷笑道："不要说我不知道，就算我知道他们藏在了哪里，我也不会说出来！"

"放肆！"付采薇气得手下用力，坚硬无比的铁脊木椅臂，立成齑粉。

她恨不能抓的是乐飘飘的脑袋，可偏偏乐飘飘心伤师父们的死和与百里布的分离，悲愤之下，哪里还有什么怕的。

"丫头啊，你该知道，我们这样做，并不是为了一己之私。"布缕衣拉过话来。他算看出来了，东师妹与这个小丫头十分不对盘。不过，二仙门的小掌门是个不畏权威的，这性子，他心中竟然有几分喜欢。

"那为了什么呢？"乐飘飘眼圈红了，"抓住他，杀掉他，或者'仁慈'些，抢夺他的龙印，毁灭他的军队，把他关在深山地牢里，永世不得超生吗？四位前辈，你们以为我会这么做吗？不！大义灭亲那种事我从来不做！我所爱的人就算犯下滔天大罪，我也要死命护着他。有什么，我来承担！所以四位前辈不要枉费口舌来劝我，因为我，不、配、合！"

付采薇暴怒，眼睛里瞬间闪过各色光华，但她毕竟修为深厚，这次倒没有失态，只冷笑道："别忘记，你三个恩同再造的师父，是死在百里松涛的手里！"

"谢东前辈提醒。"乐飘飘平静得可怕，"这个仇，我会亲手报。"

"你的二仙门也还在昆仑的庇护之下。"付采薇又说。

乐飘飘笑起来，"东前辈还真会抓人的弱点，往常我还道四大天尊是不食人间烟火的高人呢。"她语气里又带了几分讽刺，对修仙界的泰山北斗可谓不客气至极，"我倒不信，其他三位前辈会允许昆仑做出这么下作的要挟之事。"

"这小丫头，怎么说不通呢？"狄人杰急得抓了抓头发，"我们这样做，是为了救万民于水火。你知不知道赤羽的阴兵有多么可怕？百里父子野心勃勃，若得了喘息之机，再复出时必将天下大乱，尸殍万里！"

"原来前辈们是为了保护平民，好仁慈、好正义、好伟大！"乐飘飘心头怒火上扬，"那请问，潼川城里的百姓有什么错？难道他们不是普通百姓吗？而当前辈们施法与百里父子对斗之时，可曾考虑过他们的性命？"

"这是必要的牺牲。"付采薇正色道，"死一城的人，总比天下人都死光了要强！"

"杀一个人是杀，杀一万个人却只是数目，是吗？那么又有谁对这些数字有过一念之仁？"乐飘飘针锋相对，"凭什么？凭什么他们要代天下苍生去死？就算潼川城里没有数十万的百姓，就算只有一只小猫或小狗，有谁问过它愿不愿意这样做？你们施法之时，眉头可有皱过一下，心中可有一丝犹豫？还是，他们对你们来说只是可有可无的蝼蚁、弈棋时的弃子、战场上的炮灰，所以根本不在考虑之列？"

乐飘飘清亮的声音，气势十足地吼起，四大天尊居然静默了。他们标榜的是保护，可虽然那么做是迫不得已，却也真的没有在动手时有过愧疚。或者，乐飘飘说得对，他们修行的时间太久，已经忘记自己也是人。他们勘破了生死，并不意味着平民也能坦然面对。

在突然降临的死亡面前，百姓有多么恐慌和绝望，他们竟然没有想过。

人的生命只有一次，珍贵无比，无论是谁，都不能轻易剥夺或者放弃，虽然有的时候真的没办法权衡和选择。

"我知道，大爱者无爱，大义者无义。"乐飘飘痛心到无力，"倒是我小人了，果然没有前辈们的心胸。我只知道，天道自有天下人守，用不着谁来做主！这世上没了谁，日月星辰都照样起落如初，不会改变。其实前辈们，你们真的没有想象中的那么重要！"

话虽这么说，乐飘飘也知道自己不对。前辈修仙者前赴后继、舍生取义，岂是她说的这样对万民没有意义吗？若没有浴血奋战、拼命守护，也不会有五百年的暂时和平。她只是气不过他们的态度，把平民的伤亡都忽略不计。若修仙界的上位者习惯了如此，谁能保证他们中不会出一个赤羽，或者出一个百里松涛？

而她这番似是而非的话，虽然有些站不住脚，却也让四大天尊一时无法反驳，只狄人杰强辩了句，"那种情况，如何能有妇人之仁？"

"没有仁，何谈道？"乐飘飘马上回了一句。

西尊朱俊一直坐在一边沉默不语，若不是他脸上表情微动，就似入定一般，但他此时听到乐飘飘说的这六个字，突然身子一颤。

没有仁，何谈道！

四大天尊，看似布缕衣年纪最大，其实却是性烈如火的朱俊修为最高。现在朱俊已经到化神期大圆满了，只差一步就能渡劫大乘，飞升而去，可多年来，他的道心一直没有感悟。今天听到乐飘飘这番半对半错的言语，还有那六字真言，竟然令他有所了悟。虽然不深，却如完美无瑕的蛋壳上出现了一条裂缝，追寻下去，就可进入另一个境界。

当初为什么修仙呢？嫉恶如仇的他，难道只是为了追求长生吗？如果心中无爱，又谈什么大爱？无仁者，无道也。

如此想着，朱俊站起身来，"走吧。"似是松了一口气，看也不看乐飘飘，"先施仁义，再除魔卫道，这个顺序倒也不错。杀身成仁，舍生取义，是我们自己的决定，没必要要拿百姓当垫脚石，还是能救一个是一个，救不了的……命数罢了。想那赤羽也好，百里松涛也好，都不想杀尽万民，不然还统治什么？说到底，咱们面对的是修仙者之间的战争，自是应该找没人的地方打去，该怎么面对，就怎么面对吧。"说完，他头也不回地走了。

狄人杰一跺脚，追了出去。布缕衣的动作缓慢，却也并不犹豫。付采薇见事已至此，也没有留下的必要了，看了乐飘飘一眼，也快步离开了。

瞬间，刚才还满满当当的屋子，就剩下了乐飘飘一个人。

她用力深呼吸了很久，随后颓然跌坐在椅子上，失声哭泣。

今天她才发现，她一直以为自己行事有理，但其实做错了很多事。她一直以为自己两世为人，成熟理智，却原来根本是恃宠而骄。虽然她托生于穷困的村子里，存身于小小的修仙门派中，但每个人都宠着她、纵着她，包括百里布在内，于是她太以自我为中心了。

而所有人都在逼迫百里布。

他的父皇逼他，为了那些野心和梦想，逼他从小到大艰苦修行，谋划行事，抛弃一切感情和牵挂，从没有过轻松的日子。

六国逼他，他们亡秦之心不死，边关屡有战事，令他不得不在夹缝中求生存，四处征战。

整个修仙界逼他，让他交出龙印和赤羽的军队，甚至他的行动和自由。

鲁含鞶逼他，以自己作为政治筹码，想获得他的婚姻。

最可恨的是，逼他最厉害的却是她！明知道她爱上的是一个皇子，为什么要强求一生一世一双人？受不了三宫六院就应该干脆放手。她斩不断情丝，却又要他来适应她的要求，矫情又虚伪！她又凭什么要求世道为她改变？就算他娶了别人又如何，难道她还不信任他吗？他不仅是一个男人，他还是一个国家！

她口口声声说爱他，心心念念觉得为他做出了牺牲，其实，她什么也没做，总是要求，却没有给予，更没有过妥协。她以爱之名，绑架他面对一切责难和困难。可他从没有背叛过她，那个闹剧似的大婚，是在她的搅和下变了质！

真的，她想不出自己曾为他做过什么了不得的事。虽然爱情必须独占，但面对着一个皇太子，还是大秦唯一的继承人，她怎么可以要求他无视一切政治上的、祖制上的因素，只娶她一个人？

爱上他，是她的选择，她就应该为此承担各种后果，接受各种不甘。为什么要让他挡在前面？若她不是一味强硬的要求他只能娶她一个，可能事情就不会发展到这个地步！他心里只爱她一个不就好了？至少表面上，应该给他迂回和缓和的机会。

她要的，不就是他的心吗？她得到了，又为什么要求地位、尊荣？换个普通男人，她这样无可厚非，但他是未来的帝王啊。

想到这儿，她抱起那个黑水晶盒子，紧紧抱在怀中，感觉到，那颗心脏，还在为她有力地跳动。

她哭得不能自抑，从日到夜，眼睛肿如核桃，好像这样哭着哭着，就能整个人化成水，蒸发，变成云朵，就可以飞去看他。

"要不要听你师父们的事？"突然，一个声音响起。

乐飘飘猛然抬头，发现窗子不知何时打开了，西尊朱俊一袭广袖白袍，清清冷冷地站在窗外。

夜色，已经很深了。

天气晴朗，深蓝色的苍穹上，一轮圆月静静悬着，清辉遍洒。今天正在是八月十五，中秋佳节。

这本是万家团圆的时刻，可在大秦、在潼川，却是哀鸿遍野。在大陆的其他地方，也该人心惶惶，弥漫着对战争的不安和恐惧。

该怪谁呢？百姓何其无辜！在三天前，他们也许正张罗着过节。游子正急急往家里面赶。可当他们回到家，看到的却是家破人亡，这种痛苦，那些高高在上的半仙之体可懂？蝼蚁又如何？难道他们没有心吗？不知道痛吗？被伤害了，不会流泪流血吗？

乐飘飘想到那年她第一次踏足昆仑，也是在月圆之夜。她和向天笑在红叶林的泉水边相遇。然后，百里布出现，两人第一次心平气和地相处了一夜。她无意间睡在他的怀里，还唱了《水调歌头》。

明月几时有，把酒问青天……

她现在也想问问，苦难，真的是凡人必经、凡间必需吗？上天又何其残忍！月圆夜，也是相思夜，她爱着的那个男人在哪儿？没有了心脏的胸膛，有没有空荡荡的疼？

"我的师父们，死了。"乐飘飘哽咽着说。

连肉身也化去了，连一个字都没来得及给她留下。

"是啊，死了。"朱俊苦笑摇头，"可是，真的是死吗？"

这话说得前后矛盾，模棱两可，但听得乐飘飘悚然一惊，立即跳到窗边，说不出心中是狂喜还是难以置信，"他们还在吗？他们可以复活吗？他们……"

"出来说话吧。"朱俊叹了声。

乐飘飘出来后，只见朱俊右手一挥，一把折扇陡然变大，落在地上。她也不犹豫，随着朱俊站上去，这法宝即刻带他们飞到昆仑之巅，静静停在半空之中，就像一朵云。

乐飘飘感觉离月亮更近了，似乎一抬脚就能登上去。曾经的神话中，仙人们在中秋佳节临月对酒，潇洒高歌，此刻她竟似做到了，但她的心情很糟，隐含着说不清的悲伤和绝望。

"我的三个师父到底怎么了？"她一待朱俊盘膝坐稳，就急着问。

"他们确实是死了。"朱俊虽然人已中年，但五官俊美，此时在月光下，浑身仿若散发出淡淡的光泽，真如谪仙一般。

但乐飘飘听他这样回话，却不禁又生气又失望，怒道："西前辈，您不是消遣晚辈吧？"

"死是什么？"朱俊仍然平缓地说："草木荣枯的迁徙，还是循环无尽的轮回？小丫头，死，可没有那么简单。"

"生命如水，流动的才叫生命，这个道理我懂。可这和我三个师父有什么关系？"乐飘飘皱眉道。说话这么虚虚实实、暗含机锋，难道起了爱才之意，要点化她的道心？可现在她哪有心情。

朱俊微微地笑，突然又转了话题，"今天早上，你跟我们四个老家伙大发了一顿脾气，因为潼川城的事，把我们骂得无地自容，词锋真是犀利啊。"

"西前辈这是要教训我吗？"乐飘飘挑衅道。

"你这丫头的暴躁脾气，倒真对我的胃口。"朱俊又笑，转过脸来，眼神亮闪闪的，"再或者，我应该喊你一声师妹才对。"

乐飘飘目瞪口呆，不知道这位西尊是不是被她上午的言论刺激到了。

朱俊却自顾自地道："虽然你很无礼，但至少我和北师兄、南师兄是没有怪你的。北师兄还担心地对我说，你这孩子这样偏执，若不能正确引导，怕是要堕入魔道。我倒认为不会。你心胸宽，眼界广，思考问题出发点不一样，似乎见过不同的世界，除了感情事，很多事情看得很开，不是普通姑娘。你只是气我们的行为，才要骂个痛快，自己倒是不会钻牛角尖的。"

他看出她是穿越的了吗？乐飘飘心惊肉跳。可朱俊把话题轻轻带过，又拉了回来，"知道我为什么要叫你师妹吗？"转换之快，令她有点儿跟不上节奏。

"为什么？"她愣愣地问。

"因为你的三个师父之一，大师父小一郎。"朱俊的神色突然严肃恭敬了起来，"他本名萧一郎，乃是五百年前的修仙正道魁首，昆仑的天尊，人道之帅，我的师叔。"

什么？！乐飘飘更惊，嘴巴张大，半个字也说出不来。但，更震惊的还有……

"你的二师父凤九，本是妖皇妖帅，名为凤于九天，本体是天凰，上古大神的血脉。你的三师父无迹，是魔帅姒无迹，实力强大，除赤羽外，打遍天下无敌手的超高手！他们三个是你的师父，萧一郎又是我的师叔，你说，我该不该叫你一声师妹？你们二仙门，算不算我们昆仑的分支？你以为，你那样不管不顾地呛声说话，我与南、北两位师兄不计较便罢了，东师妹有名的不容冒犯，又怎么会容忍于你？只因你是我的师妹，是五百年前为正道殒命的三大帅的心爱小徒，所以她不敢贸然碰你罢了。"

乐飘飘仿佛被人施了定身法一样，立在飘浮云端的宝扇上半天才结结巴巴开口，"那……那他们……我三个师父……"说起来，大师父也是用扇子的。

"五百多年前，人魔妖三道大帅联手，共抗冥王赤羽。"朱俊露出敬仰之色，"他们四人在一处秘密之地斗法，结果两败俱伤，同归于尽。但尸体一直没有找到，过程也没有人知道。我们本以为三大帅与冥王灰飞烟灭了，但现在看来，恐怕另有玄机。所以三大帅转世，冥王的阴兵也现世了。"

不会是她穿越时看到的那个场景吧？紫发金瞳男与三个看不清面目的人力战！难道，她是唯一的目击者？说起来，她是破坏者才对吧？她贸然闯入，似乎造成了不良后果。

所以，三个师父改变了面貌，一直没有被人认出。

所以，他们总会知道一些普通人不可能了解的事。

所以，他们三个一直在一起，幼年之事却都记不太清楚了。

所以，他们随手丢给她的东西，都是很有潜力的法宝。

这难道就是师父们的前世今生？这更像一个轮回，她非预料性地出现，然后五百年后，与那四个人产生了牵扯不清的瓜葛。

可是……

"西前辈是怎么认出我三个师父的？他们现在在哪里？魂魄呢？难道又去投

胎了？"

"当年以他们的修为，就算肉身尽毁，也不至于坠入轮回，必定是连魂魄也受了重创，所以才随波逐流。想来，他们能保持着魂魄的完整，还封存了记忆和修为，已经很不容易。"朱俊说："南师兄按他们的命格用八卦之术向前推演，发现他们的魂魄飘荡了许久，才在这一世投胎为人。至于他们为什么成了异姓三兄弟，并且始终在一起，冥冥中自有看不到的力量推动。"说着，朱俊深深地看了乐飘飘一眼。

当年，师叔和妖帅、魔帅之间只是结成了联盟，彼此间的关系并不好，反而互相鄙视，连年争斗。但此次重生，感情却亲如兄弟，眼前的小姑娘正是维系他们的纽带。毕竟，三个男人一手带大一个孩子，其间的情谊不可言述。

说起来，这小姑娘看着不起眼，却是能稳定天下的四个男人的心尖子，地位很重要啊。

"这么说，他们还能复活？"乐飘飘压抑着心头的激动。

"大明殿中那一战，他们肉身尽毁，命气被夺，但混乱中谁也没有注意，他们的魂魄脱体而出，附在北师兄的一件法宝上。"朱俊解释，"四大派中，北冥尚水，水者为生。北师兄的法宝名为聚魂鼎，本是养魂之用。也是我师叔与妖帅、魔帅见多识广，北师兄还没把法宝祭出来，他们就自动冲入了。"

"这是不是说……他们在肉身死去的刹那，恢复了一点神识或者记忆，不然为什么会直接找到那法宝的身上？"

"确实是如此。"

"如果他们在聚魂鼎中将养些时日，就可以修复魂魄吗？"

"那倒不必。"朱俊说出更惊喜的事，"经过五百多年的休养，他们的魂魄和神识都已经完整，只是困在肉身之中，蒙昧不明，记忆一直不能恢复。所以我才说，生就是死，死亦是生，轮回往返，生生不息。因为他们的肉身被毁，凡命丢弃，这才有真正的新生。"

乐飘飘高兴得几乎跳起来，这消息简直是她无尽的悲伤绝望中唯一的光明。可转瞬，她又担心起来。

"他们的肉身没了，要想复活，难道要夺舍吗？"无论如何，她都希望三个师父能活来，但夺舍这种事，她总觉得是非常缺德的。而且，一时之间很难找到合适的身体，若胡乱选择一个凑合用，会影响自身的实力和行为，甚至由强人变废人也可能。但若慢慢寻找，就需要有好的机缘，否则就还得待在聚魂鼎中。

这么说来，她还是不能和师父们立即见面啊。

"我刚才是不是说，五百多年前师叔等三人和赤羽那魔头都灰飞烟灭了，连尸体也没找到？"朱俊奇怪地问。

"是这么说的。"乐飘飘点头。

"其实……"朱俊咳了声，"那只是对外的说法，是为了掩人耳目，真正知情的不超过一掌之数。当年，我们找到了师叔、妖帅与魔帅的尸身，虽然残破不堪，但好在没有彻底毁灭。没找到的，只是赤羽而已。"

惊喜连连，乐飘飘已经说不出什么了，只是盯着朱俊的脸，无比期待。

"他们的身体都被秘密供奉着，倒不是以为他们还能复活，因为魂魄无存，实在难以想象有今天这样好的结果。只是师叔等三人为天下苍生的安危捐躯，实在不应该被埋葬。"朱俊接着说："入土为安那一套，不是修仙界的作风。师叔被供奉在昆仑山极渊之地的冰川之内，出入的路径，只有我和历代掌门知晓。妖帅和魔帅的身体，也由他们自己人珍藏着，我已经派人去通知他们，想必这几日便到了。"

这是好消息！绝对的好消息！乐飘飘曾经以为，她此生再也见不到三个师父，哪想到上天还留下了重来的机会。想到再过不久，她又可以扑到师父们的怀里，被他们娇宠着，乐飘飘心里就不由得发酸，眼泪也忍不住落了下来。

他们是她的父亲、兄长、朋友，失去的时候她才知道自己对他们的感情多么深。生离死别的痛，那种伤心，她再承受不了第二次。

看到乐飘飘这么激动，朱俊有些不忍，但还是要把丑话说在前头，"飘飘师妹啊，师叔和妖帅、魔帅在魂魄离体时失去了记忆，飘荡了五百多年才借着个巧合恢复，算是……重新苏醒了吧。可是这一次他们重获自己的肉身，两相融合之下，还记不记得这一世的事……很难讲。"

师父们会忘了她，忘记这一世的所有事？！

乐飘飘有如从云端坠入了冰窖，浑身发冷，整个人都僵掉了。但转念一想，师父们能够复活就是上天的恩赐，她不能太过贪心，于是努力微笑，甩甩头道："他们能安然就好。"话虽这么说，但她心里却空落落的，好像失去了生命中非常重要的东西。

中秋佳节，月白风轻，她离圆月如此之近，可是，她却只有一个人，直切地感受着那连心也枯萎般的孤独。

不分日夜地呆坐了好几天，她什么也不敢想起，什么也不敢打听，不管是百里

第二十四章 师父们的前世今生

布还是三个师父的事，她都只是被动地等，然后终于有了结果。

朱俊派了昆仑掌门向天笑来亲自带她去静之界。

那是四大天尊秘密聚会的地方，就连向天笑，非经传唤也不得入内。所以，向天笑看向乐飘飘的眼神都有些不同。而且，因为朱俊认了乐飘飘当师妹，虽然这事还没有宣告天下，到底向天笑是知道的，如今这小姑娘已经是他的师姑了。他那傻徒弟洛城东还惦记着要娶人家，可辈分差了两辈之远，基本上是断不可能了。

幸好城东正在闭关，对外界发生的事一点也不知道，若他知道了，还指不定会怎么闹腾。

"师姑，这里就是静之界。师尊有令，您自己进去就是。"走到山腹之后不久，向天笑指了指前面一块平整的山壁，说道。

被曾经需要仰望的人叫一声师姑，乐飘飘心里陡生怪异之感。

可此时她心中纷乱紧张，来不及梳理这种情绪，只轻轻道了谢，深吸了一口气，直直地向山壁走去。她知道眼前只是很高级的障眼法，好像石壁拦路，其实却是入口，所以毫不犹豫地撞进结界之中。

传说中的静之界极其宽阔，有清冷和庄严之感，却也毫无感情，且缥缈虚无。

乐飘飘走进来的时候，静之界已经有了好几个人。

左边是四大天尊，右边是四个陌生人，大约是妖界和魔界的代表。

正中央的宽大石床上，并排坐着三个身量高大的男子。

乐飘飘的到来并没有引起太大的关注，四大天尊恍若无睹，只朱俊略点了点头，另四个陌生人则连头都没回，目光轻轻扫过，就又回到石床上。

乐飘飘顺着他们的视线望过去。石床上的三个男人，长得和三个师父完全不同，气质也不同，而且还带着大伤未愈的惨白憔悴，但她就是能一眼认出来。

最左边的男人一身白袍，不用说就知道那是人者之帅，昆仑萧一郎。就算是闭着眼睛，也能看得出目如朗星，长眉入鬓，脸庞的线条坚毅，不似印象中的嬉皮笑脸，浑身带着傲气和上位者不可接近的威严感。

中间的男人一袭红衣，男人家把红衣穿出这等风采，而且还是在昏迷的情况下，实在太困难了。可他就是做到了，一张雌雄莫辨的脸，眉心三点呈品字形的朱砂痣，艳丽至极，眉宇间一丝凌虐之气，更增添了妖异的美感，正是妖皇凤于九天。

最右边的男人异常高大魁梧，全身笼罩在紫青色宽袖长袍内，他的五官俊美无比，浑身散发着难以言喻的诱人美感，却又好像什么都不放在眼里，不是魔帅纵无迹又是谁？

她的三个师父，本就是修仙界少有的美男，眼前这三个就要加个更字。

"师父……"她心里喃喃念着，屏住呼吸，望着他们。

似乎有所感觉，三大帅慢慢睁开了眼睛。

他们魂归本体，一时虚弱不堪，但眼眸却很明亮。登时，几无人气的静之界中就充满了生的味道，几道目光而已，却好像令整个世界都活了过来。

师父们重新回来了！

可是，那眼神如此陌生，真的，记不得她了吗？

纵使相逢应不识……乐飘飘的脑海里突然冒出这样的句子。

另一边，见到三大帅苏醒，四大天尊在萧一郎身边恭敬地垂首而立，那四个陌生人更是两两分开，匍匐于凤于九天和姒无迹的脚下，激动又压抑的哭声和低沉平缓的说话声纷纷响起。

别情无数，世局紧张，有太多的事要向这天一样的三个男子禀报。

乐飘飘呆站在角落里，只觉得自己是多余的，完全插不进话去。

师父们能够复活就好，能够找回自己的本体与本识更好，她还有什么可求的？真正爱一个人，不就是希望他幸福吗？那么现在，为什么她会心痛无比，满心都是被抛弃的绝望呢？

想到这儿，她强忍着心中的酸涩，悄悄退了出去。大约因为心情不好，她居然迷了路，出了山腹，就在昆仑白首峰上乱转。好在这里是修仙圣地，并无猛兽凶禽袭击，只是那种人海孤舟、无人相亲相伴的感觉始终充斥在心间。不知不觉中，泪水沾湿了脸。

"谁欺侮你了，哭成这个样子？"乐飘飘正深一脚浅一脚地乱走，前方突然传来一个低沉浑厚的声音，有点儿陌生，但语气却熟悉亲昵。

乐飘飘猛然抬头，见那男人抱胸挡住路口，一袭紫青长袍，身材高大如山，墨发随风飘扬，面容俊美无匹，说话时气息有些短促，明显重伤未愈。

"告诉三师父，我帮你杀了他。"姒无迹伸出手。

乐飘飘只感觉一种巨大的吸力绵绵而来。她不挣扎，轻易就被抓到姒无迹的怀里，乖乖地被他揽着肩膀。她感觉到三师父那种根本不讲理的宠爱，心头暖暖的，她反手抱着姒无迹的腰，终于忍不住放声大哭。

"你这丫头，不是以为我们记起前生，就忘记今世了吧？"又一个轻缓的声音叹息着，"成天傻乎乎的，偏这时候聪明起来，想得倒真是多。"

乐飘飘从姒无迹怀中抬头，见一个男人踏叶而来，大红衣衫艳到极致，眉间痣似血珠，举手投足间有一股风流之态，雌雄莫辨，摄人心魄。

乐飘飘很惭愧，恨自己为什么怀疑师父们。她低头嗫嚅道："二师父，徒儿想岔了。"

"一句想岔了，就能解释你为什么这么笨吗？"第三个声音从姒无迹背后传出来，接着一条白色身影映入眼帘，"居然玩悄然远行那一套。玩也就罢了，结果还迷路，到外面别说是我的徒弟，真是害我们好找。"

萧一郎飘然而来，身上沐浴的月光银辉增加了他的傲气和落拓之感，甚至连月色也被他比下去了。

他照样爱数落人，但从没像这一次，乐飘飘觉得如闻仙乐。瞬间，她感觉到三个师父的气质和容貌都变了，心却是没变。他们之间不似以往亲密，略显尴尬，对她却是一如既往的疼爱。

"又哭又笑，成什么样子！"萧一郎又瞪了乐飘飘一眼，但乐飘飘非但不难过，反而把唇角的笑容绽开得更大了些。

面容变了有什么关系？性格和以前有差距也不重要！重要的是，师父们回来了！她暗暗发誓要保护他们，再也不让他们面临那样的危险，再也不让他们为她付出、为她而死！

"你凶她干什么！"姒无迹也仍然同从前一样，无理由地维护徒弟，"少摆老大的样子，急了我连你也揍。以前我是失去记忆，现在什么都想起来了，对我而言，你也不过是老萧。"

"老萧？！"萧一郎皱了皱眉。

"不然呢？难道还叫你一声大哥，或者相公？"凤于九天嗤道，满是轻蔑，"你们人类的臭毛病，就是总以为高其他生物一等。若不是因为宝贝徒弟，我现在就带着我们妖族离开昆仑。我自己就是百鸟之王，还用受你的鸟气？"

"你是和姒无迹一派的喽？"萧一郎冷笑，哪儿还有以前那种嬉皮笑脸的无赖模样。话说男人贱得那么有格调的，乐飘飘两世为人，只见过他这一个。

"谁跟这不男不女的娘娘腔一路，你搞清楚，我们只是都不爽你而已。"姒无迹哼了声。

"那好啊。"萧一郎半侧过头，就算傲慢，都傲慢得那么帅，"修仙界以实力为尊，咱们就比试比试，胜者为王。现在多事之秋，谁耐烦你们总是面服心不服、阴阳怪气的。"

他这样一说，妪无迹和凤于九天同时从鼻孔中出了一股凉气，接着，乐飘飘就感觉头发根都竖起来，知道那就是传说中的杀气。

眼看三个亲亲师父就要打起来，她连忙跳到三人中间，摆着手道："停停停，要家庭和睦！"

三个人都是一愣。

乐飘飘又说："难道我们四个不是快乐的一家人？"

见三个人还不说话，她再接再厉，指着自己，"难道你们要抛家弃子？"

"行了，别耍宝，先给我回去侍疾！"萧一郎挥挥宽大的袍袖，"师父病重，你当徒弟的，难道就不尽点义务？"

"凭什么先侍你？我伤得比你轻吗？"妪无迹连受伤也要比，坚决不服。

"他又是人类优先那一套，你理他呢。飘飘，走，跟二师父回去。"凤于九天向乐飘飘招了招手。

"你也别趁火打劫，我要带她去魔族那边。告诉你，从今后，她就是我魔族的圣女，除我之外的第一尊者。"妪无迹拉住乐飘飘的手。

"喊，我妖族没有公主位置吗？"凤于九天不依不饶，拉住乐飘飘另一只手。

"都别吵，当我昆仑是菜场吗？"萧一郎咆哮，"哼，飘飘是人类，自然要跟我走。堂堂昆仑，名门正派，不比你们歪门邪道来得光明正大？"

"你说什么？无耻的人类！"

"找死！"

眼看本来一直相亲相爱的三兄弟要动手了，乐飘飘连忙再度出声，"抽签！"她甩开妪无迹和凤于九天的控制，一把从草丛中拔下三根草来，举高。

"抽签来决定我先给哪位师父侍疾。"她不容反驳地说："抽到最长者，我今天跟回去先侍候。中等长度的排第二，明天我侍候。抽到最短的就轮第三天，就是晚些时间而已，没有区别。"

她一边说，一边在三位师父面前转了一圈。结果，凤于九天的最长，妪无迹次之，萧一郎的最短。

没等凤于九天得瑟，乐飘飘连忙挽住他的胳膊，对着萧一郎和妪无迹说："二位师父快点回去休息，徒弟很快就去照顾您二位了。想吃什么，找人带个话儿来，徒弟亲自下厨，包管贴心温暖。二师父这儿仓促，今天只能将就了。"她一边说，一边拉着凤于九天就走。

三个师父活着的时候，她很忽略，他们死了，她痛彻心扉。而他们复活时，她担心他们会忘记她，心里难过得跟什么似的。现在倒好，没人理很可怜，三个人抢，也很烦恼啊。

幸福的烦恼。

没有几天，整个昆仑，乃至整个修仙界都知道了一件事：五百多年前联手力战大魔头赤羽的三大帅复活了！人们都说，他们是应劫应运而生，因为以大秦皇族百里父子为首的邪恶势力又开始抬头，所以三大帅重临人间。所谓邪不压正，他们就是来镇邪的！

他们三个以前就是神话级的人物，此时就更加被神化了，有如所有人的精神支柱，象征意义大于实际意义。好像有他们在，人类就有存活下去的希望，不会被冥界的黑暗所统治。也因为有他们在，人族、魔族和妖族再度团结了起来。

萧一郎、凤于九天和姒无迹以当年的修为论，都已经成功渡劫，通过大乘期就可飞升。就好像考试通过，也发了榜，只等上面的调令了。其中，又以姒无迹的修为最强横。

但他们失魂了五百多年，魂魄和神识虽然已经修复，可实力毕竟打了折扣，肉身也没有痊愈，因此还需要时间修补和修行。而当年他们鼎盛之时，尚且要借助机运才能与赤羽同归于尽，迫赤羽藏起百万阴兵，现在这种情况，其实形势并不乐观。

同时，另一个广为流传的消息是：之前一个毫不起眼的秦国小门派，立派才五十来年的二仙门，其掌门还是个小姑娘。但正是这个小姑娘，对天下苍生来说却是关键人物。

人类修仙者的最高领袖、人帅萧一郎宣布她是亲传弟子，虽将来不继承昆仑，却传他唯一衣钵。

妖修的妖凰，则宣布乐飘飘是妖族公主。

魔修的首领魔主，更是声称她是魔族圣女，若有人犯之，全魔族定与其为敌，不死不休。

鉴于之前新冥王百里布曾经为乐飘飘剖心的事传了出来，人人都说，天下由四人支撑，而那四人的心都系她一人身上。

乐飘飘不知不觉中成了维持和平的唯一砝码。

自从穿越重生，她只想过安静的生活，最好能不被人注意。二仙村是她的最爱，在二仙村的日子，便是她非常中意的田园生活。哪想到有一天，她被卷进了变幻莫测的时局里，处在了战争的旋涡中心，成为万众瞩目的焦点！

第二十五章
把心还给他

不出半个月，大秦灭齐的消息传来。

据说，大秦太子、新冥王百里布亲率阴兵十万，于三日三夜内屠杀了齐国的皇族及其追随者。齐国皇族被灭，百姓也被殃及，死伤惨重。大齐境内，十室九空。

秦国出现异变后，六国不是没有防备，尤其齐国，更是草木皆兵。

齐国沿海向来富庶，除本国军队外，供养的修仙者及有些修为的佣兵为数之巨，是其他国家不敢想象的。齐皇从自己的女儿那听说了大婚之日的变故，心胆俱裂，不仅全民皆拿起武器，还联络了蓬莱派的仙人助阵。

而蓬莱地处齐国海岸线以东的一个大岛上，与齐国唇齿相依，仅剩的留守弟子遵照东尊之命，倾巢而援。

身为昆仑执法阁长老入室弟子的齐国公主鲁含鞶更是亲领仙剑法阵，与新冥王百里布对战，结果却死得连渣儿也不剩，蓬莱弟子更是被屠戮殆尽。即便这样，百里布却似乎仍不满足，居然率兵到蓬莱仙岛之上，泄愤般地把半边岛屿摧毁，使蓬莱沉入东海之中。

侥幸逃到昆仑的蓬莱弟子说，在战场上，百里布有如杀神，周遭百尺内的空气就像结成了冰一样，没有人能靠近，更不用说攻击。他没有情绪，没有畏惧和犹豫，没有后悔和怜悯，就像个傀儡般，只执行着杀的命令。

秦齐之战，齐国号称铜墙铁壁的防守，却如滔天洪水下的篱笆，不堪一击，转眼覆灭，被秦国轻松地吞没。这让其他五国惊恐不已，他们知道大秦不接受投降，于是他们迅速结成联盟，共抗强敌。随后，一封封求助信也快速送到了天下修仙者的圣地昆仑——他们知道，如果没有修仙界的支持，再强大的军事实力也无法抗衡如今的大秦。

乐飘飘身处矛盾中心，采取了鸵鸟政策，两耳不闻窗外事，每天只是发呆。

她不知道该怎么办好，也不知道要表现出什么态度。她不是这里的人，不清楚上一次大战的起因和恩怨，更没有刻骨铭心的仇恨，但她却深知如今百里父子对普通生灵的残忍。可是，要她背叛百里布，与他站在对立面，甚至帮着别人去伤害他，她做不到。

他有如行尸走肉，就像个傀儡一样执行百里松涛的命令，只是因为他的心还在她这儿。心主灵识，灵识都没了，让他如何能有自主的行为？再者，他有自己的原则和立场，她左右不了自己，又如何去左右他？

这世上本没有绝对的对与错、黑与白、是与非，就连当年的赤羽，众人口中十恶不赦的大魔头，也不可能无缘无故就要毁天灭地吧。至少，赤羽在她心里的印象就只有让她心酸的温柔。

她拒绝着外界的信息，说她没出息也好，没胆量也罢，总之她不能在师父们和百里布之间做出选择。因着三个师父的关系，她现在地位极高、极受尊崇，自然也没人来逼她做决定，就连吃了大亏的付采薇，也再没针对过她。

"离落，这么急跑来，有什么事吗？"院子里，响起一个年轻男子温厚的声音。

乐飘飘知道那人叫方乐远，因为前些日子外出执行任务时受了伤，不能外出，又因为他阵法出众，向天笑就派了他做昆仑的防卫工作。这两天，他正在她住的小院外布置结界，似乎百里布会带兵打到昆仑主峰上来似的。

乐飘飘几乎不怎么和本门弟子之外的人说话，也知道人家对她的看法很怪异。毕竟，她是三大帅最宝贝的徒弟，却也是新冥王、新魔头的心上人。一般情况下，别人不知道怎样对待她。

其实，她也不知道要怎么对待别人，于是干脆互不理睬。

但她知道，方乐远是在侦察时受的重伤。潼川成为一片焦土之后，百里父子一直深藏于地下。他们有了百万阴兵，普通的军队士兵就无足轻重了。修仙联盟派去寻找的人一批又一批，不是再也没有回来，就是什么也探查不出来，若是遇到巡逻的仙甲士和阴兵，还会有很大的伤亡。

乐飘飘很清楚地下龙神窟以及阴兵们驻扎的地宫入口在奉先殿，但那个开启大门的七星芒图案不是谁都能画出来的。再者，即便他们能进入龙神窟，地宫也不可能轻易就找到。当初她进去时是误打误撞，出来时是由帅旗带领，那其中的路径何止千变万化，不了解法门的人根本就不可能找到。

若她供出奉先殿入口的事，修仙联盟也只能找到那具巨大的龙尸而已。可不知为什么，乐飘飘认为龙尸是紫发金瞳男的本体，虽然他很久没有出现了，她一想到他却还是难过，所以她绝对不能容忍谁去伤害他的龙体。

她确实不知如何找到阴兵的藏身之处，因此面对众人疑惑的目光时倒也坦然，就算背着三个师父，有人投以探询的目光，她也能很平静地面对。久而久之，便没人再来刺探她了。

"今天潼川传来消息，冥王百里布现身于地面。"离落是个小丫头，因为练习的是疾行御风之术，所以是昆仑派中负责传递消息的人。

"哦，如何？"方乐远的声音紧张起来。

乐飘飘不想听的，可那声音虽然刻意压低了，却依旧清晰地传入她的耳中。她心里一紧，情不自禁地认真听下去。纵然她知道好多消息是有人故意为之，极可能是四大天尊，但她哪能管住自己的心。

四大天尊不敢违背三大帅的命令，又不愿让她置身事外，也只能做这种小动作。

"此次，冥王身边带的人不多，修仙联盟的人又是高手带队，两边的人马一时就僵持住了。"离落的声音有些紧张，"同门师兄们就发了传信符，三大帅和四大天尊带人赶了过去，打算要活捉冥王百里布！"

"太好了！"方乐远轻轻一拍掌，"冥王一天比一天强大，以后怕再难有这样的机会。他怎么就落了单？"

"不知。"离落突然把声音压得更低，"但毕竟在潼川的地界，他的援兵也到了。刚才掌门传令下来，要求除了守山的师兄师姐，大家都前去增援，就算拿不下冥王，也得保证不输这一阵，不然对士气的打击实在太大。"

"我去！"方乐远有点儿激动。

"掌门特意吩咐你负责守山，开启护山大阵。"离落急道，提高了声音，"不然我干吗跑过来找你。还有……盯着她，别叫她跑出去。"

她是谁？不言而喻。但这时，乐飘飘细细感觉，猛然发现二仙门的人都不在院子里。她一直不出屋，想一个人待着，这几天门人们都不来吵她，她自然也不清楚他们的去向。

难道他们也去参加大战了？比起其他修仙门派，二仙门实力不算是垫底，但也绝对不算高，若贸然出手，说不定会受到重创。再者，二仙门是她的门派，二仙门动手，等同于她向百里布动手。

一边是师父们，还要加上如亲人般的门人，一边是她最爱的男人，她要何去何从，如何取舍？她真的很矛盾。第一次，她理解了百里布当时面对她和百里松涛时的为难。

听着外面方乐远和离落越来越小的声音，乐飘飘认为，她还是继续当鸵鸟比较好。若师父们真的和百里布打起来，她最好是两不相帮。万一哪一方失利甚至死亡，她能做的，只有去收尸。

但理智是一回事，感情又是另一回事。当她听到自己所爱的人要生死相搏，即便知道这是四大天尊故意让她知道的，故意引她去的，她又怎么能坐得住？

她不知道去了能做什么，只是心里疯狂地烧着一把火：去看看！去阻止！师父和情人，她谁也损失不起。哪怕只有百万分之一的机会也好！

守在院子里的方乐远只觉得眼前一花，一道绿影已经冲了出去。

"包小妞！"乐飘飘大喊。

三个灵宠早已与她心意相通，一声令下，包小妞立即化身为大型奔兔，脚下生风。乐飘飘一跃而上，左右是大吉、大利护卫，一人三宠，迅速向潼川方向飞去。

包小妞是专门的骑宠，又是上古仙宠的级别，所以就算它还没有成年，速度也已经奇快。从昆仑到潼川，走路要一个多月，乐飘飘被包小妞背着，只两炷香时间就到了。

昆仑主峰上空本不能随意飞行，但乐飘飘却顺利地通过了，这足以说明她是被放行的。

有人非常想让她掺和到这些乱事中，而她即便知道，也不能拒绝。

远远地看到潼川，记忆中繁华的大秦国都此时满目疮痍，除了微微起伏的城中山峦，几成一片平地。城中没有一丝凡人的生命气息，就连老鼠虫豸都躲在阴暗的角落，不敢动弹，生怕被波及。

此时本是正午时分，但笼罩在都城上空的却是有如泼墨般的黑云。四面有无尽的光线透过来，围绕着黑暗，更衬得那浓云有如天河黑水倒悬，似要把整个废弃的城池永远埋葬。

阵阵狂风呼啸着掠过，好像夹杂了无数冤魂的哭叫，令人汗毛倒竖，吹在那云雾上，翻卷急掠，生出无数或浓或淡的旋涡来。而就在天幕的开合间，双方的人马若隐若现，凌厉的气势铺天盖地而来。

乐飘飘赶到时，双方激战正酣，各色法宝的光华像是花朵，在浓重的黑雾中奋力绽放又转瞬灰飞烟灭。

西侧是修仙联盟的队伍，为首的正是三大帅。

萧一郎的武器是一把扇子，但他的五火扇早给了乐飘飘，所以他苏醒后拿的是当年大战时用的神兵，名为八卦云光扇，上面有坎离震兑之宝，小小的扇面却包罗万象，挥动间光影闪动，风云变色。

凤于九天没有变化为凤凰本体，但头顶却罩着一朵红云。他的烈阳九天镜和山河悬匣给了乐飘飘，此时手中拿着当年惯用的兵器，名为四相筝，但档次却比他在二仙门当长老时用的那张四相筝高出不知几档，四条弦，按地、水、火、风设。他拨动琴弦，水火齐至。

姒无迹在战斗时，狂暴的气势毫无遮掩。他本就异常高大，此时立于半空，更好像把天地都踩在脚下。他送的伞，被乐飘飘取名为美人伞，其实名为修罗伞，复生后他没再修炼武器，而是取出当年的镇族之宝，一把永远不会消失的黑色尘土，名为神砂。神砂吹开后，天昏地暗，风中有暗器，削人骨肉，分外厉害。

东侧，阴兵森严列阵，随着号令不断凝结、分散，变换着各种阵形，无怖亦无畏，军容整齐，非常有纪律。普通法术与兵器根本杀不死他们，反而是他们在无情地砍杀着众多修仙者。而仙甲士们却是实实在在的，每名仙甲士都骑着一匹铁马，整支队伍就像是战场上最高效的骑兵，冲击之时，修仙联盟的法阵也会被冲散。

在这一群凶悍的士兵之间，百里布忙立于黑云之上。他的身边，没有鬼车，只有飞廉紧紧相随。他仿佛被狂风包裹着，但身体却不动不摇，暗紫色的长发飞舞，不时遮挡着他的脸，又猛然散开。就连他的玄色铠甲似乎也被吹动了，发出叮叮当当的撞击声，在惨叫和呼喝声中，异常清晰地响彻天地之间。

看到他的瞬间，乐飘飘差点儿从包小妞身上掉下去。杀伐之气中，她竟然涌出无尽相思意。两人的距离如此之远，她却能把他看得清清楚楚，甚至连他那淡淡垂下的睫毛，以及他冷然的目光也映入她的眼帘和心中。

不，不是冷然，是木然，好像周遭的一切都与他没有半点儿关系，他只是来杀戮，只是要扫清眼前的一切障碍。他目光之中根本没有神采，那意气风发、高傲尊贵的布太子不见了，只剩下一个傀儡，他所有的情绪和感情都消失不见了。那模样，令她的心绞痛不已。

他的心在她那儿，在他挖出那颗心的瞬间，他……被迫放弃了他的全部情感。

这想法令乐飘飘心更痛，似乎有只看不见的手，把她的心脏也生生挖出来了一样。她情不自禁地拎了拎包小妞的耳朵，催促它上前。

第二十五章 把心还给他

包小妞有些畏惧这阵势，大吉、大利都不禁犹豫了。

正在这时，凤于九天突然拨动了四相筝，叮叮咚咚的琴声悠扬传来，明明场面混乱，却给人光风霁月、天高云阔的感觉。接着，水火齐至，天地间立成炼狱。

姒无迹仰天长笑，掌中神砂虚浮，一吹之下，立即飞沙走石，本就黑暗的天空，更是阴沉得好似滴出黑水来。

萧一郎见妖皇和魔主都动手，唰地打开折扇，左一翻，右一转，无数奇景异相出现，令人置身其中，分不出真伪，使得对手连攻击也停止了。更有八卦图形化为饕餮巨兽的样子，张开血盆大嘴，对百里布当头罩去，似要把他吞噬。

见此情景，修仙联盟中的人士气大振，纷纷跃出云雾的掩护，向仙甲士与阴兵扑去。

这是总攻吗？非要鱼死网破吗？乐飘飘心里一紧，分外焦急。

三位师父复生，找回了本体，修复了神识和修为，虽然还没达到最完美的程度，但三人联手，实力也非常恐怖了。当年他们三人在鼎盛时期，倾尽全力，还要借助机缘才能和赤羽同归于尽，足以说明赤羽的可怕。如今百里布失心，又达不到赤羽的程度，就算师父们的能力也打了大大的折扣，他也未必是对手吧？

她不想让百里布受伤害，近乎本能地想救他，连忙急催包小妞上前。灵宠是不能拒绝主人的，所以包小妞尽管不愿，还是硬着头皮，协同大吉、大利向前。来到战圈的边缘乐飘飘就发现，那风暴中心的外围似乎有强力的阻挡，她根本进不去。

乐飘飘正在心急如焚的时候，突然见到雕像一般的百里布动了。仙甲士和阴兵与修仙联盟的人混战在一起，一时难分胜负，而他就在那饕餮要咬掉他的头时，在神砂的明枪暗箭袭来时，在水火疯狂地要淹没他时，似缓实快地拔出了幽魂刀。

实形实体的刀，面对着无声无形的幻象、水火及神砂，却抽刀斩断，生生把空间都撕出一个巨大的豁口，把那些伤害都阻隔于外。

他是风雷双系的变异灵根，而飞廉本身就是能控风的神兽，在法术催动之下，飞廉高高跃起，紧紧立于他肩膀上方背景里。随后就见一团灰色旋风自那刀刃上盘旋而出，起先很小，但瞬间就变成龙卷风那么大，风眼所到之处，把一切有生命的、无生命的都卷了进来。

"不好！"姒无迹冲在最前面，看得也最明白，"后撤！"

萧一郎和凤于九天毕竟与他共同对敌过，心意相通，也立即看懂了，神色都是一变。

凤于九天大叫道："快收了法术，那把刀是赤羽之物，却在其死后化了戾气，成了凡物。如今它要开刃了！但凡生灵和法力都会被炼化，为它所用。当刀身上布满裂痕时，就是神兵重临、百万阴兵臣服之日！"

他说得很明白，却还是晚了，被卷进旋涡的修士们，不管是人修、妖修、魔修、佛修还是精魄修，肉身都瞬间被风力绞成碎片，神魂不由自主地投身到刀中。而每吸入一个魂魄，刀身就仿佛刻上一道细细的裂纹，每捕捉到一点法力，就化为灿烂光点，像是刀体被淬炼的火花，咔咔声就是这么来的。开始，会让人以为是刀身要断裂，现在才感觉，那似乎是它兴奋而嗜血的笑声！

"咄！"萧一郎见势不妙，立即大喝一声，也未见他用力，却令每个人有如当头棒喝。

五百多年前，赤羽让他们体味到了绝对强横实力下的无奈，哪想到今天又在百里布这里尝到了这滋味。这不起眼的人类太子，竟然已经强大到了这个地步！赤羽不是凡人，虽然他们到死也不知道赤羽是何方神圣，却深知他来自上界。而百里布，是凡人吗？

他在失了心、还没有完全掌握冥王之力的情况下就已经如此厉害，假以时日，就算有天界的神仙援手，只怕也难阻止！

萧一郎咬紧了牙，八卦云光扇脱手飞出，扇面的边缘化为锐利的刀锋，扇子飞来飞去在空中转了一大圈，又回到他手中。但那无上的法力，生生把幽魂刀的刀气劈开，使得修仙联盟的人可以迅速后撤，离开刀气的范围。

三人对视，暗吁一口气。

可就在此时，异变陡生！

一根木藤如灵蛇般横空而出，向着乐飘飘卷来。

她今天穿的也是嫩绿的衣服，衣服上搭配着黄色飘带，在一片昏暗中似乎是唯一的生命颜色。而她头上那根红羽，滴血一样散发出不可忽视的艳光。

因而，当同样绿色的藤蔓从空中掠过，由于快速无声，所有人都没有留意，包括乐飘飘本人在内。当她发现身体被控制时，腰部已经被紧紧抓牢。

下一刻，她的身子被高高甩起，直落入战圈的中心，百里布的面前！

"付采薇，住手！"萧一郎的喊声惊天动地。

凤于九天和姒无迹同时出手，意图结成结界，改变乐飘飘飞行的轨迹。

但已经晚了。

付采薇号称东尊，如果没有三大帅的复活，就是修仙界绝顶的存在。她偷袭出手，不要说乐飘飘心神不宁，就算是全神贯注，她也抵抗不了。

时间，似是在这一刻突然放慢了无数倍。

乐飘飘如断线的风筝一样飘浮于空中，四处没有着落，恐慌万分。然而，当她距离百里布越来越近时，她心中突然没有了惧怕，反而有些莫名的欣喜和小小的雀跃。

百里布玄色的盔甲闪烁着黑玉一样的光泽，在昏暗的天际闪闪发亮，不管是天神还是魔神，他都是这战场上的主宰。

而当他慢慢抬头，近乎本能地看向她这个被当成暗器抛向他的"东西"，那双暗带金色的眼瞳有如灿烂的星辰，虽然呆滞得不带半点儿情感，却深如天穹，把乐飘飘的整颗心都点亮了。

他成了百里松涛的傀儡，本来应该没有情绪反应，可不知为什么，在他抬头望见乐飘飘的一刹那间，他突然怔住，随后眼睛眯起，瞳孔猛缩，似乎有什么深深刺痛了他。

那个姑娘完全没有挣扎的迹象，就这么直直向他飞来，脸上竟然还有淡淡的笑容。那微笑就像阳光穿透黑暗的云层一样，瞬间就抵达他内心的最深处。看到她的模样，他心里涌起说不出的滋味，居然有几分欢欣，甚至是……幸福。

没有时间思考，下意识地，他猛然抽回刀身，敛回刀气。他不知道为什么，明明脑海里全是杀戮的命令，却不忍伤害她半分。这姑娘，他是认识的吧？不然，他怎么会不想伤她，还强烈地渴望保护她，甚至想把她带回地宫中去，让她陪在他身边？

可之前他没有顾忌，法力肆意发散，此时突然撤力，就算幽魂刀是有灵性的法宝，与他心意相通，刀气也难免反噬。

嘭的一声，一团灰气在他脸上瞬间闪过，接着，猩红的血就喷了出来，他的身子也向后连跌，退出数十丈才稳住。

"冥王受伤啦！"也不知是谁，狂喜地喊了声。

那些被困的、来不及逃跑的、眼看着就要被收割魂魄的修士们，连忙借机退回到自己的阵营中。除了个别几个人，没人关心乐飘飘是被什么从骑宠背上卷下来的，此时她还没学会腾云术，身子往下直坠，若无人援手，只有摔死一途。

百里布心胆俱裂，死水般的心在刚刚经历了快乐幸福之后，立即又感受到强烈的恐惧。他怕那个绿衣红羽的姑娘掉下去，那种怕恨不能以身相替。

他纵身跃起，顾不得会暴露弱点，受到修仙联盟中大高手的攻击，就连忙向乐飘飘飞去。然而有人比他更快,凤于九天抬手就抛出一团瑰丽的红色云体,阻住乐飘飘的下降之势,姒无迹似一道闪电般,快速掠过半空,把徒弟捞在怀里。

"飘飘,你怎么样?"姒无迹很紧张。

"师父!三师父!他……他没了心,可是记得我!"乐飘飘微笑,但笑容还未完全绽放,泪已满面。

"痴儿。"姒无迹心中微痛,带着乐飘飘腾身而退。

不远处的百里布见状,心头大安。他现在虽是傀儡一般,却能判断战场上的形势,此时见本方优势尽失,自己又受了伤,虽然舍不得那姑娘,却也连忙趁着修仙联盟乱了阵脚,迅速撤退。

众人只见眼前的仙甲士被阴兵所化的黑风席卷,狂风过后就再也不见踪影。

乌云黑雾不见了,太阳即刻现身。潼川上空,就像暴雨过后一样,万里晴朗。若非地面上一片狼藉,似乎刚才那场战斗只是一个噩梦。

而且,尽管战斗是在空中进行,但天若塌了,地上的生灵又怎么会安全?

乐飘飘看在眼里,心中万分不忍。

若是双方停战,能坐下来谈判多好。六国别再惦记着灭秦,秦争取和平统一,修仙界别再要消灭赤羽留下的阴兵,新冥王承诺不伤害修仙者及人类……该有多好。

为什么一定要打?乐飘飘不明白,但也知道她的愿望太天真,很难实现。

人心里那无穷无尽的贪欲,促使他们做出残忍和可怕的事。而人类之间彼此的不信任和怀疑,也令他们无法共处,非得以血和泪筑起自认为安全的巢穴。

乐飘飘见到百里布后被抚慰的相思,知道他仍然牢牢把她记在灵魂深处的欣喜,片刻间就消散得干净。她只是个普通人,小小的人类修士,该如何阻止即将到来的浩劫?

回到昆仑白首峰后,乐飘飘又把自己关了起来。之前她点了点人数,确定二仙门的人只是在战斗中受了些伤,没有人员损失,这才算放心。

二仙门的人修为不算高,可他们非常团结,彼此之间心无芥蒂,因此结出的法阵力量强大,在战斗中能互相保护,远离伤亡。

他们被分配住在一个幽静的小院中,离议事堂和静之界都比较远,因而不知道那边已经吵翻了天。

三大帅并排坐在正当中的太师椅上,下面是四大天尊以及妖修、魔修、佛修和散修、精修的代表，而付采薇则跪在地上，神色自若，一言不发。

"阿弥陀佛，三位帅主，虽然东尊以乐掌门为人质是有些说不过去，但到底因为乐掌门的缘故，冥王魔头才收了手，使我们大批人马顺利撤退。"一名佛修说，语气温和中透着坚定，"付东尊虽有过，却也有功啊。"

在修仙联盟中，因为三大帅是最高层的人物，所以称之为"主"。所谓魔道，并非指姒无迹的魔族，而是特指在修行中误入歧途，从此变得疯狂和残忍，内心沾染了黑暗的修士。人、鬼、妖、魔，乃至神与仙，都可能坠入魔道。就像赤羽，明明是冥王，却被称为魔头。现在，他们也这样称呼百里布。

"我魔族的圣女，岂是给你们解围用的！"姒无迹一瞪眼，杀气扑面而来。那名佛修承受不住这威压，脸上露出不平之色。

"她虽是魔族圣女、妖族公主、昆仑帅主的衣钵传人，但也是修仙联盟的人。战斗，她也应该出力。"佛修梗着脖子说。

姒无迹大怒，就要拍案而起。

凤于九天拦了一下，细长的凤目向下面扫过去，冷笑道："你们都是这么想的吧？哼，我妖族的公主自然会为修仙联盟出力，却不是用被迫的方式，何况还是被偷袭的。付采薇，你是堂堂东尊，如此算计一个小辈，到底又算什么？"

"采薇知罪。"付采薇低下头去，聪明地不做任何辩护。

萧一郎观察众人神色，见除了他们三个师父外，所有修士都一脸不以为然，看向付采薇的目光却充满同情和赞许，心就沉了下去。

妖修也好，魔修也罢，都看在凤于九天和姒无迹的面上不敢说真话，但他们心里，却都认同付采薇的做法吧？到底，以飘飘一个人的危险，换取众人的性命，在不相干的人们眼里，十分值得。

而飘飘，毕竟是百里布心尖子上的人，且看百里布在那么紧要的战斗中仍然顾着飘飘的安危就知道了。修仙联盟的人本就对飘飘心存不满，觉得她是敌方的人，看在他们三个帅主的面上才不针对她，如今付采薇唱这一出，局面就不好控制了。

他们三个曾经是修仙界领头人，却沉睡了五百年，虽然这点时间在修仙者眼里不过弹指一挥，可终究也让人们淡忘了很多人与事。他们再也不是众望所归之人，反而是四大天尊的行事作为更得人心吧。

是他们小看了付采薇的心计，这一招收买人心做得好，既解了蓬莱岛被毁的心头恨，又站在了道德和大义的最高点，那些卑劣的小问题，在这种你死我活的时候，谁还会在意？

飘飘是他们三人的心肝宝贝，却不是修仙联盟的。

"东尊。"萧一郎缓缓开口，声音清冷，听不出喜怒。

付采薇登时吓了一跳。

东尊的名号，是下层修士们对她的尊称，在三大帅主面前，她哪敢如此？惊慌之下，她鼻尖上冒出了一丝冷汗，连忙道："师侄不敢。请帅主叫师侄的名字。"四大派同气连枝，弟子们都以师兄弟等相称。

萧一郎深深吸了口气。阳奉阴违，他看得多了。修仙界，本应是净土，却也争权夺利，满眼世态炎凉。若非为了天下苍生，为了心中的公理和正义，他现在恨不能转身就走。

"到底，你是为了保存联盟的实力。"他叹息着说，眼底闪过的不满，不多不少，让付采薇看得到，别人却感觉不出，"虽说手段不甚光明，好在结果是好的。这件事，就此罢了。"

"老萧！"姒无迹立即表示不满。

凤于九天拦住他，使了个眼色。姒无迹虽不忿，却闭了嘴。

他们三个在五百多年前互不服气，连朋友也算不上，只是临时的联手。五百年后，虽然表面上仍然互相挤对挖苦，但多年的共同生活已令他们产生了不可磨灭的亲情和牢不可破的友情，遇了事，一个眼神和微小的动作就能彼此相知。

"谢三位帅主宽恕，采薇知错了。"付采薇伏首在地，看起来很是真诚地悔过。

"都下去歇着吧。"萧一郎摆了摆手，阻止她继续演戏，"那位新冥王是什么实力，今天大家也看到了。若想除魔卫道、保护苍生，只怕还要多做计较。"

众人听萧一郎这么说，才松下的那口气又提了上来。每多僵持一天，新冥王的实力就更加强横几分。今天他仅带了万把阴兵和几千仙甲士出来，而他们差不多倾巢而出都还是吃了亏，若以后真的大战展开，岂不和五百多年前面对赤羽时一样，没有半分还手之力吗？

心事重重之中，也没人有心情再多说什么，便也纷纷散去。当他们全走干净，姒无迹立即怒问："这件事真就这么算了？我的徒弟、魔族的圣女，可不是让人这么任意欺侮的！"

"是呀，我的徒弟、妖族的公主被阴了，我却连惩罚也不能做。"凤于九天凉凉地道。

萧一郎苦笑，"不然如何呢？你们没瞧见吗？除了我们，所有人都觉得牺牲了

第二十五章　把心还给他

飘飘无关紧要。面对生死的时候，利益永远高于道义。你们是妖皇和魔主，有着千年道行，却还天真得看不清楚吗？"

"话虽如此，可我家飘飘不能任人宰割，不然要师父何来？"姒无迹的火气仍然很大。

一想到当时的情景他就忍不住后怕，倘若不是百里布对飘飘有反应，及时收了手，后果不堪想象。

"多事之秋，不能硬来。"萧一郎眯起眼睛，掩饰忧心，"因为百里布和飘飘的那种关系，现在的飘飘是众矢之的。我们三个虽然爱她、护她，到底不能一时三刻地紧盯，若为她树敌太多，甚至造成修仙联盟的分裂，反倒无益，不如忍一时之气，以后多加留意就是。"

"算你说得有理。"凤于九天不是冲动的人，只是事关徒弟，一时乱了方寸，冷静下来后就点头道，"我和无迹关心则乱，想得没那么深。这次百里布为了飘飘突然放手，以后惦记飘飘的人只怕会更多。若哪天修仙联盟不能抵抗冥王阴兵的攻击，他们定要强迫飘飘来当挡箭牌。"

"老子不许！"姒无迹暴怒。

"我也不会允许的。"萧一郎说："所以这次不能惩罚付采薇，不然会引得其他人更关注飘飘。你们要明白，现在已经不是五百多年前了，我们的手下和我们不再同心同德，一个个自有想法，也自有效忠之人。"

"那本妖皇还留在这里干什么？"凤于九天目光一闪，森冷无比，"天下爱乱就乱去，我自有地方护着自个儿和飘飘，居身世外，就算天塌地陷也不管了。"

"倒不如去那个和赤羽大战的山洞吧？"姒无迹提议，"那里联通着多个地界，自是安全。"

萧一郎摇摇头，并没有回话。

其实，如果他们三人是自私自利之徒，五百多年前就不会应了那一劫，现在也不会当这个出头鸟。唉，真是怀念二仙村的生活啊！虽然地位低微，但那种和乐安详的生活多好……每天种种田、修修仙、调戏调戏小妞，心里被填得满满的，那才是真正的神仙日子。

转世后，他从端方严肃的人变成好色猥琐的家伙，凤于九天的心机与性格多变，转化成了不着四六，姒无迹的嚣张狂妄变成了一根筋，可是，那样的性格有什么不好？或者他们变成那样，就是冥冥中弥补身为各族领袖时的缺憾，是内心真正想成为的样子，想成为的人。

可惜，他们又回来了。但是，真想撂挑子不干了啊。

只是他心中还有正义的信念，不能眼睁睁看着天下倾覆、百姓受苦。再者，平凡的世界里有飘飘，有二仙村，有那些无辜的乡邻，有平时交往亲厚的亲朋和门人，难道真的能舍下他们？若放弃，他们所爱的一切，也将失去。

凤于九天和姒无迹也明白这个道理，所以气话也就是说说，并不会真的飘然而去。而那些修仙联盟的人，也正是吃定了他们这一点吧。

他们在这边纠结之时，乐飘飘那边也不平静。

看不到百里布时，她只是想得厉害，可自从见了一面，相思却更甚。不知是不是地宫和幽冥界的阻隔，她用烈阳九天镜看不到百里布的情况，镜面黑漆漆的一片，令人心里发毛。从早到晚，翻来覆去的，她无法安宁，只得把那只装了他心脏的黑水晶盒子拿出来。

隔着盒子，乐飘飘的掌心跳动得厉害，感受到那心脏上附着的生命力量。然后，她摸了摸百里布送给她的"休"。

那宝贝自从贴上她的身就没有掉下来过，从外表上很难看见其形，只能摸得到、感觉得到。此时，她的指尖下突然感觉有些温热，像是休……是一颗眼泪。

乐飘飘犹豫半晌，终于打开了盒子，结果，却是吓着了。

为什么？那颗心上笼了一层似有似无的黑气，虽然心脏还在强力跳动，却让人心惊肉跳。

"师妹。"朱俊的声音在窗外响起。

乐飘飘连忙把盒子关好，打开了窗，有点儿惊讶地问："师兄一定要神出鬼没吗？人吓人是会吓死人的。"

"吓到师妹的，不是我吧？"朱俊微微一笑，眼里闪着意味不明的光。

"师兄是什么意思，不妨直说。"乐飘飘微恼，"对于师兄来说，我也算不得什么，何必瞻前顾后呢？"

朱俊知道乐飘飘是暗指之前付采薇以她为人质，迫百里布收手的事。他有些惭愧，但能保住修仙联盟的力量，他不能不承认，他是有些欣喜的。尽管他和付采薇向来都不怎么对盘，但这次他站在付采薇这一边，只因为修仙联盟输不起。

他做小人没有关系，重要的是天下苍生，是天道轮回。

"百里布那颗心，已经被黑暗笼罩了吧？"他转过身，抬头望月，不忍看乐飘飘的表情。

乐飘飘果然大惊，脱口而问："你怎么知道？你监视我！"

"师兄我不是好人，冷心冷情，可以在权衡利弊之下，舍弃任何人，但我不会卑鄙地偷窥。"朱俊淡然道，"我是有事来找师妹，才一到院中，就感觉到了异气。"

"师兄找我何事？"

朱俊没回答，因为他只是来随便看看的。付采薇的事，三大帅主已经给了结论，但他心中有些不耻这种行为，终有些不安。

"心主神识。"他继续说："心脏离了本体，虽以强大修为附着，保持不死，但本主却会慢慢地变成傀儡。而当本主坠入魔道后，心也会变黑、变硬。当它不再跳动时，就会化为灰烬。那样本主也将永远失心，再不能称之为人。"

乐飘飘打了个寒战。

她怕的就是这个，今天百里布虽然还认得她，对她有反应，但明显已经记忆模糊。而他确实成了百里松涛的傀儡，如果他在百里松涛的授意下做尽坏事怎么办？她不愿意让他做个恶人！

"那现在笼罩在心上的黑气是？"乐飘飘问。

"百里布继承了冥王赤羽的传承，身处幽冥界，也继承了赤羽的魔气，本主受侵，心脏怎能独存？就算相隔千万里，以他那种修为，心也必会有感应。"

"真的吗？"乐飘飘半信半疑。

"不如……师妹去问问三大帅主吧。"朱俊无奈叹息，"我知道师妹不信任我，可我断不会在这种事上撒谎。"说完，他也不等乐飘飘再回话，转身就走了。

乐飘飘呆呆地站在窗前，更加六神无主。

难道要把心还给他才行？

这念头一出，很快就越来越强烈。把他的心放回到他的胸腔中，他有了神识，就能分辨是非。就算他再孝顺百里松涛，多少也有自己的想法，不至于如现在这般像个傀儡，是个杀人机器，被他那个野心勃勃的父皇利用。而且，他有心，就会完全记得她。

她不指望他为了她放弃争霸的梦想，但杀戮时，只是想着她一点，他或许就会少造杀孽。

哪怕只有一念，也是仁。

最重要的，那颗心若离体太久，被魔气和幽冥气侵蚀，死掉的话，他就会永远没有心了。

所以，她要把心还给他。

决定要还回百里布的心时，乐飘飘很冲动。但乐飘飘逼着自己没有立即行动，而是冷静地入定冥思，把所有事情都想了个遍。她平时最不爱动心机，大大咧咧，得过且过，却并非是不通透的人。

等她把所有的可能性都考虑清楚了之后，天色已经大亮。她缓缓起身，带着一股子鱼死网破的决然，怀抱着那个装心的盒子，去找三个师父。

一路上，所有人看她的目光都很奇怪，有的仿佛要咬她一口却又舍不得；有的对她满是好奇和同情。半路上，她还闻到一股熟悉的气味，似有似无，却一时记不起在哪里闻过。

三个师父住在天池边。

那里是疗伤圣地，除了四大天尊、昆仑掌门和三大帅主外，谁也不能随便进入，除非有向天笑的特批。

乐飘飘没有特批，但她身份特殊，或者三位师父留了话。于是，她就这么闯了进去，也根本没有守护天池的昆仑弟子阻拦她。现在，天池边只住着三大帅主和闭关的昆仑之星洛城东。

对她的到来，三位师父似乎并不意外，而当她复述完朱俊的话后，他们都沉默了。

这说明，朱俊没有骗她。那么，她在那些话的基础上所做的决定，也是很有根据的。只是这样做……非常冒险，但也非常值得。甚至可以说，这是她唯一能做的。

"我能和师父们住在一起吗？"她没说去找百里布还心的事，只似乎无意地问。

"有什么不可以的，叫你大师父和向天笑说一声就行了。"凤于九天摸摸乐飘飘的头，眼里闪着不明意味的光，像是……怜悯，愧疚。

姒无迹没说话，转身走了。

换成平时，乐飘飘一定会追上去缠着他。说到底，三位师父中，姒无迹最疼她，她对他也是最爱撒赖要宝。女人，总是在对自己最好的人面前最任性。

但今天她没动，只是对萧一郎微笑道："你的徒弟最爱惜双腿了，这一路走来怪远的，腿都细了，能不能请大师父叫人把我的东西拿来？我现在还就不走了呢。"

"你这丫头。"萧一郎笑得地云淡风轻，声音满是宠溺，但乐飘飘还是听出他心事重重。

还有，三个师父刚才以极快的速度交换眼神，以为她看不到吗？好吧，她就假装看不到。只期望师父们不要让她失望，若不然，她只有陪着百里布一起死。不知道再死的话，能不能回到现代去，还是会灰飞烟灭、魂魄全无？

死，其实有时候并不可怕。此时，她甚至带着一种期待的心情，假如死亡能把她带到百里布身边的话。

"就住在你三师父的房间吧。"萧一郎沉默了半天后安排，"不要到处乱跑，你现在树敌可是不少啊。"

乐飘飘点了点头，一脸无所谓的样子，只说："师父们会照顾我，照顾二仙门的，对吧？"

"那可是我们转生的家，怎么可能不管？"凤于九天嗔怪道，"偏你小心眼儿多，还来问这话来伤人心。"

"人家好歹是掌门嘛，多少得关心关心。可惜我又是个废柴，现在形势严峻，就只能指望三位师父了。"她快步走过去，在凤于九天的脸上吧唧亲了一口。

她来自现代，之前二师父又忽男忽女的，这样亲昵的动作并不觉得什么，就像女儿亲吻父亲、妹妹亲吻哥哥。

凤于九天愣了下，脸没红，眼圈却红了，"你别恨……唉！"他一跺脚，"千万别乱跑知道吗？有事……和师父商量。"

"好。"乐飘飘很认真地点头。

萧一郎对凤于九天使了个眼色，两人也没再多说。萧一郎亲自带乐飘飘去了姒无迹住的房间，其实只是倚洞而建的一间木屋，之后他就说去议什么事，便离开了。

乐飘飘看他步子有点儿僵硬，只当他是劳心劳力，太辛苦了，也不深想。

姒无迹住进这里并没有多久，可是他的气息却充盈四处，让乐飘飘感觉安宁。她知道这地方没有人会进来，就把盒子摆好，自己则蜷缩在一个巨大的蒲团上，用力呼吸了几下，很快就睡了过去。

再睁开眼时，已经是深夜时分。屋内不知哪里在发光，虽然昏暗，却看得清景物。

乐飘飘起身，把烈阳九天镜拿出来，真真实实地把它当镜子而不是法宝用。它是透明之物，但若心念到了，就能比所有的镜子都清楚，并不需要其他光源。

她用清水术引了水来洗脸，又用仅有的化妆品细致打扮，再梳好头发。然后，从匣子中取出自己最好看的一套衣裳和一件首饰，穿戴起来。

她一直也不会盘髻，全是紫墨和凤九帮她弄，可今天她要做一件秘密的事，不能告诉任何人，只好侧梳了一条麻花辫子，发辫间穿了一条发出柔润光泽的明玉链子，上面的玉块都雕成白色的栀子花模样，与墨发相间，有一种分外的俏丽感。

她特地挑了一件齐胸襦裙，下面宽大的裙子是月白色，绣了青竹和墨燕，看起来相当雅致，配着那上衣的粉红色，又添几分娇憨之气，很衬她的气质。

这样的她，百里布一定会喜欢。

左照右照，直到完全满意，又见时辰刚好，乐飘飘才回身看看四周，微微叹息苦笑，然后抓起蒲团下一块巴掌大的玉璧，毅然离开。

昆仑山高远，似乎离天空很近，星月又大又亮，仿佛就悬于头顶。

乐飘飘连忙施展驭术。

她的驭术不仅能召唤和驱动力士，还能驭动五行之气。现在，她就是驭动山上丰沛的木气，掩盖自己的身形。只要她找黑暗偏僻的地方潜行，躲开巡逻弟子，不强行打破结界引发震动，她就可以神不知鬼不觉地到达昆仑脚下的迎仙镇。

到了那里她就可以驭兽飞行，再两炷香时间就能到达潼川了。如果顺利，大约是三更天就能见到百里布。

而那块玉璧，就是可以令她在大大小小的结界和护山大阵中顺利通行的东西。晚上封山之后，只有最高层的几个大人物才可以畅行无阻。

她要把心还给百里布，要下山去见他，这件事虽然是朱俊点给她的，却不能拿到明面儿上做。若求了师父们，只能是让他们为难。毕竟，有多少人会相信她不是去投敌呢？若她把昆仑山防御的情况说出去，不就相当于百里布派来了奸细？她走了，不等于放走了大好的人质？

她自己没关系，但不能牵连到师父们和二仙门。只希望，她这一去能有个结果，不管是好是坏，都是她能做到的极致了。

师父们，再见。百里布，我来了。

下山途中并不是一帆风顺，好几次都差点儿被发现，到达山脚下的迎仙镇时，所用时间比她设想得多了些，于是她感知四周，确定并没有人跟踪时，急召出包小妞。

"你能飞多快就飞多快。"她跳上包小妞的背，摸摸它身上软软的"兔毛"。

大吉懵懂，但大利却精明得很，感觉出不正常后，立即问："主人，你这是要去哪儿？"

"你觉得我是叛门，还是叛道？"乐飘飘难得温和，没对大利粗声粗气，"你主人我可厉害了，这就拯救天下苍生去。若再过五百年，百姓说不定会歌颂我呢。若浪漫点说嘛，主人我这叫夜奔，会情人去。"

或者，她能延缓战争发动的时间，让普通百姓有机会逃到相对安全的地方。

或者，百里布和修仙联盟会看在她的面子上，杀戮时不那么残忍。

身为一个没有权势和绝对力量的普通姑娘，她能做的就是这些。她尽力了，所以她无愧。

包小妞和大吉、大利明显不太理解和相信乐飘飘的话，但它们身为灵宠，与乐飘飘有血契，自然万事都听从于她，别说只是一个命令，就是让它们去死，也不能皱半下眉头。

只是它们和没有什么主仆观念的乐飘飘关系随便，却也分外亲切，感情特别深厚，此时不禁担忧。因为以它们灵宠的感应来说，很是觉得大事不妙。

就像飞蛾扑火！

前面是死亡和毁灭，主人却带着欢欣雀跃和誓要粉身碎骨的气势，勇往直前！

包小妞最毒舌，最爱吐槽，此时却一言不发，驾风驭云，向潼川拼命飞，果然用了比平时少一半的时间就到了。

乐飘飘站在废墟之上，取出山河悬匣让包小妞叼着，故作轻松地说："现在你们回到昆仑派去，但不要上山，躲起来别让人发现。等我师父们出山，你们就找到他们，把山河悬匣交给他们。匣子不要合上，否则没人能打得开。这里面有我的一封信，师父们一看就明白。"

"主人，你要做什么？"大吉惊恐地尖叫一声。

乐飘飘抚着它的羽毛安慰道："乖，听话。主人要做一件特别重要的事，你们回去等我就好。"

三只灵宠本能地觉得不对劲儿，但乐飘飘连连发布命令催促，它们不得不照做。当它们飞上半空，回头望向挥着小手的主人时，不知为什么都掉了眼泪……

乐飘飘站在一片狼藉的大秦王宫原址之上，见四处一片荒凉，好像世界上只有自己。

乐飘飘没动，只把修为之力缓缓散发出去。

她不知道去哪里寻找百里布，只知道他在幽冥地宫之内，所以只有冒险令阴兵或者仙甲士把她当成入侵的敌人，来抓她。

那两者都没有自主意识，所以肯定有百里布的贴身侍卫带队，或者有什么法宝可以令地下的指挥者得知上面的情况。

她确实在冒险，有三成的可能她会被当成入侵者直接绞杀，但更有七成机会，被当成俘虏带到百里布身边。

她还能如何呢？这是唯一可以相见的办法。

"飘飘！"不知是不是她人品太好，不过半盏茶的时间，她就成功地吸引到了冥王殿下的巡逻队，领队人却是燕北天。

"燕大哥！"乐飘飘惊喜莫名。

"你怎么在这儿？"燕北天眼里闪过一丝警惕，目光扫向四周。

"我自己来的。"乐飘飘有点儿心酸。以前，燕北天是绝对不会怀疑她的，但现在成了对立的两派，为着百里布的安全，他连她也要提防。

"我要见他，"乐飘飘抱紧怀中的盒子，"他不能没有心。"

燕北天一叹，"偷跑来的？"

乐飘飘点头。

"还……回去吗？"

"我不知道。"乐飘飘深吸一口气，把眼里的湿意逼回去。对后路，她有安排。她只求仁至义尽，无愧于心。但愿，每一步她都没有算错。

"好。"燕北天只略犹豫了一下就答应了。

太子殿下失了心，整个人都浑浑噩噩的，如果能失而复得，太子殿下就有机会，殿下和飘飘的事就有机会，天下苍生也会有机会！

不过他还是留了人，继续注意地面上的动静——倒不是不放心飘飘，就怕螳螂捕蝉，黄雀在后，若有人利用了飘飘和太子殿下之间的感情，跟随他们潜伏进地宫，麻烦就大了。

乐飘飘对燕北天种种小心谨慎的行为视而不见，只是越深入地下，她心跳得就越厉害，也不知是紧张还是兴奋，抑或是有些害怕。

"皇上……如何了？"她问。

"重伤不起。"燕北天皱紧眉头，"当时他伤得太重，若不是有百里皇族传下的护心镜，只怕当场就……后宫中，本供养着一名佛修，名为回头。有这和尚，皇上才吊着命，只是不知何年何月才能好起来。"

乐飘飘对百里松涛没什么同情，虽然他有他的立场，可是她仍然恨那位皇上对自己的儿子都那样狠，恨他棒打鸳鸯，恨他那些个阴暗可耻的手段。

但是百里布爱他的父皇，所以百里松涛不能死，不然以百里布的性格，他和修仙联盟之间就再也没有转圜的余地了。

随后，她停下了脚步，因为地下黑河的石台上，巨大的龙身不见了。

"殿下的师父到哪里去了？"

"没事，殿下神智还清醒时，叫人送到幽冥地宫去了，怕万一有敌人闯进来，毁了龙神的真身。"燕北天眼中露出神往之色，"你知道吗？冥王赤羽原是上界龙神，不知为什么到了下界。龙乃至阳之神，性格暴戾，不喜阴暗，却不知为何做了幽冥之地的王。"

乐飘飘无语，只强压下了心中莫名其妙的酸涩与难过。

走到地下暗洞入口，只见燕北天轻轻念诵着咒语，随后黑暗中就闪现出碧色的光点，一直伸展到无尽的深处。

"幽冥地宫路径复杂，结界连片，还会随时变幻，非魂体根本无法寻到正确的路。"燕北天边在前面带路边解释，"帅旗传授了冥王咒语，才能显示方向，自由出入。"

怪不得百里父子找了这么多年也找不到，修仙联盟费尽心机也打探不出。想想也正是这个道理，幽冥界正是死灵魂魄的去处。那些阴兵全是灵修，也只有他们和冥王才能感知正确的方位。这么浅显的道理，之前竟无一人想到，更没有人愿意以死探路。

再者，就算真的有人愿意去死，还不知道会入轮回还是走灵修之路。就算真的成了灵修，还能保持住本心吗？能被幽冥界接纳吗？被发现后如何能逃脱这么多阴兵的围攻？

她以为，以地宫的地形之复杂，得走很久，可没想到，似乎才走了不到千米，眼前就是一片开阔之地，但并不是她上回看到的，那些阴兵沉睡的千里平原，此时矗立在她面前的是一座黑色的宫殿。

那宫殿如此雄伟，就像是用一座巨大的山，整个穿凿而成。

天空是诡异的灰红色，死气沉沉，映得那宫殿有些阴森孤寂。光线很昏暗，就像太阳要升起却又永远不会升起一般。唯有宫殿中有几处光亮，透着些生命的气息。

宫殿前是一片枯死的白杨林，它们是生命力极强的树，竟然也只剩下了枝杈狰狞倔强地向上伸展。枯林极大，乐飘飘感觉走了很久很久。不过在幽冥界，时间已经没有了意义，永远是这种半黑半明的状态。好不容易，她踏上了宫殿的台阶，看到很多人以怪异的目光看着她，但因为燕北天在旁边，并没有问半个字。

眼神带情绪的都是活人，是百里布和百里松涛身边最忠诚的卫士。身为有生命者而居于无生命之地，他们的眉心都浮现着一朵青色的火焰，难道是护身的东西？

"我的印迹在这儿。"燕北天看出她的疑惑，伸出手，手心有火焰的图案，"我的是冥王亲授的，自然与众不同，威力强大。"看不出他是自嘲还是骄傲，随即问："倒是你，怎么可以随意出入幽冥界而无事呢？"

"难道是老天的安排？"为了掩饰激动又不安的心情，乐飘飘开玩笑，"老天安排的，一定最大啊。"

其实她也纳闷，因为她身上有太多奇迹。她能拔出洛城东的凌绝宝剑，她得到了龙神殿神器，头上永远顶着红羽，她被困昆仑秘境五十年而未死，她被陷害时却找到了幽冥地宫……

还有好多，已经不能用狗屎运来形容。她只感觉，她身上发生的事，一定和赤羽，也就是紫发金瞳男有莫大的关系，可是他再也没有出现过，让她无从问起。

这么想着，人走到宫殿一层中央的一幅怪异图案上。光幕闪过，就像结界传送，她立即就到了顶层之上，面对着两扇合起的雕花乌木大门。门上，拳头大的铜钉闪闪发光，威严无比。不用说，这是新冥王，也就是百里布的住处。

"殿下每天就只呆坐着，除了战斗和在皇上面前请安、受命，几乎能僵坐着纹丝不动几天几夜，和行尸走肉没有区别。"燕北天的声音有点儿哽咽，"飘飘，你要让他好起来。殿下和我从小一起长大，没人比我更了解他。他看着性格冷酷无情，手段狠决，其实心很软。他只是……生错了地方，当了大秦太子。"

"他会好的，我不会允许有人伤害他。"乐飘飘眼中湿热，却流不出泪来，"大哥好好防备外面，暂时也别让皇上再出么蛾子就行。把他交给我，哪怕只有几天。"

"你去吧。"燕北天点头。

乐飘飘深吸一口气，走上前，用力推开大门，她闪身而入后又把门关好。

她要单独和他在一起，谁也不能阻挡！

她没敢立即去寻那个亲爱的人，而是盯了自己的脚尖好一会儿，才抬起头。

房间很大，用现代的眼光来看，得有一百多平方米，以垂地碧纱隔成三部分。正中是厅，地上铺着青玉砖，四梁八柱上雕刻的全是凶魂恶鬼，不过摆设却是非金

第二十五章　把心还给他

右边像是书房，没有灯火，只有夜明珠柔润的光，带着朦胧的美感。左边是卧室，有一个类似壁炉的东西，透着熊熊的火光。卧室里面有一张乌漆漆的雕花大床，垂着天青色纱帐。

一个全身包裹在玄色长袍中的男人，雕像一般坐在正中，腰杆挺直，面如死灰。

乐飘飘心如被铁锤重击，痴望着前方，连呼吸也屏住了。

感觉到房间里闯进了陌生人，百里布的目光缓缓地移了过来。

在四目相交的刹那，百里布神情微动。

"你是谁？"他轻轻开口，僵硬的声调中，居然有一种疑惑的温柔。

"我不告诉你。"她上前一步，"因为……你会想起我的。"

"会吗？"

"你会想起来。"

"我认识你？"

"你认识我。"

百里布的唇角轻轻扯动，像是微笑。

"那是什么？"他指指她紧抱在怀中的盒子。

"你的心。"

百里布仍然坐着没动，于是乐飘飘走到他面前，轻轻把脸贴向他的胸膛，那片死寂，令她瞬间泪流满面，"空荡荡的，很难受是不是？"

"会疼。"百里布的声音依旧平缓，"想记起什么的时候，会疼。可是，你为什么哭？"

"因为……我也会疼。"

她拉开他的衣服，露出他的上半身。在左边第三根和第四根肋骨附近，有一道狰狞的伤痕，上面还有丝丝血迹渗出，显然伤口根本就没有愈合过。

她一边打开盒子反扣在他的伤口前，一边挺直了身子慢慢凑上唇去。百里布没有反抗，着魔般地任由她温热柔软的唇贴在他冰凉的唇角，轻轻吮着、厮磨着、辗转着，那麻酥酥的感觉从嘴唇一直传遍全身，渗透在每一个毛孔中。接着，他的胸前猛然热起来，还有淡红色的光芒闪动。那怦怦跳动的感觉，那么熟悉、那么渴望。

瞬间，他胸腔里无处着落的空旷感扩大了，伴随着剧烈的疼痛，他脑海里突然闪现出自己当日挖心的时刻。此时，他发觉他痛的不是肉身，而是所有。

百里布低下头，看着自己的胸前。

乐飘飘已经丢掉了黑色的水晶盒，那颗心就像是水滴融入大海，无声无息地潜入他的身体。伤口也随即愈合了。

"飘飘？"他盯着她的眼睛。

"我就说吧？你会想起来的。"乐飘飘努力保持笑容，"我们约定，不管是生是死，永远也不忘记对方。"

百里布看着她一言不发，然后突然弯下身，一把把她拥在怀里，灼热狂野的吻扑面而至。没有了心，就记不起很多事和很多感觉，但心脏回来的一刻，他才知道，就算他如行尸走肉一般，也从没停止过想念她！

百里布像要把乐飘飘生吞下去似的狂吻着她，他心里深深的爱意、嘴里说不出的话，都借由肢体表达出来。他身子向后一仰，怀抱着乐飘飘滚倒在龙床之上。

他的衣襟本就敞开着，此时只一甩，上半身就全部赤裸。他背上和手臂上的肌肉贲起并绷紧，克制不住的欲望几乎淹没他。这种情况他早就试过了，越是远离她，再见之时就越是疯狂得厉害。

"我……还没……娶你。"轻咬住她的耳垂时，他嘶哑着声音说。

这是他保持清醒的底限，他试图让她推开他，而她却手脚并用死死缠住他不放，"你娶过了……啊……想赖账吗？"说着，她挺了挺胸。

衣服，不知不觉早就半褪，那双乳之间紧贴着的，正是百里布送的名为休的水滴形宝贝。那是他母后的遗物，送给哪个姑娘，就是无言的承诺。

百里布情不自禁地吻上去，惹得乐飘飘轻吟着一阵颤抖。当他的唇转移到两侧隆起的柔软时，她闷哼一声，引得他再也忍耐不住，理智完全崩溃，剩下的只有爱情的、身体的、欲望的本能。

她才不在乎有没有那个仪式，两个相爱的人做的事再正常不过，而且，谁知道有没有未来？

只这一刻，就这一刻吧！

第二十五章 把心还给他

第二十六章
英雄气短，儿女情长

幽冥地宫，不分日月。

醒来时，百里布不在身边。

这让乐飘飘有点儿慌乱，但翻身坐起时，身上和床上皆是爱过的痕迹，她暗舒了一口气。

四下看看，她的衣裙全撕破了，倒是他那件玄色袍子扔在地上。她随意披起，下床走动时差点儿直接趴在地上。

"怎么光脚站在地上？"门开启，身着便装的百里布皱皱眉，快步走了进来，"幽冥阴寒，你是生灵，很容易受损的。"

百里布看着乐飘飘，直接上前握住她的腰，抱着她，让她坐在上面一旁的桌子上，双掌包着她的一只脚搓了搓，然后又是另一只。

乐飘飘痴望着他。

茫茫人海中找个相爱的人不容易，她不但找到了，而且他还很帅，幸运的是他非常爱她。

只是不知道，这样相处的时间还能有多久。

"不许这样看着我。"百里布咬牙切齿地低声道，眼睛抬也没抬。

"你没看我，怎么知道我在看你。"乐飘飘不服气地咕哝，但还是认命地侧过脸，"好吧，算你狠，我服了还不行吗？"

"晚了。"百里布捏着她的下巴，把她的脸扳过来，巡视了几秒，然后，吻上。

浅吻变成热吻，最后在床上不知纠缠了多久才平息下来。

"你刚才去做什么了？"乐飘飘本来浑身汗湿，想要洗澡的，可是她累瘫了，根本动也不想动，干脆就这么趴在百里布怀里。

"只是普通的事务安排。"百里布抚摸着乐飘飘汗湿的脊背，把她拥在怀里。

乐飘飘见他不怎么愿意细说，也就不再多问。而且，百里布也不问她怎么出来的、师父们知不知道一类的问题。

他们之间，有太多障碍和困难，彼此都小心地不触及底线。修仙联盟与冥王阴军也有着化不开的仇怨，不会因为她和百里布之间的感情而有所改变。爱江山不爱美人的事是有的，但因为男女之情而停战的事，还真没听说过。

她没有那么自恋，认为世界都要围着自己转，她不能轻易改变天下的格局，但她可以尽量缓解矛盾，让它不那么激烈。

大概百里布心里也明白，她不能只做他心爱的女人，因为修仙联盟里有她的师父、她的门人，哪方灭了哪方，都是她不想看到也不能袖手旁观的。现在的他们，只是谁也不提起，因为想不到解决的办法。他们就像站在悬崖边相爱，每一秒的相处都像是最后的时光。哪有恋人会像他们一样，若跌下去，就是万丈深渊？

所以，能得一刻是一刻吧。

"我带你走走吧？"百里布吻了吻乐飘飘的肩头问，"等你歇过劲儿来，我们就去。"

"幽冥地宫有什么好逛的地方吗？"乐飘飘又往他怀里缩了缩。

"景致嘛，自然与地面上生灵聚集的地方不太一样。"百里布微微一笑，"不过，到底也有奇特的地方，值得一看。"

乐飘飘突然想起一件奇怪的事，好奇地问："我不是一碰你，你就会僵掉吗？为什么我们……我们那样那样，你没有僵掉？"

"我也不明白。"百里布摇头，"之前第一次最严重，你看光了我，我就动弹不了了。后来发展到我们肢体接触，我一样会僵住。再后的话……我们接触多了，我碰你是没问题的，但你碰我还是不行。难道……是因为我们那样那样了，所以就这样这样了？"

"为什么有这种推论？"

"水乳交融嘛。"

"那我不是没了杀手锏？不行，太吃亏了！"乐飘飘立即不干了，几次想起身，几次又被拉回去。

"我想来想去，还有一种可能。"百里布继续说道，"我们身上可能有同样的气息，你的略强些，于是我们接近时，那看不见、摸不着也感觉不到的气息相撞，我就失去了自主控制的能力了。"

龙气！乐飘飘蓦然有点儿明白了。

说不定，她和百里布都能拔出洛城东的凌绝剑，也是龙气所致。毕竟，赤羽与她大有瓜葛和渊源，又是百里布的师父。

到了这种时候，两人之间已经绝对信任，乐飘飘就把得到红色羽毛及龙神殿空间的事，全部向百里布说出，当然，还有紫发金瞳男以及围绕他的各种猜测。

"你说的紫发金瞳男，确是我的师父赤羽。"沉吟半晌，百里布轻声道，伴随着一声叹息。

其实之前乐飘飘已经这么认为了，百里布的话只是让她更确定了而已。

"我是五岁后才有的记忆，之前的事我什么也想不起来。而我记事的时候，我师父只剩下没有龙魂的龙体。奇怪的是，我却记得他化身为人的模样，正是紫发金瞳。不知道为什么，这件事我对父皇都没有说起过。那天在昆仑秘境中的水下宫殿，见到的也是他的残魂虚影，所以我才确定我得到的绝对是真的龙印。"说着，他张开右手手掌。

他的左手心是与乐飘飘制定守约砂时造成的伤痕，右手正是龙印传承。

当年他去参加昆仑论剑仙会，本就是为了寻找龙印，就算昆仑不邀请他，他也会想办法去。

五百多年前，龙神，也就是冥王赤羽不知为什么挑起四界大战，后来也不知为什么突然就罢手。但修仙联盟一定要彻底消灭他才肯停止，这才有了三大帅主与赤羽之战。事后，传言四人同归于尽，灰飞烟灭，其实，四个人的身体和魂魄都保存了下来，只是都受了重伤。

师父的龙体自然就被百里皇族保存于地上河的石台上，但师父的魂魄呢？难道是受损极严重，不然连三大帅都复活了，师父为什么不回来？师父对他的教导是魂授，在他五岁之前就灌输进他的脑中，由他后来慢慢摸索，会不会是教导的过程令师父损伤更重呢？

还有，父皇说师父是为了保他才会变成这样。这件事他之前一直没有深究，以为定然是自己五岁之前遇到过什么渡不过的劫。但上次四界大战是五百多年前的事，他才多大年纪，时间上对不上啊。

他唯一能想到的解释就是：师父伤得本来比三大帅轻，魂魄和肉身并未分离，一直躲在地下河休养。龙气最阳，但龙性属水，近河的地方，对龙魂有益。也许师父都快好了，但在他五岁之前，肯定发生了一件大事，令师父为了他做出重大牺牲。

在此之前，师父告诉了父皇找到龙印和幽冥阴兵的线索，那些想必是他在与三大帅主大战之前就隐藏好的，不然以师父之能，何必要单打独斗？当时他就能一统四界，傲视天下。

他似乎能体会师父那种心如死灰的寂寞和绝望的放弃，师父留下阴兵和龙印，只是不忍它们被毁灭，并为防万一，留下力量保护他吧？师父不放心他，师父对他恩重如山，就算是亲生父亲也很难谋算至此，苦心至此。可惜，他的父皇却利用了这一切。而他，必须要服从。

不知道为什么，想到父皇，他身上就有一股强大的力量，令他不能也不愿意反抗。

两人就那么依偎在一起，把各自所知的事全说出来。也不知时间过了几何，百里布叹息道："我一直以为师父是为我才伤残了龙体，或者是在与三大帅的对战中造成的，没想到，在那一战之前师父的龙体就伤了啊。是谁那么大本事，能伤了他？"

"我看到他时，他就是残躯。"乐飘飘很确定，随后又大为惊诧，"你对我穿越而来的事情没有反应吗？"

"哦，是，你穿越了两次，机缘难得。"百里布摸了摸乐飘飘的头发，和那根仍然在她头上的红色羽毛，爱怜横溢。

但乐飘飘很郁闷。

哪个男主角听到女主角来自现代会不惊奇、不惶恐甚至不好奇？真是的，让她显摆一下现代穿越女的特殊性和优势会死吗？

"我师父有个秘密，连我父皇也是不清楚的。"百里布突然又说："你知道我师父为什么叫赤羽吗？这名字虽然好听，但你不觉得古怪吗？"

"为什么？"乐飘飘抬起头。

想到紫发金瞳男，也就是赤羽，她仍然会心酸，总想掉眼泪。

"师父虽为龙神，但他肋下生有一根红色的羽毛，故而，名为赤羽。"

"不会是我头上这一根吧？"乐飘飘瞪大眼睛。

"很可能就是这一根。"百里布又看了一眼，"你无意中路过，不知是什么机缘，让你得到了他的传承。龙神殿空间的宝典也是他多年搜罗得来的，甚至有来自天界的修行之法。这样说来，他也算你的师父，我们算是师兄妹吧？"

"明明是师姐弟。"乐飘飘连忙争取利益，"我是五百多年前得到了他的传承，你才多大？快，叫师姐！"

百里布一怔。

乐飘飘就开始撒娇耍赖，一定要当师姐。结果闹得百里布心头火起，一把按住不安分的她，邪笑道："这样，我们比武决定，谁先讨饶就是输了。输者为小，还要答应赢者一件事情，不得反悔。"

乐飘飘刚想抗议，但她根本没时间开口。很快，他们的笑闹变成吟哦和粗喘之声，乐飘飘不出意外地输个彻底。

"陛下，你说……我们会不会有了宝宝？"乐飘飘轻轻抚摸着平坦的小腹问。

幽冥界没有日月，但后来她才听说是有计时的方法的。按照那套方法，她已经在百里布身边整整七天了。以他们在腻在一起的程度来说，她想到了某种极可能发生的事。

可惜前途未卜，若真有了孩子，她会舍不得，又多了份牵挂。而百里布得了冥王赤羽的传承，现在和重病卧床的百里松涛一样，被称为陛下。

这么多日子来，乐飘飘一次也没见到百里松涛，可见他伤得不轻，乐飘飘当然也不会故意出现在他面前。

百里布也坚守着两人之间的默契，探望父皇的伤情时，绝不带着乐飘飘同行。回到她身边后，也绝口不提。

"我觉得，你暂时不会有孩子的。"百里布抱着乐飘飘。

"为什么不会？你是说我没有母性的光辉？"明明是让她放心的答案，她却又有点儿不服气了。这个身子的实际状态也就十八九岁，很容易受孕的年纪。

"不是说你，是我的问题。"

"你有什么问题？难道……你还有隐疾？"乐飘飘目光闪闪，居然看得百里布脸上微微一红。

"口无遮拦！"百里布拍了一下她的臀，语带威胁道，"我哪儿有隐疾，难不成你想再试试？"

乐飘飘连忙摇头，羞红了脸。

"父皇说我是半神之体。"百里布说出事实，"我母后可能不是凡人。而半神都不太容易有子嗣，我们在一起的时间还短，所以，可能性不大。"

乐飘飘哦了声，也不知是失望还是松了口气。

"你喜欢孩子？"百里布问。

"孩子都是小魔鬼。"乐飘飘想起朋友的儿子，不禁打了个寒战，但心里却软软的，"我只是想要你的孩子。"

"虽然我不容易令你受孕，但我很有决心。"半晌，百里布一本正经地说，可明明语气却是调笑的，"多做几次就好，毕竟我母后还是生了我。"

"我不是这个意思！"乐飘飘拍掉一只不老实的手，有点儿羞涩。

不过，百里布却锲而不舍地吻上她的脖子和耳朵。

乐飘飘痒得要跑，忍不住娇笑，百里布哪里肯放。两人正腻在一起缠磨，寝殿外面传来温厚的男声，"陛下，臣燕北天求见。"

乐飘飘连忙从百里布怀里挣扎出来，整理衣服和头发，又勉力压下脸上的红霞。看她那在意的样子，百里布又暗暗有些不爽。他从来不知道自己的占有欲这么强烈，强烈到飘飘心里对任何男人的好感都让他妒忌，哪怕是兄妹之情或者师徒之情，哪怕对方是燕北天还是那三大帅主。

"进来。"见乐飘飘闪身到屏风后面去，百里布才开口。

燕北天快步走进来。只听刚才的声音，不会感觉到他的情绪，但此时，燕北天明显带着些焦急。

百里布心里一凛，沉声问："什么事这么急？"

终于，还是来了吗？

燕北天凝息片刻，知道乐飘飘就在附近，不想说，却又不能不开口，"陛下，修仙联盟的人在外面折腾了好几天，我们一直避免正面冲突，但现在……"

"如何？"百里布挑眉。

为了飘飘他才示弱，想要找到一个两全其美的办法。虽然知道很难，但他在努力，可修仙联盟的人为什么要步步紧逼呢？

"四大天尊齐至。"燕北天皱眉道。

"三大帅主呢？"百里布问。

"不见踪影。"

"那便好。"百里布冷笑，眼眸中金光一闪，戾气顿生。

那三个人不在就可以了。为着飘飘，他还真怕同他们对阵。他既没把握伤到对方，也没把握自己不受伤。既然他们不在，那他也就不用顾忌太多了。

"跟我走！"百里布站起来，"活捉了四大天尊，看他们还有什么仰仗。"他希望能速战速决，或者可以和飘飘好好谈谈，这样自欺欺人总不是办法。

第二十六章　英雄气短，儿女情长

然而他才迈出两步，乐飘飘就从屏风后面转出来，"陛下留步。"说着，又瞄了燕北天一眼。

这明显是有话要单独说，燕北天略躬了躬身，快步退出去。

乐飘飘上前，抓住百里布的手，那神情突然让百里布有点儿看不懂，只瞧着，他就感觉心慌和不安，"飘飘，不要插手。听我一句，不要插手。我断不会让你受伤害，只是……"

"我不是要劝你什么。"乐飘飘打断他，"我只是想问，你还记得那天打赌我输了后，许诺过你什么吗？"

想起那天的缠绵缱绻，百里布不禁露出温柔笑意，但他才要回答，乐飘飘却要求他设下结界。

他有些诧异，觉得乐飘飘的行为举止有些奇怪，可转念一想，那毕竟是闺房之事，可能飘飘会觉得羞涩。于是，他立即挥手，把两人的世界与外面的世界隔绝起来。

"那时，我要求你永远也不要离开我。"百里布的声音低沉下去，包含着浓烈的感情，"你答应了我，你说，会一直在我身边。"

乐飘飘点头，踮起脚，轻吻他的唇。然后她又摇头，泪眼蒙眬道："陛下，你不要怪我好吗？因为……对不起，我撒谎了。"

一时之间百里布没理解这句话的意思，但当他明白后，瞬间就瞪大了眼睛，心中满是恐惧和绝望。那不是因为死别，而是因为更可怕的生离……

燕北天徘徊在百里布的寝殿之外，心里有些焦躁不安。

他不是不知道陛下和飘飘正在情浓之时，可实在是树欲静而风不止，这几天修仙联盟就没消停过，每天都到幽冥地界的上面骚扰。想必是他们得知飘飘失踪，一定要把她捉回去吧。

他同情那对苦命鸳鸯，不想打扰他们，可今天四大天尊齐至，他控制不住局面，虽然不至于被修仙联盟找到地下幽冥界，但他们却带来了无数钻地兽，把潼川城化为真正的焦土，毁坏地下河，甚至封住阴兵越界的通路也可能。在这种情况下，他就不能再隐瞒情况不报了。

望着紧闭的殿门，他张了张嘴，却终究还是没有再开口催促。

飘飘和陛下，分属两大敌对阵营，两人都有割舍不下的亲情，而且两边还有化解不开的矛盾和仇怨，不管进一步还是退一步，好像都是错的。那种为难，他深深明白，却也深深地无力，只能尽量让他们多告别一会儿。

又过了片刻，他听见门响，连忙回过身来，就见百里布慢慢走出来，又把大门关紧。

"陛下……"

"走吧。"百里布的脸有些白，但神色却格外镇定。那双眼眸黑沉如洗，清澈得就像晴空中的星光，散发着夺人心魄的光彩，倒少了平日的冷酷和威严。

"飘飘怎么样了？"燕北天问，追上去。

"我把她打晕了。"百里布的语调平静得可怕。

燕北天吓了一跳，下意识地盯着百里布的脸。

百里布头也不回，"我是为她好，我要保护她，不能让她掺和到这些烂事里。等会儿我和四大天尊有秘事要谈，你听到我的号令后，即刻带着所有阴兵和仙甲士退回来。"

"什么？"燕北天愣住，"不行！我是陛下的第一贴身侍卫，不能置陛下于危险中不顾。"

百里布笑了笑，居然有些温暖之意，"正因为如此，你才必须听我的命令。你要知道，除了你，我谁也不信任。"

"可你那是什么战术？就算是要谈判，身边也不能不带着人。"不安之下，燕北天说话不客气起来，"再者，咱们与修仙联盟间，不是轻易就能和解的。"

"谁说我要和解？若我这么想，岂不是太天真？不过是争取几百年时间而已。"百里布冷笑，"父皇需要时间伤愈，百姓得躲到安全的地方去。修仙世界的战斗，就由修仙者自己解决，不要殃及池鱼。"

燕北天深吸了口气，觉得陛下今天不太对头。这些事，以前从不在他的考虑之内，为什么今天会这样说？

"是飘飘的意思，她说服了我。"百里布似乎明白燕北天的疑惑，主动解释道，"我觉得她说得对。要打，就轰轰烈烈、惊天动地地打一场，最后愿赌服输。而且，也不要牵连旁人。若百姓死绝了，谁来奉养天地？我得了天下，又去统治谁？"

"可陛下孤身面对四大天尊，也实在不妥。"燕北天还是不同意。

"放心，我早埋伏好人手了。"

"我怎么不知？"燕北天惊讶。陛下，什么时候动的手脚？

"连你都看不出来，四大天尊不是更觉察不到吗？"百里布停下脚步，很郑重地说："等我给你暗号，你立即撤回。我的锦囊妙计放在飘飘那儿，下一步计划都写在那里面了，你看过后，照做就是。"

说着，百里布拍了拍燕北天的肩膀，意味深长地说："别辜负我对你的信任。"

燕北天茫然地点了点头，总觉得有些地方不对头，却又一时抓不住。眼见两人已经走到宫殿之外，他早就将阴兵及仙甲士集合完毕，此时已经整齐地列队站在枯木林前面的巨大广场上了。

百里布也不说话，连鬼车也没有召唤，而是翻身上了一匹全身被黑暗笼罩的魂马，然后提缰上前，率先冲出枯木林。前方红影闪烁，帅旗高高飘扬领路，预示着冥王亲征。

片刻，他们到达地下河那里了。

下意识地，百里布望向空空的河中石台。虽然巨大的龙体不见了，但那一片寂静仍然庄严无比。然而很快，头顶传来隆隆的巨响，无数碎石屑和灰尘随着震动落下。

"陛下，修仙联盟的钻地兽进攻了。"燕北天上前一步，低声道。

"记住我刚才说的话。"百里布叮嘱了一句，指挥帅旗向地面而去。

此时，四大天尊占据四个方位，催动天地间水、火、木、土之力，把大秦皇宫的上方团团围住。他们身后追随的人并不多，只有千余，因为都站在仙剑上，立于空中，看起来更加分散。倒是长得像穿山甲一样的钻地兽足有千只以上，在地面上拱来拱去，显得更有气势一些。

"真托大。"百里布冷笑，"才来这么点人。"

"强者如虎，震撼山林。蝼蚁虽万千，也不过一履之力。"北尊狄人杰大声道，"冥王百里布，放下屠刀，修仙联盟给你们父子全尸！"

百里布差点儿气乐了。

要他放弃抵抗，束手就擒，却仍然得不到活命的机会，就连囚禁也不肯，这条件，当真"优厚"得很哪。看来修仙联盟势必要百里氏灭族，并彻底消灭赤羽的一切力量才肯罢休，也才可安枕无忧。这是仁善吗？这是正义吗？不，这是仇恨！这是害怕！

"四大天尊，你们还能更不要脸一点吗？"他冷笑，"此时此地，就算你们四个联手，孤也不会怕你们！"

南尊布缕衣道："我们修仙联盟中人，以一当百。你的冥王阴兵却是乌合之众，怎么能相同？百里布，今时不同往日，识时务者为俊杰。"

百里布歪过头来，目光奇异的明亮，脸上的笑容混杂着嘲讽和轻蔑，"孤倒不知，所谓俊杰就是贪生怕死，双手向敌人奉上自己的大好头颅来着。再说，你们凭什么？"

他的眼神扫过四大天尊，在西尊朱俊的脸上看到一闪即逝的挣扎和难堪，以及羞辱。但朱俊很快又皱眉，怒道："何必听小儿狡辩，杀了百里布，阴兵群龙无首，又有何惧？"

"西师兄，若得了赤羽传承，可令阴兵自毁而去，岂不是干净吗？"东尊付采薇笑得花枝乱颤，因为她的绝世容颜，似乎连天地都失色了。

可百里布却厌恶地看了她一眼，扬起右手。

金光闪过，小小的浮凸金印如昙花一现，却晃了四大天尊的眼。有了那枚龙印，阴兵就尽归于手。所以龙印才一寸见方，却是天下的主宰！

龙印现，天下乱，就是说它有左右人间的力量。

"想要？自己来拿吧！"百里布冷然道。

一声怒吼，从四面八方传来，正是出于阴兵和仙甲士之口，声音惊天动地，震得所有生灵都肝胆俱裂，以四大天尊之能都为之颤抖。四人齐齐色变，付采薇率先嘴唇微动，像是诵念什么咒语。

百里布突然脸色发白，身子一晃，情不自禁地按住自己的胸口。

燕北天离他最近，见状大惊，连忙上前两步，低声焦急地问："陛下，怎么了？"

百里布咬着牙，摇摇头。

他是站在地面上的，而驭器踏云于半空的四大天尊居高临下，看得真切，不禁一喜一忧。

喜的是，他们之前的设计有了效果。忧的是，百里布的反应并不大。

"三位师兄，还犹豫什么？"付采薇叫道。

狄人杰和布缕衣对视一眼，跟着念咒。

朱俊咬紧牙关，目露狠厉之色，"事到如今，还想当了婊子又要立牌坊吗？"他突然爆出一个修仙者而且是上位者不该说的粗话骂自己，然后闭紧双目，大声吟诵出来。

听不懂的语言，却如来自深寒水底。别人只会觉得身上的汗毛根根竖起，心跳不由自主地加速，呼吸不畅快，而百里布的反应却很大，他按住心脏部位，疼得整个人都弯下身去，脸色惨白，还狂吐了几口血。

燕北天吓坏了，用力搀扶着。百里布倔强地甩开他的手，怒骂道："卑鄙小人，你们干了什么？"

"问你的小情人吧。"付采薇得意地笑道，"你没想到吧？你放在心坎上的人，最终还是背叛了你。这滋味，应该很不好受对吧？"

"贱妇，你以为这样说，我就会怀疑飘飘吗？"百里布用力直起身子，"是你们骗她、利用了她罢了。她只是为我好，这才上当，我如何能怪罪！"

"倒是个痴情种子，却不知你活不活得过片刻！"付采薇冷硬说道。

"你当我们昆仑是什么地方？丢了个大活人，我们能不知道去向？护山大阵，谁拿了通行玉璧都可以自由出入吗？"朱俊的目光不知是怜悯还是轻蔑，"本是故意让乐飘飘离开，只为让她把心还给你。"

"你们在陛下的心上做手脚？"燕北天大怒，"这样无耻之事你们也做得出，还号称修仙界的泰山北斗？你们也配！"

"兵不厌诈。"布缕衣少见的严肃，"若能兵不血刃解决灭世之危，我等的声名又算什么？"

"看吧，就是这样。大人物做恶事，总是有一个好听的理由。"百里布突然哈哈大笑，"他得说服自己相信，不然怎么能让自己去愚弄别人。"

"你！事到如今，你居然还强辩！"狄人杰很恼火，"三位，既然他已经心脉受损，修为暂时丧失，我们还等什么？抓百里布，夺龙印，灭阴兵！"说着，他大吼一声，北冥之水自天际倒流下来，直灌而下！

"三大帅主何在？他们并不知情对不对？你们连帅主也欺瞒，还好意思说什么正义？"百里布下巴和前襟上浸染着鲜血，却一步不退。

朱俊闻言，抿紧了唇角。

英雄气短，儿女情长。三大帅主与乐飘飘渊源太深，不得已，只得避开他们行事。等此间事一了，他就去请罪。只要乐飘飘没事，三大帅主想来是能理解他们的。至于乐丫头有多恨他……他已经顾不得了。

想着，他快速结下手印，顿时天火就如流星而至，瞬间就把地面变成水与火的地狱！

另一边，还未等百里布吩咐，燕北天已经率众迎击，把百里布紧紧护在安全的范围内。

而就在此时，远在昆仑的三大帅主突然齐齐感觉有异。

他们受四大天尊之托，正在昆仑脚下摆上四相风雷大阵。这种上古阵法威力无穷，自出世至今，还没有被破过。此阵没人可全部了解，就连他们三人也只是懂得皮毛。所以，当四大天尊求到他们头上时，他们当仁不让。

就算知道飘飘的事还没有解决，他们也没有犹豫，因为他们不曾想到，那四人会背着他们提前出手！没错，算计百里布、利用飘飘的事他们有份儿，前提是飘飘会平安无事，而且由他们主持！

"东方有异。"凤于九天皱紧了好看的眉。

昆仑是极西之地，它的东边，正是大秦国土，正是潼川，正是飘飘夜奔之地！

"动静这么大！"姒无迹扔掉手中一块摆阵的低级宝物，飞身到半空，运起魔眼，极目远眺，"不好，正是潼川。我看那法术，就是那四个兔崽子所施展的！"

他口中骂的是谁，不言而喻。

"飘飘有难！"萧一郎掐指一算，突然就喷出一口血来，身子也是一晃，差点儿摔倒。

凤于九天和姒无迹一听，哪还有不急的，顿时纵身而起，向潼川急掠而去。萧一郎顾不得急怒攻心的伤，也拼命跟上。

可是才到迎仙镇，包小妞就叼着山河悬匣，大吉、大利像护送宝物一样分立两侧，拦住了他们。

"你们怎么在这儿？为什么不跟着飘飘？"萧一郎急得不行。

"主人要我们在这儿，等三大帅主出来。"大利上前一步，短小的前爪从匣中取出一枚蜡丸，递过去。

"主人说，这是给三大帅主的信。"大吉解释。

姒无迹一把抢过，却发现蜡丸上有禁制。虽能解开，却会耽误时间，一时踌躇。

凤于九天忙道："救人要紧，回头再看信！"说着，率先飞离。

眨眼间，阴沉的天空似有三颗流星划过，速度之快，简直匪夷所思。

后面，三只灵宠拼命追赶。

"服从命令！"战场上，百里布狂吼。

燕北天却执拗地不肯退下去。

他看得出百里布的心被动了手脚，而且也根本没设下什么埋伏和后招，这时要

-523-

他带兵退下，陛下必死无疑。

"你敢违抗孤！"百里布喝道。

修仙联盟和阴兵们混战，比哪一次的情况都惨烈。阴兵虽然无形无体，是魂修，如黑沙一般散而复聚，但若遇到真正的修仙高手，伤了魂根，也是会湮灭的。

这回修仙联盟有备而来，又没有百里布与对方的顶级高手对抗，形势相当不乐观。眼见着有不少阴兵被消灭，仙甲士粉身碎骨，百里布心痛不已。这些士兵的无知无觉只是对外人而言，其实他们自己也是修行者的一种，哪能完全无感？

"快走！"他喊得声音都嘶哑了，"你怎么答应我的！"

"臣不能看着陛下有事！"燕北天倔强道。

百里布实在没有办法，突然手按左胸，"你若不依从孤，孤立即挖心抛地，踩成碎泥，自绝于此！"

燕北天愣住，惊骇地看着百里布。

陛下居然对他用这种威胁！可看陛下的眼睛，肯定是说到做到。他生来的职责就是保护陛下，若陛下有事，他就要陪葬。现在难道他要逼得陛下自尽吗？

一时之间，他的心像被放到油锅中煎炸了一样，又痛又急。

"陛下！您这是要做什么！"他大吼。

"去找飘飘！孤说过了。为臣，为将，你必须听从于孤！"百里布手上用力，左胸中鲜血迸流。

"陛下不要！"

"那就快走！孤说了，飘飘那里有孤的指示！"百里布一挥手。

燕北天完全怔住了。

他看到了！他看得清清楚楚！陛下右手掌心中的不是龙印，而是一颗红色的朱砂痣，那是守约砂！是陛下在飘飘手中种下的。也就是说，眼前的陛下不是陛下！

你是谁？这句话差点儿冲口而出。在各色法宝和光华满天乱窜、刹那间就能夺去一条鲜活生命的战场上，他生生把话哽在自己的喉咙。

还用说吗？是飘飘扮成陛下在这儿。还记得好久前，飘飘和自己讨论过傀儡术。但她能伪装得如此像，骗过了他，骗过了阴兵与帅旗，骗过了四大天尊，是何等神技？可是她又为什么这样做？是为了保护陛下吗？

"还不滚？"形象为百里布的乐飘飘怒吼。

生平第一次，素来沉稳的燕北天慌了。

如果飘飘在这儿，那么幽冥地宫中的"飘飘"一定是陛下了。陛下怎么了？他应该去保护啊。可是，他怎么能扔下飘飘。

"你……保重！"一咬牙，他终于甩过头。虽然他疼爱飘飘就像自己的亲妹子，但忠诚的念头已经深入骨髓，百里布在他心里永远是第一位的。假如双方的安危发生冲突，就算是最亲的亲人，他也必须舍弃。

"她能自保吧？她现了真身的话，四大天尊怕惹怒三大帅主，是不敢杀她的。"燕北天心中闪过没什么逻辑的念头，长声尖啸。

这啸声，只有带领阴兵的各队队长和帅旗才能听得懂，意思类似于鸣金收兵。

于是在战场上，纷乱中，艳到极点的红影一闪。帅旗所指，兵流所向。漫天的黑沙，瞬间拧成龙卷风一样，左摇右摆着把周围的五行之气全牵扯得乱了方向。之后一头扎进地面的一点，飞快地消失。

"快拦住，百里布要跑！"狄人杰浑厚的声音响彻战场。

百里布的军队最先下狠手的对象是钻地兽。钻地兽不是随便培育出来的，妖族驭兽千年，也不过得这千只，修仙联盟费尽心思，威逼利诱才能得此兽相助。可如今遍地血肉残躯，怎么和妖族交代尚且不说，他们以后也很难再有如此力量，可以逼得退入地下的百里布现身了！

"孤不会跑的。"假百里布的脸上露出狂傲的笑容，"但是你们想剿灭赤羽留下的力量，那绝对是休想！"

"杀了他，取了他的龙印，一样可以令阴兵覆灭。"朱俊冷冷的声音传来。

"难道孤不会毁了龙印吗？"假百里布仍然在笑，"那样的话，赤羽的力量仍在，百里家族也仍在，有缘者自会得到传承，你们能睡得安稳吗？"

"那你也要死！"付采薇尖叫。

杀字，是付采薇说出，但杀意，四个人全有。

修仙联盟看着强大，却是外强中干，若不消灭这最可怕的对手，等他能完全驾驭阴兵，或者等百里松涛顺利活下来后，人、魔、妖三道就会完全沦落，人间也会成为炼狱。所以，百里布必须死！

四大天尊心念如一，各自运起自己最大的力量，黑、红、绿、白四色迅速团成一个光团，闪着电光，向"百里布"的胸前袭来！

"百里布"也根本不阻挡，也不躲避，就那么直直地站着，甚至大张开手臂，像要拥抱什么、迎接什么一样。

"不好，快闪。"布缕衣见多识广，感觉不对，大声示警。

然而，晚了。

只见"百里布"的胸前，突然迸发出比阳光还要强烈的光芒。一面透明状的护心镜，自碎裂的衣服后出现，正是烈阳九天！

这宝镜非常神奇，能照人，能观心，能看到想念之人的模样，还能令日光加倍火热，更拥有反射法术的能力！

只是那光团的力量，集合了四个化神期大能者的修为，力量何止万钧？宝镜承受不住，寸寸碎裂，但却仍然令那力量反弹回施法者身上。

而"百里布"受到重击，身子如断线的风筝一样往后飞出百丈远，残留的法力和镜子的碎片瞬间融入残破之躯中。

惨叫声中，四大天尊重伤倒地，立即就晕了过去。他们绝有没料到"百里布"会有这样的后招，以自身为饵，一击而中，将修仙联盟中修为最强大的四个人打成重伤，没有几百年的时间，根本无法痊愈！

而假的百里布，真的乐飘飘，也躺在地上，奄奄一息。

萧一郎、凤于九天和姒无迹赶来时，亲眼看到这一幕发生，却来不及阻止。

他们飞至"百里布"身前，团团把"他"围住，人、魔、妖三界之主，强硬的汉子，顶天立地的人物，都忍不住掉下了眼泪。

"呵呵，终究瞒不过师父们，一下就认出我了。"乐飘飘仍然保持着百里布的样子，却露出小女儿的娇态。

"死丫头，把你拉扯到这么大，就算你变成什么样，师父们也会认得。"凤于九天伸手摸摸乐飘飘的头发，"你这孩子要干什么？是想要了师父们的老命吗？"

"别……别声张……"乐飘飘喘了一口气，"徒弟我这场戏演得多好，答应我……不要拆穿，不要让任何人知道，我替百里布……死。"

"不不，我不许你死。不会！你也死不了，我一定会救你的。"姒无迹无措地摇头。

以冷酷无情著称的魔主，竟在此时软弱得一塌糊涂。果然，感情最能腐蚀人的心智，特别是在不知不觉间发生的感情。

乐飘飘知道姒无迹一向最疼她，此时可能承受不了，而她时间不多了。她费力地转向冷静理智的萧一郎，"大师父，帮我。别让我……白白牺牲！照……照我信中所说去做。求你了大师父，徒弟……徒弟就求你这一次。一定……一定帮我完成。"

"好。"萧一郎只说了一个字，却是天下间最重的承诺。

乐飘飘吁了口气，真的了无遗憾了。

四大天尊重伤，失去意识，修仙联盟的人忙着救治，没有多少人注意到这边。就算有人暗中观察着，也以为三大帅主围着百里布，是为了寻找百里布的龙印，不敢轻易过来。于是，师徒四人的对话，就只有他们才知道。

"对不起了师父们，我要走了。"突然，乐飘飘脸上焕发出光彩，说话也不再气喘，"能和你们师徒一场，是飘飘这辈子最快乐的事。"

三个男人不敢哭出声，只闷头掉泪。

此时，乐飘飘身上浮现出无数光点，再渐渐变成大片光晕，很是美丽。可在那美丽的光景之中，她的身影却渐渐虚化。

姒无迹伸出手，拼命想把徒弟抱在怀里。

当年，那小小软软的冰冷身子，就是在他们三个胸口上焐热的。她寻回灵智时，是他把她背回村里。可现在，他抓不住她，抓不住！

"答应我最后一件事。"乐飘飘在消失的瞬间说："师父们，要快乐哦。"

声音断，命断，魂断。

竟然是灰飞烟灭吗？连那根红羽也没剩下，就好像天地间从来不曾有过这样一个人，头顶红羽，张扬地笑着，如此的肆无忌惮，却又如此引人注目。

乐飘飘感觉自己像破碎的云朵一样在空中飘散，似乎连意识也快没有了。可在沉入永恒的黑暗之前，她看到了他。

紫发金瞳男，他孤单地坐在轮椅上，一只袖管空荡荡的，独目。他是残缺的，却又如此完美。

他向她，伸出了双手，温柔地微笑……

第二十六章 英雄气短，儿女情长

第二十七章
二仙门人欢乐多

大雪漫天。

飞舞的雪花像精灵一样，似乎在欢快地跳舞。

两座半高不高的、形状像是馒头的小山包之间，一个约莫十八九岁的姑娘安坐在茅草亭内，竟不嫌冷，还很有闲情逸致地在欣赏雪景。

她身上的衣服也很单薄，上身是粉色的素绒绣花袄，下面系着翠绿色八幅挑线裙，衣领袖口和裙边上镶嵌着白色软毛，脚下是红色的羊皮洒金小靴。

头上，没有梳时下流行的发髻，而是编了麻花辫子，盘在头顶偏左侧的地方，围绕着一根艳如红玫瑰的羽毛。旁边，随意插着云角珍珠卷须簪和玛瑙流苏。

这一身的装扮，大粉大绿，黑发红饰，本是很乡村的，却偏偏衬得她雪肤花貌，在冰天雪地里，像红梅一般幽然绽放。

她懒洋洋地趴在茅草亭的栏杆上，也不畏冷，一双眼睛，总是有意无意地盯着大雪最浓处的路口方向。

像是等什么人，又像是根本没在等，只是无聊地打发时间。

也不知她坐了多久，突然就从雪舞银装之间，看到一个人走了过来。

她有点儿兴奋地跳起来，身子探出了半边，想努力把那个人看清楚，而后又疑惑自己为什么会开心。

走得近了，她发现来者是个男人，身材很高大，他的腰很直，腿很长。男人越来越近，她才看清他的脸，居然比二师父还好看。

一头长发过腰，没有束起，此时被大风吹得乱舞，有点儿暗暗的紫色，衬着白雪飘扬，竟然有几分奇异的美丽。

他身上只穿了件玄色的偏衽衣袍，很单薄，式样简单，只同色腰带上有银色刺绣，看起来像龙鳞纹。暗紫色的长靴踏在雪地上时，沉稳有力，连雪地发出的咯吱咯吱声都特别好听似的。

再近些，相距只有三丈了，才发现他的双眼上蒙着一块黑布。很奇怪，他这样应该是看不见的，可偏偏他的脚步却并不迟疑。而那雪，落了他满头满身，却一点也不融化，连他的发梢、鼻尖、抿紧的漂亮唇角上，都结了冰花似的。

咦，这场面，似乎见过……

姑娘直起身子，不知为什么有点儿兴奋。想了想，她冲到雪地里，拦住那蒙眼男人的路。

"雪好大，你来亭子里歇歇吧。"她说。

"没关系。"男人的声音特别醇厚，听着让人通体舒服，"我喜欢下雪的天气。"

"为什么？"

"因为我以前认识一个姑娘，就是在大雪天里。"

"哦，你是来雪地里想念她的。"

"是啊。"

姑娘笑笑，伸手在腰间一摸，也不知怎的就摸出把油纸伞来。伞面精致华丽，淡金颜色，上面绘满了十八名飞天美女，个个衣着暴露，妖艳中却透着纯情，而伞的里面却是淡红色，绘着三十六名奇丑无比的男人，看起来分外狰狞。

姑娘打开伞，笼罩在自己和男人的头顶，"这样蛮好的，能避雪，还在风雪中站着，不耽误你想人。"

男人笑了，姑娘顿时觉得雪地上像开满了鲜花似的。

她不由得感叹，"你为什么蒙着眼睛？你的眼睛一定非常好看。"

"谢谢你这么说。可是……我瞎了。"男人淡然道，好像不是说自己的事。

姑娘惊讶，但很快就大大咧咧地拍拍男人的肩，"没关系，没关系，残缺也是一种美。"

咦，为什么要这样说？说完，姑娘有点儿纳闷，好像她见过身体不全的男人似的。

"谢谢。"男人又笑。

"你是哪儿的人啊？是邻村的，还是镇上的？"姑娘不知自己是怎么了，平时她不会这样拉着陌生人说话的，可今天就是这么奇怪。

"你别怪我多嘴，我是觉得你笑得好看，就想交个朋友。"她又补充，"而且

你脾气看起来也好，应该是个好人。"

男人没回话。

他脾气好？笑得好看？不是坏人？大约除了这傻丫头，没人会这么说、这么想。可是，他已经做了非分的事吧？本来，他不该来的。既然已经决定不再让她搅进来，他就不能出现。

还好，她什么也记不起了。

"我们不能做朋友。"他说。因为，那远远不够。

姑娘有点儿尴尬，掩饰道："好吧，那就当你是路人甲，我是路人乙好了。"

"那……请让我过去。"男人欠身为礼。

姑娘不情不愿地让开路，也不知自己是怎么了，就是不想让男人消失。

在两人擦身而过的刹那，姑娘心口的水滴形透明物突然发热，令她的脑海里闪过无数画面……刑台、大雪、山谷、潭水、黑暗的地下、淡青色的床帐、五颜六色的光，和一双会瞬间闪过金色的眼眸，其深似海。

"飘飘，我只能给你这个。"一颗跳动的心脏后传来男人悲伤的声音。

她猛然回身，拉住男人的衣袖，"我认识你吗？为什么我觉得，我认识你？"

男人身形僵住，他声音暗哑地问："我是谁？"

"对啊，你是谁？"姑娘有点儿烦恼地抓抓头发，"我又是谁？"

"是啊，你是谁？"男人重复这绕口令似的话。

姑娘蹲在地上，撑着伞，像一朵艳丽的、胖胖的小蘑菇。

男人见姑娘想不起来，暗暗叹息一声，慢慢走远，那背影全是落寞和孤寂。

姑娘看着，突然心里一疼。她站起来，只喊了声喂，又停下了。

明明想起了什么，可为什么突然之间又忘记得更加彻底了呢？如果说，她的记忆是纷乱的、充满各种颜色的，那么现在就是突然变成了一片黑暗。胸口的水滴形透明物，也瞬间变得冰凉。

那个男人在风雪中越走越远，到最后她竟然连他的模样和刚才说的话也记不起了。

甚至，雪中有人出现过吗？

"乐飘飘，回家吃晚饭了。"一个大嗓门响起，接着是高大的男人跑来，身上穿着半新不旧的皮袄子，一头乱发随意扎着。脸很英俊，但憨厚得有点儿过头，就是说……有点儿傻气。

"一家子都等你呢。"他补充道。

"三师父。"乐飘飘没心没肺地笑，又回头望了一眼。

"你看谁呢？"无迹问。

"没谁。有人经过吗？"乐飘飘茫然，"咱们二仙村怎么会有外客路过，外面不是有结界吗？"

"也是。"无迹抓抓头发，那动作和乐飘飘发懵时的习惯一样，"那回家吗？冷不冷？不然三师父背你吧？"

"好啊好啊。"乐飘飘麻利地跳上无迹宽厚的背，把伞撑高，遮住师徒二人。

"今天晚上吃什么？"乐飘飘的腿一晃一晃地问。

"你师娘做的炸丸子。"无迹回答，"我爱吃肉丸子，你爱吃素丸子，你大师父爱吃菜肉丸子，于是你师娘炸了整整三盆。就着刚蒸的豆面馎馎吃，香着呢。对了，还熬了一罐子虾酱，用大葱蘸着吃。"

乐飘飘欢呼一声，立即又愁眉苦脸，"二师父又变身师娘啦？他又受了什么刺激？"

"你那无良的大师父去调戏村花紫墨，你知道紫墨才嫁给淮铁匠。小淮骂你大师父'朋友妻，不客气'，拎着扁担打上门，结果准头不够，打在你二师父脑门上了，肿了一个大紫包。"

"啊，那快走快走，我得看看二师父，不，师娘去。"乐飘飘催促，随后又不满，"大师父不是才调戏过村医田有佳吗？怎么又犯花痴，这个月超额了吧？"

"可不是……"

师徒两人边说边走，身影很快淹没在炊烟袅袅的村子里。

大地一片银白，远处的村落中，那高低错落的房子都银装素裹般，像是神仙世界，而那烟火，却带了人气，令这寒冷的世界变得温暖起来。

蒙眼男回身"看着"，久久不动。

不知从何处，一个一身戎装的男人走了过来，微施一礼，"冥王陛下，回吧。"

"北天，我是不是不该来？"男人问。

"陛下不该冒险。可是，臣知道，您放不下飘飘。"燕北天低声道，"又是五百年，她能重新为人，不管记不记得前事，总是因果。"

"嗯，我能看她一眼，不管好坏，也就能放下了。"他深深吸了口冰凉却又带有一丝香甜味的空气，喃喃地朝着村子的方向说："飘飘，这一次是老天给的机会，可是别再爱上我。要记得，乐飘飘不要再爱上百里布。"说完，他猛然转身，好像把心里最重要的那根弦绷断了。心痛到唇角滴血，落在皑皑白雪上，像是盛放的红梅。

阿嚏！

不远处的村里，乐飘飘打了个喷嚏，一路嚷道："谁啊？谁念叨我？"

大雪无言，天地间一片寂静。

乐飘飘不记得从前的事了。

事实上，应该是完全没有印象。她似乎睡了一觉，睁开眼睛时，就是躺在床上，望着床顶发呆，脑海里一片空白。

她是谁？她叫什么名字？她做过些什么事？这里是哪儿？她一概不知道。

然后，三个长得很漂亮却态度各异的男人挤到她床边，问她早上要吃什么？晌午的时候去不去村东头的果园子看看？还要求她再设计一件能突出女性曲线的衣服来，他要送人。

全是家长里短的事，好像这是正常的一天，跟之前没有两样。

乐飘飘被吵得头疼，很有一种从噩梦中醒来，却又陷入新的噩梦的感觉。

这三个男人用一整天的时间灌输了她很多事情，让她渐渐明白周围的人和事。奇怪的是，打从心眼儿里，她就相信他们说的话，每一句都信，完全不会去怀疑。那是从骨子里散发出的信任，从血中之血、肉中之肉中，本能地信任。

她知道她叫乐飘飘，住在一个名为二仙村的村子里。村名里虽然有"二"，却是东南第一富裕村，而她家又是村中第一富。家里是三进的小院，全是青砖大瓦房，冬天里的炕，烧得热热的。那三个男人是她的三个师父，大师父和二师父住在前院，三师父因为常与大师父吵架，就独居后院。而她带着三个奇怪的小孩子住中院，前些日子去二仙山上玩，她不小心滑倒，摔了脑袋，养了好一阵子才恢复意识。所以，她忘记了所有的事。

在她看来，二仙村顶多算是户户有余、富农遍地的村子，而她家也就是小地主的档次，但在东南之地却被称为首富之乡，足见东南的贫瘠。

这片土地上没有国家，以村聚居，也以村为行政单位。总体上，又被划分为两大部分：西北地和东南地。

西北是修仙者的世界，连年争斗不断，别说普通人了，就连蟑螂、老鼠这样能顽强活着的生物也没办法在那儿生存繁衍，也只能如人类一样，纷纷举家搬到东南。所以，东南地是普通生灵的家。

可不知是不是修士们频频动用五行之力斗法的缘故，西北地天灾连年不说，连东南部都受到了影响，气候多变，土地的产出少，就连商业贸易也变得极少。

但至少，修仙者从不到东南来，所以普通人类还能安全地活着。看，百姓的愿望多么低微，他们只要能活着就好。

东南地全是普通人类百姓，也有些低级妖怪、精灵或者魔物等，彼此间的威胁不大，就算有打斗和争执，也不过是为混口饭吃。虽然无聊，但也单纯，所以也没有所谓的政治纷争。最严重的，不过是抢水抢地而已。最后，大部分也能协商解决。生存不易，谁也不想断了谁的活路，惹得对方拼死反击。

而二仙村中的人却都是修行者，只不过修为低点儿而已。乐飘飘就发觉，自己醒来快三年，却一点也没有衰老，甚至有"今年二十，明年十八"的感觉。显然，她也是有修为的，虽然她不清楚她的修为到底有多深厚，但打个架总成。

也正因为如此，二仙村虽然富得让人眼红，却从没有人敢打二仙村的主意，因为根本就打不过嘛。另一方面，也没有人想过与他们为难，毕竟二仙村每年都组织人手偷渡到西北之地去，带着东南和西北两地都分外匮乏的物资，互通有无。

因为西北的仙人战乱，令这些东西无法流通，做这路生意简直是一本万利。二仙村在东南这边的买卖全是合理的平价，但到西北那边却下得去黑手，因而在东南民间声望很高。

一个有钱财傍身、有武力保障、有仁义观念的村子，有哪个不长眼的会去挑衅？不服的话自己到西北试试啊！

还有，全东南的土地都贫瘠得很，就只有二仙山脚下能长出饱满可爱的农作物。村长夏凝风经常在大灾之期赈灾舍粥什么的，活命无数。偶有西北的修仙者闯过来，伤害普通百姓的时候，二仙村还会出手摆平。久而久之，二仙村连威信也有了，渐成东南之首。

据说五百年前，发挥这种作用的人们会被称为皇族。

乐飘飘是二仙村的活公主，虽然不是村长的亲戚，但三个师父却是三大长老，修为最高且不说，还管着村里大部分的事。而这三位，更是疼乐飘飘疼到没有原则。

她听大师父讲村史时得知，二仙村在五百年前只有四五十个人，经过多年发展，现在已经是有三百多人的大村了。新增人口中有外来的，要经过严格审查才能加入。还有很多是自动生成，也就是通过自然的方法生出来的。

虽然是修仙者，到底是半吊子，双修者比比皆是。其实在乐飘飘看来，不过是他们想成家立业，生儿育女。一家人平安幸福，不比做神仙差。

不过，乐飘飘对西北之地很是向往，可惜三位师父以危险为由，尽管其他事都由着她，唯独这一件，他们的态度强硬得很，绝对不允许她去。

好吧，不去就不去吧。短短三年，乐飘飘已经习惯了这样的生活，习惯了自己名为乐飘飘却只拥有现在和未来而没有过去的事实。只是不知为什么，她特别喜欢雪天，喜欢在漫天飞舞的一片雪白中，望着远处，似乎等一个什么人出现。

或者，重逢。

更奇怪的是，她昨天莫名其妙地梦见一个黑衣的盲眼男人。她隔着雪色看着他，几步的距离却怎么也走不过去。

"飘飘，你不去后山看全村大比武吗？"无迹跑来问。

这是乐飘飘苏醒后不久想出的玩法，说是交流修行心得、增加本村实力，是友谊第一、比赛第二的良性竞争。人家昆仑还五十年一度开论剑仙会呢。咦，昆仑是什么东西？

"当然去，三师父也不早点儿叫我。"乐飘飘本来是坐在床上发呆，闻言跳下来。

"别站在地上！"一个五六岁的、胖胖的，长得很可爱，可眼神很凶的小屁孩儿突然闯进来，尖声叫道："今天早上，紫雨和柳书还没有用水刷过地，你居然穿那么白的布袜子踩上去！我跟你拼了！"

紫雨和柳书是长老家聘请的两个丫鬟，专门负责侍候乐飘飘。当然，报酬不是钱，而是三大长老在修为上的指点。紫雨是村花紫墨的亲妹妹，是村长夏凝风老来俏，生下的女儿。

"看你嗓门大的，能把人都给震聋了。"乐飘飘和无迹几乎同时摸摸耳朵，只觉得耳鼓嗡嗡作响，"练狮子吼啊你。"

"狮子是什么东西，也敢要我来学？这种动物连站在我面前都不配。"小屁孩儿轻蔑地道。

他那样子虽然愤愤，但长得虎头虎脑，一张脸白里透红，看起来格外可爱，令乐飘飘忍不住捏捏他的脸，"包小妞，你太狂了啊。"

"那是因为我有狂的资本，血统这个东西是做不得假的。"包小妞得意地转过头，又是一怒，"主人我不管你多笨，脑子够不够使，至少给我改个名字，我不是女孩！"

"有你这样说主人的吗？"一声娇喝传来，接着一名八九岁的小女孩踏进了门。

虽然她的身量还没长开，眉目间却隐见绝色。她身上穿着件红色衣裙，看起来分外乖巧温和，让人见之心喜。就算是喝骂，也不见半点儿凶意。

可包小妞却缩了缩脖子，不言语了。

接着，走进来一个笑眯眯的少年，十一二岁，小小的年纪，老气横秋就算了，居然还笑得有些猥琐。搭配着他年轻的容颜，显得有些可笑。所谓欠扁的长相，大约就是这一种。

他身上穿了件青色藤甲，因为年纪还小，没有束发，脑门上突兀地长着两根短角，据他说是龙角，可怎么看都像粘着两块生姜。

"大吉，你还不知道吗？包小妞就是破车，不打不合辙的。"少年笑说。

包小妞立即火大，跳起来就嚷嚷，"大利你活得不耐烦了，别以为你是龙子我就不敢揍你，惹急了老子，咬掉你一层鳞！"

"哟哟，兔子急了要咬人哪。"大利嘴欠地继续说。

"老子是吼！不是兔子！"包小妞暴跳如雷。

乐飘飘伸出手，无迹干脆把她背到院子里，然后去找正在打扫前院的紫雨和柳书，由着三个小的在屋里吵闹。

唉，这就是和她同住的三个小屁孩儿啊。乐飘飘坐在院子里，无奈地想。早就忘记他们是她的三只灵宠了，因为修为突飞猛进，已经化了人形。

她只知道，大吉最可爱，听话又文静，跳起舞来，让人能忘掉所有伤心或不痛快的事。而大利就总是做些让人手发痒的事，但唱起歌来真是动听。大吉和大利每天早上在村口的专场演唱会，总会吸引全村人，甚至附近村落的人也会专门来听。他们的修为没有杀伤力，透着喜庆和欢乐。

至于包小妞，个子虽小，跑起来却贼快，而且能让身体变成大象那么大。不过他的性格相当暴躁，周围的野兽见了他，吓得连路也走不了。可怕的是他有严重的洁癖，总是管着乐飘飘这个主人，每每令她抓狂。

"主人，一会儿咱们一起去看比武好不好？"大吉跑到乐飘飘身边，软软的身子倚着她。

"好，带你去。"乐飘飘平时很宠大吉的。

"我们也要去。"大利和包小妞异口同声道。

乐飘飘诧异。

平时大吉会黏她,毕竟是女孩子,但大利和包小妞并不爱看比武啊。

"怎么突然有兴致了?"她纳闷地问。

"主人不知道吗?"大利连忙解释,"王大姑娘领导的科研小组,研究出了新的果种。"

大利口中的王大姑娘是外来加入的修仙者,特别擅长农耕。乐飘飘苏醒后,慧眼识珠,叫她带了几个同样擅长耕种的人,组成了科研小组,培养能增强法力的果子。至于叫什么科研小组,也是她冲口而出起的名字。全体村民都见怪不怪,就这么叫着了。

"真的?!"乐飘飘也很惊喜。

"当然是真的,听说有仙豆、变形金枣和风骚小红杏。"包小妞回答,又补充了一句,"主人你坐下时擦没擦过凳子?"

乐飘飘翻翻白眼。

说实话,当她有了自己的思维和意识后,渐渐发现村民们的性格都比较……怎么说呢……客气点,叫独特吧?像是有洁癖的暴躁儿童,喜欢装猥琐的龙少年,脑子一根筋的三师父,男女间自由转换的二师父或者师娘,好色程度令人发指的大师父,还有很多特立独行的其他村民。

实际上,一村都是二货,没一个正常人。她经常压力山大。

不过,相处时间长了,乐飘飘虽然偶尔会受不了,却很喜欢村里的人。

二怎么了?二,也是一种生活态度。

"那给我说说,这些果子有什么特异之处。"她转过心思,好奇至极。

"仙豆呢,就是一种豆子,据说是从画不成山谷中取得的野生豆种培育而成的。"大吉清脆的声音响起,给乐飘飘解释。

可是……画不成山谷?怎么听着这么耳熟呢?

三个小孩子看着乐飘飘的反应,面面相觑,见她只是愣了下,却没了下文,都暗叹一口气。

大吉接着道:"那仙豆食用之后,能令人多生一目。"

"那只多生的眼睛有什么用处?"

"这个……"大吉抓抓头发,"还不知道。难道是,看得会更清楚?"

"我打听到了。"包小妞举高小胖爪,"听说目含雷电,可用于攻击。"

"不错啊。"乐飘飘摸摸下巴，"那变形金枣和风骚小红杏呢？"

变形金枣为什么会令她想起变形金刚？虽然变形金刚是个什么东西，她也记不起了，但想来是能让人变形的吧？可风骚小红杏什么意思？难道食之，会令人变得风骚浪荡？这也是法术？

"吃了变形金枣，能在短时间内生出三头六臂，瞬间提高战斗力。"大吉继续解释，"风骚小红杏的气味清香扑鼻，如甘露沁心。食之，能使人生出风、雷二翅，随风而起。"

这么个风骚法啊！谁起的烂名字啊。乐飘飘心想，不就是吃了变鸟人吗？这样也好，那些不能驭器飞行，或者没有飞行兽的村民可以多备。遇事之时，立即吃了，生出翅膀好跑路啊。

"不错不错，咱们快去看看。"乐飘飘挺高兴，"原来今天的比武是试果子啊。有人报名吗？"

"村民都很踊跃。"大利点头道，身子往旁边让了让，因为紫雨拿了衣服和鞋子来，帮乐飘飘快速穿好。

这时候无迹也回来了，一行五人就直奔后山。

二仙山是两个馒头似的土包包，样子不出彩，却自成屏障，保护着山坳里的二仙村。所谓后山，是指左边那座山的山后空地，用来做了演武场。右边的山后空地，因为日照最好，用做晾晒粮食的场院。

乐飘飘等人到来的时候，演武场四周搭的木台子上已经坐满了人。这叫观众席，也是乐飘飘的发明。而观众席围绕的空地上，站了三排，每排十个，共三十个人，估计是来试果子的志愿者。

似乎一群人都在等她来，她一到场，试验赛就正式开始了。主持者是大师父小一郎、二师父凤九和王大姑娘，负责盯着试验品，免得被哪个不长眼的吃下去。要知道试验者都是挑选好的，必须身体适应能力很强才行。

"开始！"小一郎一挥手。

立即有衣着艳丽的本村美女列队而出，整得和礼仪小姐似的，人手一个托盘，盘上放着一颗果子，或是枣子，或是豆子，或是杏子。当然，卖相比普通果子好看不知多少倍，不仅是颜色和形状大小，果子外面还隐有光华似的。

很快果子发放完毕，小一郎又是一声令下，试验者立即与众人保持安全距离，带着兴奋与紧张，把果子吃了下去。

"不管有没有法术效果，这味道不错啊。"仙豆的试吃组组长梦飞飞回味道。

"甜不？甜不？"有人问。

"他吃的是豆子，哪有甜味，真是废话啊。"有人抢着说。

接着又有人问试吃杏子和枣子的人滋味如何，他们一致说：就算果子中的法术部分不起作用，至少从口感上来说，是极品果子。

在众人的议论、哄笑和吞口水声中，仙豆组率先产生了异变。

"哎呀哎呀，额头中间疼，似乎要裂开了。"

"别捂着，让我看到变化。"王大姑娘拿着纸笔，记录着试验过程。

仙豆组的人咬牙挪开按在额头上的手，还有人嚷嚷说有些发痒。而观众席上却发出惊叹声，因为每个人都清清楚楚地看到，仙豆组成员果然在眉心之间长出了第三只眼。

可是这惊叹很快变成了惊呼，因为那第三只眼不看还好，看向哪里，就有雷电闪过，啪啪劈得观众们东躲西藏，连台子也给劈断了一层，还着起了火，要不是火头旁边正是个水属性修行者，只怕会酿成火灾。

"看地上，看地上！"王大姑娘喊。

仙豆组这才知道仙豆的属性还不稳定，需要改进，于是连忙垂下头去。但这样一来，电光击到地面，砸下深浅不一的坑，巨大的反作用力，把仙豆组成员自己给撞翻了。

幸好仙豆是试验品，时效很短，半盏茶时间就失效了。这时候，众人倒觉得它没有持续一整天，实在是件好事，不然，全村都得遭雷灾啊。

"嗯嗯，明白了，要加强收控力和持久力。"王大姑娘一脸兴奋，边记录边说。

"啊啊，金枣组也变异了！"又有人喊。

大家虽然都灰头土脸的，但完全没被影响兴致，于是纷纷望去，就只见金枣组的人都站得笔直，口中不断地发出呼喝声，接着，真的在头侧长出新头，在肩上长出新手臂。不过……不一定是三头六臂，数目上明显不足，有的只长了半颗头，极为怪异。

"这不是残次品怪物吗？"

在众人的哄笑声中，金枣组的队长黄大力大喝一声，往场中央那么一站，却是完整的三头六臂。不过嘛，那三头转动不了，六臂中除了自个儿本身的双臂，都面条一样软软耷拉着，还不如没有。

"嗯嗯，在完整性和力量上再加强。"王大姑娘找出问题所在，神情严肃地说着，别人也就不敢再嘲笑，也认真起来了。

说到底，这是造福全村的好事，大家应该多鼓励，不应该冷嘲热讽的嘛。但是，这种情形确实很欢乐啊。

乐飘飘笑得肚子疼，倒在无迹的身上。大冬天的，虽然日照不强，但反光严重，无迹怕晒到她，帮她撑着那把淡金色的伞。

"我们二仙村真欢乐是不是？"乐飘飘颇为自豪地说："村民们也都很欢乐，能活得这样畅情适意，给个神仙也不换！"

"二仙村，就是天堂。"无迹的眸光一闪，威势凌人，但很快，就又变回一根筋的愣样子。

"哎呀，红杏组也变身啦！"大利指着场中，大叫一声。

因为红杏组都是要长出翅膀的，所以这组试吃者都光着上身，免得把衣服弄破了。

庄户人家，不管贫富都爱惜东西，不然大家都认为会遭天谴的。

而此时，红杏组果然都生出双翅，尽管翅膀大小不一，但竟也都能飞。尽管飞得高低远近不同，弱些的，顶多算是滑翔，就像家里养的鸡，想飞出围栏却又飞不高，那滑稽的样子惹得众人发笑。但很快，他们就被那些翅膀扇出的灰尘呛得咳嗽。

"快别扇了，停得住不？"有人问。

显然是停不了的。而飞得高的人，因为无法控制风向和力度，在空中大叫："闪开闪开！要撞上了。啊，要撞了！要撞了！啊！"撞上山石和树木的还好，撞向观众席的则闹到人仰马翻，惊叫声不断。

然而就在这时，红杏组组长夏小珂突然在空中稳住了身形。他是翅膀长得最完美，也是控制最好的。显然，三组试验者，他是最成功的一个。但他却在王大姑娘惊喜的目光中，缓缓飞到看台一侧。

只见他来到苏家的闺女苏凰面前，对着这温柔大方的美女伸出手来，"苏妹妹，你愿意嫁给我吗？"竟然是当场求婚。

苏凰的脸一下就红了，偏偏小手被夏小珂攥着，抽了几次抽不出来，只得把头垂下去，羞涩至极。

"我靠，居然真的很风骚！"无迹忍不住大叫出声。

这夏小珂，大家是知道的，为人很是内向木讷，跟人说话未语先脸红，比大姑

娘还脸皮儿薄，可今天这举动……很明显，风骚小红杏的药效很强啊。

"我也要！我也要！"

"给我一颗，真带劲儿啊！"

一时之间，风骚小红杏大受欢迎，喜得王大姑娘脸色绯红，不住地点头。

"苏凰，你就嫁给他呗。"小一郎插嘴，"省得我总惦记着，坏了我的道心和节操。"

"是啊，嫁了吧。"凤九也说。

众人哪有不跟着起哄的道理，一起高喊："嫁给他！嫁给他！嫁给他！"

直到苏凰羞涩地点头，叫闹声才变成一片掌声和祝福，以及欢笑声。

回到家里后，乐飘飘又叽叽喳喳和紫雨与柳书议论了半天。

"咱们二仙村是很有前途的呀。"小一郎感叹，抱着手就想往乐飘飘和柳书、紫雨那屋凑。

"色字头上一把刀。"凤九很"贤惠"地劝说。

倒是无迹一把揪住小一郎衣领，把他拎回来，"大哥头上有好多把刀了，跟他说这个没有用，他没脸没皮的。"

"怎么和大哥说话呢？我到底还是不是你大哥？一点也不尊重。"小一郎不满地道，"我已经保证过绝对不对徒弟动手了，你还要盯死我，何必呢？我是很有节操的。"

"这话你天天挂在嘴边，"无迹气呼呼地说，"可是却不做身为长老的正事，天天偷鸡摸狗的。"

凤九见大哥和三弟又要吵起来，烦恼地拍拍额头上还没消肿的大紫包，阻拦道："别说那些没用的，倒是马上又要去西北走货了，这回要不要带飘飘去？"

小一郎愣住，"她又吵着要去了？"

"还没。"凤九摇头，"但我看她的样子，肯定会闹。这一回，又找什么借口不让她去？"

"况且，昨天她见到那人了。"无迹闷声说道。

大雪初晴，院子内很明亮，却不知为什么，给人瞬间黯淡下去的感觉。

"你确定吗？"小一郎问。

无迹点了点头，"但是她没认出来。只是，她还是对他有好感，拉着他说了半天的话。那人倒是行止有度，没有过多纠缠。我猜……唉，只是想她，来看看罢了。"

"就是说，我们不用担心那人会来认走飘飘，甚至把她带走？"凤九蹙紧了眉。

此时如果有人闯进院子中，就会看到三个丰神俊秀的男人，满身全是高贵俊逸之态，哪可能是那三个空有美貌却气质糟糕的二仙村三大长老？若活得够久的，谁不知道他们曾是修仙界三大帅主，若非被情所误，就是顶尖的人物。而这情，却是亲情。

"当年，飘飘形神俱灭。"半晌，小一郎叹了口气，神情冷凝高雅，哪有半点儿猥琐的急色鬼模样，"我们还曾以为永远失去她了，真真痛不欲生，只能完成她的遗愿，照她信上所嘱咐的去做，带着二仙门人回来居住。哪想到不过百年，失了眼的百里布亲自把她背回来，放在村前，也不说怎么救的她，就那么飘然离去。四百年了，都没回来过。若说相思，为什么不早来看看？就算飘飘又沉睡了四百年，在睡梦中修行、恢复，但三年前她就醒来了，那时，百里布又为什么不来？"

"大哥的意思是……百里布的出现与昆仑那边最近的异动有关吗？"凤九狭长的凤目闪过冷光。

"我管他呢。"无迹冷哼一声，"当年为着飘飘的遗愿，我忍了。若再有人犯到她头上，我定不饶恕！不再是魔主又如何，五百年以来，我们的修为已经完全恢复，保住自己的徒弟有何为难？"

他们三人伪装得彻底，谁都不会想到二仙村的三位长老，竟是能撼天动地的人物。

"飘飘喜欢这种日子，我们保着她过这种日子算了。"无迹又说："当年我们曾经对不起她，害她左右为难，非要以死才能解决。今后，我不管天地苍生，只要把欠她的还给她就好了。"

"我明白的。"小一郎拍拍无迹的肩，"我们都是如此，就怕冥冥中自有力量，又把飘飘推到风口浪尖上。而且，她好奇心重，又胆大妄为，若她想做什么，我们一味阻拦，她暗中跟去反而不好。"

"大哥的意思是，这回去西北之地，要带飘飘同行吗？"凤九的眉头皱得更紧，"我只怕触景生情，让她想起过往的事。"

"你放心吧，要想起过去，很难。"小一郎想了想道，"她残魂重聚，像我们当年一样，由魂根塑造的肉身，虽然跟以前长得一模一样，但毕竟，她之前的三魂七魄都碎了，能复活已是不易，很难再记起从前了。"

"那就带她走一趟吧。"无迹道，"她的傀儡术那么精深，想个由头让她变换容貌，她会很乐意配合的，到时候，谁又认得出她？其实我担心的是百里布，他对飘飘的感情那么深，万一咱们不在时，他又找了来可怎么办？他才是我们要防的人。到底当初飘飘的死，没有几个人知道，都一直以为她伤重疗伤呢。所以就算她被认出来，也没什么了不得。"

三人对视，都点了点头。

"那有个什么名头才好。"小一郎道，"这一趟，村里的人都想去。就算飘飘是我们的心肝宝贝，但这是生意，关系到全村甚至整个东南的生计，没个说法，到底名不正言不顺。"

"这有何难？"无迹摊开手，"飘飘本来就是咱们二仙门的掌门，虽然避到东南，不掺和那些争权夺利的事后二仙门已经算是解散，但人还是那些人，尤其老人，谁不知道飘飘才是大当家的呀。"

"就她自己还不知道。"凤九突然觉得好笑，"正好借机改个叫法吧。没了二仙门，可有咱们跑单帮的二仙村，她这掌门直接改帮主得了，多有江湖气啊，她肯定喜欢。"

他这样一说，小一郎和无迹也有同感。三人低声商量，很快就把这回出门的事大致理了个通顺。随后小一郎拍拍衣袖，"那什么，这好事就由我告诉飘飘去。高兴起来，她肯定得给我来个大抱抱、大亲亲。身为大师父，我就却之不恭了。"正事说完，三人又恢复极二的状态，顶多是长得很好看的二货。

无迹当然不许，和小一郎扭在一处，谁也奈何不了谁。

倒是凤九，凉凉地笑道："看看，一不小心又让我渔翁得利了。"说着，他转身进了乐飘飘的房间，气得无迹和小一郎大骂凤九比狐狸还奸诈。

凤九只是不理，那边和乐飘飘说完事，她果然乐得蹦起来，直接给了凤九一个熊抱。

接下来的一段时间，就是准备去西北的商队事宜。

要策划路线和确定随行人员，因为西北的战事很多，路途当然也是每年都不同。还有，要带哪些货物走，以什么价格进货，到了那边又要采购些什么来，都要提前做好计划。

一来二去，两个月时间就过去了。

第二十八章
原来我这么厉害

雪化春来。

过了春节，出了正月，在安排好春耕事宜后，二仙村的商队就从东南的凡人聚居地出发，前往西北的修仙之地而去。

同行的除了二仙村中的人之外，还有很多小商人。由于修仙界的连年战争，凡人的国家系统也被破坏了，导致货币无法流通，商贸事宜就变成了以物易物。

因为商队中有很多普通人，又因为翻过西行山后就不允许驭器飞行，否则会被西北的修仙者当成入侵者打下来，所以，尽管二仙门中的人可以上天遁地，也只好老老实实地用双脚走路，何况还带着那么多货物。

不过当乐飘飘看到自己的坐骑时，还是非常不满，"为什么是包小妞？骑兔子多丢人！"

"要不然，叫大吉、大利背你也行。"无迹对着徒弟一脸奴相，轻声哄着，"其实包小妞变回原形时，身上的毛很软和的。大吉、大利也能当坐骑，就是不如包小妞又快又稳，术业有专攻嘛。"

大利一听，立马躲到凤九身后。他是化了人形的龙子啊，做娱乐事业的，不是运输业。

大吉倒是老实，点头道："我可以背主人哦，但是我变回原形时不能飞，走路会一跳一跳的，就怕主人不舒服。"

乐飘飘的眼睛向旁边瞄了瞄，"我想骑马。"

包小妞立即暴跳，"马？你拿我和凡马相比，而且还觉得我不如一匹马！你知不知道，就算天马见了我也得客气三分。主人你是侮辱我吗？告诉你，我不会屈服的！"

　　"上包小妞！"小一郎果断挥手，结束这段无聊的争执，显示出商队一把手的气势来。

　　乐飘飘不情不愿地趴在包小妞背上。

　　是挺舒服的，但路上只要遇到人，就会有人把目光集中在她身上，让她很是郁闷。其实她不知道，那些人看向她的目光是艳羡和尊敬。

　　"那就是二仙门的帮主吧？"

　　"啊，好年轻啊。我从没见过这么漂亮的姑娘，只有她才穿得起丝绸，戴得起珠花吧？"

　　"那是应该的，没有二仙门，咱们的日子会更苦。这姑娘是帮主，就算是她三个师父捧她上位的，到底也是大人物啊。"

　　"不知道这样有钱有势的美女，谁能娶回家去。"

　　"收了你的心思，那是普通人高攀得上的吗？"

　　"唉，要是谁家女儿嫁给三大长老也行，长得多帅啊。再不济，能嫁进二仙村就是福气。"

　　……

　　"飘飘，明天就进山了。"这天晚上，小一郎对乐飘飘说："你变幻一下形貌好不好？就扮成个男人，不能太漂亮哦。"

　　"就是不能像我。"凤九连忙补充一句。

　　乐飘飘醒来后，不仅忘记了以前的事，还把怎么施展法术也忘记了。

　　这就好比有深厚的内力，怎样运用却有点儿记忆残缺，需要师父们告诉她，或者自己进入龙神殿空间去查玉简。奇怪的是，怎么进龙神殿空间、龙神殿的名字是什么，她倒是知道。

　　在二仙门的时候，根本不需要她劳动或者打架，三个师父又纵容着她无所事事，所以到目前为止，她所会的法术不过几个。变形术是其中之一，据大师父讲，是从傀儡术演变来的。

　　于是乐飘飘调动体内的力量，令肌肉甚至骨骼发生微动，很快就变成一个十五六岁的少年，胖乎乎的，除了那双明媚的眼睛，其他的与原来的她完全不同了。

　　毕竟，眼神是一个人内心气质的反映，不是轻易变换得了的。但这样，已经足够。

"我不能再骑包小妞了，得改骑马。"她借机提出要求，"不然通过灵宠就能看出主人，我变成什么样也没用。"

"不行，继续骑包小妞。"小一郎立即反对，"你去空间查查看，找出办法把包小妞变成马就行了。至于大吉、大利，缩身为发簪好了，戴在你头上随身保护。"

"我不要变成马！这是对我们吼一族的亵渎！"包小妞抗议。

凤九瞄了一眼乐飘飘，以为她会反对。复活以后，她有时会有些随心所欲，不是因为任性胡为，而是因为茫然无措。他很心疼她这一点，可是没有办法。他们三个研究过，到底要飘飘想起来好，还是这么永远糊涂下去好？可他们至今也不能确定。

或者，也只有顺其自然为好。

奇怪的是，乐飘飘没有出声，而是低下头去，浅淡的秀眉轻蹙着，不知在想些什么。众人不知道的是，乐飘飘这时候突然脑子大乱，似乎有什么画面从眼前闪过。

似乎……有一个男人，也是拿灵宠做头饰的。

是谁呢？

二十四五岁的样子，高个子，身穿白袍，头发用一只白玉鹤形冠束住。应该长得很好看，还应该有一双神采飞扬的长眉和亮晶晶的大眼睛，就算站在阴影处，也像阳光都集中在他身上似的。

谁呢？谁呢？那个男人是谁？她应该认识才对呀。

那个人，似乎也不是很重要，却很关键，像一团乱麻中的线头，找到他，就能理顺她脑海里那纠缠不清的乱网。

"飘飘，别发呆。"她正用力想着，凤九忽然拉了神游魂外的她一把，"快点收拾，然后陪二师父去做饭。"

乐飘飘思维一顿，集中的精神再度涣散了，那种头疼欲裂的痛苦感也突然消失，就像她从没这样苦恼过似的，高高兴兴地跟去忙活。

营地建在山腰的背风处，是一块凹进去的天然山洞，上有顶，两侧有壁，面前有一条非常狭窄却没干涸的小溪，溪边有不少陈旧却结实的石头灶台。再往里，也有些人类留宿过的痕迹，很多东西就堆在一边，用起来挺顺手。想来，这是商队和来往行人固定落脚的地方，也算是避难所。

在左侧的山壁上也有一条水流，清澈的水一滴滴流下来，商队中人拿了各种器皿去接，好用于明天的饮用供给。

石洞非常宽大，各个营帐的布置也是有讲究的，是二仙门的布阵组设的阵法。乐飘飘当然和她的三只灵宠睡在最中心位置的帐篷里，半夜时分，她睡得正香，包小妞和大吉、大利却几乎同时坐了起来。

"怎么了？"乐飘飘低声问。

"有人靠近。"大利伏在地上，"得有几百人，全是有修为的。"

大吉脸色一白，"怎么回事？"

"管他呢。"包小妞嗤之以鼻，"老子正暴躁，还发愁没人给我泻火呢，正好也让某些没品位的主人，看一看我包小妞的神威！"

他还没忘记乐飘飘要把他变成马的事，可以说是耿耿于怀。他口口声声嚷嚷着要改名儿，但已经习惯了包小妞这个女性化的名字。

"笨蛋。"大利低声骂道，"二仙村的商队也不是第一回在东南和西北之间行走，头些年还遇到不长眼的来打劫，可近来不管是人类还是修仙者，甚至是冥界的阴兵都会给几分面子。哪儿来的野修敢在太岁头上动土？今天既然敢来，要么是傻瓜新丁，要么就是有所倚仗，当然要小心。"

"你知道个屁，难道你跟来过？今年能出来，也是沾了主人的光！"包小妞不服气。

"喊，没吃过猪肉，还没见过猪跑？"大利飞了个白眼，在黑夜中尤其显得突出，"我经常听长老们讲起商队的事，当然很清楚了。不像某些'马'，不学无术！"

包小妞一听就要急，被乐飘飘及时地一手一个掐住脖子，"都老实点，这时候还吵！大吉，快去通知我三个师父。你们两个，跟我去出去看看！"

大吉应了一声，快速消失。

野修，是近五百年来出现的新词。基本来说，是被摒弃于普通人类和修士之外的。

大陆分为东南和西北之后，修仙联盟与幽冥界之间，以及修仙联盟内部的各种争斗都会控制在西北地界进行，绝对不会骚扰到东南部。普通人类自然不会到西北部去，有些修士或者因为厌倦，或者因为胆怯，或者因为其他原因，也有来到东南部生活的。

但经过悠长的五百年，各方有个不成文的规定：修士若选择生活在普通人类之中，就只能运用法力帮助人，而不能伤害人。若有违反，修仙联盟、幽冥军和人类自发组织的自我保护力量，都会努力消灭他。

这是一种力量平衡，很微妙，却也很必要。

乱世如斯，天下无一处净土，修仙者也没有时间和精力求证大道，因而大多数修仙者会低调做人，在灵气枯竭、气息纷乱中苦苦求索，还有二仙门这样的门派以帮助普通人为己任。

但有好就有坏，还有相当一部分修仙者习惯了视人类如蝼蚁，有着强烈的优越感，他们既不想加入修仙联盟去送死，又不想辛苦劳作以养活自身，于是就强取豪夺。

这样的人自然是过街老鼠，久而久之，他们也结成帮派，躲藏起来，变成了劫匪和强盗一类的人。偏偏他们有修为在身，纵然在实力上参差不齐，也非普通人所能抗衡，更为修仙联盟所追杀，于是成就了野修这一新的分类。

事实上，他们算得上已经堕入魔道。

当大利和包小妞跟着乐飘飘跑出洞口的时候，小一郎等三人已经得到了消息。无迹第一个冲过来，挡在乐飘飘之前，"你出来干什么？快回去！"

"我想观战。"乐飘飘拉住无迹的衣袖，"有三师父在，我不会有危险的。"

可无迹平时虽然没原则地宠她，这时候却难得的严肃，"撒娇这招没用！那边野修来得不少，而且修为都不低，只怕是有预谋的。"

乐飘飘垂头丧气地往回走，虽然有点儿失望，却也没再坚持。毕竟，她分得清轻重，这时候哪能纠缠。不看就不看吧。哼，以后她勤奋修行，下回说不定自己上阵呢。

无迹看着她落寞的身影，心中突然就涌上不忍，想由着她、纵着她，让她想干什么就干什么。但是，保证她安全的心意还是占了上风，他只在她身后嚷道："叫大利和包小妞站在洞口帮你描述实景，反正他们两个平时那么多话。"

哈，这个不错！

乐飘飘转过身，两眼发亮。而包小妞和大利平时都是极好热闹的家伙，这时候当然痛快地应下，一左一右挤到洞口去。

这时，外面已经有撞击声出现了，无迹只好匆匆跑出去。当他抬眼看去，倒也真的吃了一惊，没想到野修这么多，而且修为有不少已经到了金丹以上。没听说野修中有这样强大的力量存在啊，而且还聚集在一起。

不知为什么，他似乎闻到了阴谋的味道，向凤九和小一郎看去，见他们也是同样的神色。

"会不会是修仙联盟暗中……"凤九蹙了蹙眉。

"基本上不会。"小一郎很肯定，"除非有叛徒。"

"可我实在想不出，除了修仙联盟，谁还会有这样有实力的组织。"凤九抬了抬线条优美的下巴，"看，那边居然有一个元婴。"

"切。"无迹轻哼道，"什么道心澄明、什么大能者，一个个人五人六的，在利益面前还不是同凡人一样蝇营狗苟？我算明白为什么修仙者众，而飞升者绝少了，到底内心之私，不是随便就能摒除的。道心若有一丝沾染，又如何能成就大道？"

"这样也好。"小一郎微微冷笑，"当初我们回二仙门，保证过把自己的实力打对折，不向外泄露真实身份和修为，但若是修仙联盟先毁约，我们自然不必再遵守。"

"是啊，五百年了，也该活动活动了。"凤九伸了个懒腰，那样子就像是要出门散步一样。

大利和包小妞在洞口虽然听不到他们在说些什么，但却看得清楚，立即添油加醋地大声向乐飘飘描述。

"其他人可打上了吗？"乐飘飘激动地问，"紫墨姐姐、田有佳姐姐打得可漂亮？"

"早打上了。"包小妞抢着道，"咱们二仙门训练有素，没等三大长老吩咐，就已经结了剑阵和法阵，把野修拦在了外面。"

"村花和村医打得可漂亮了，仙女什么样，她们就什么样。"大利解说。

包小妞不服气了，"你见过仙女吗？乱讲！"

"妈的！老子是龙种，不属于凡间，误落而已，有什么没见过！"大利大怒。

乐飘飘抬手就两记指风，点在这两只的后颈上，让他们别在这时候吵嘴，赶紧继续进行实况转播。

只是，龙……凡间……误落……这几个词怎么会触得她心头一动？

"啊，对方出现五个大能者！这是什么实力？是野修还是修仙联盟的分支啊？"

"三大长老出手了啊。哇哇哇，好厉害。"

"咦，他们的修为到底有多深？以我的经验来说，这已经超出了金丹的水准！"

"嘁，你有个屁经验，大肉虫子似的，见天就会哼哼唧唧。"

"以你这种兔子的智商是不会理解的。哎呀，快看。"

"太可怕了！连三大长老都打得那么帅。"

"这个我同意你。啊，快看，木气连枝、水淹不周山、土动乾坤！三大长老发大招啦！"

可就在这时，异变突起！

地面突然猛烈地抖动了起来，程度之剧烈，宛如地面整个被掀起又落下，坚实的土地变成了翻腾的浪涛。同时，石壁的顶部和侧部如同碎裂的豆腐般，扑簌簌落下。

更有粗如殿柱的黑色野藤带着隆隆的嘶吼，冲破地面，昂扬而出。更有一些惨绿的虚影，变幻着形状，不知从何处而来。

"地龙和山精！"不知谁喊了一句，声音里满是无尽的恐惧。

修仙世界，精怪自然是存在的。

但在以前，天下正气浩然，它们并不会出现在人前，如今世上一切的秩序都混乱不堪，各种异物就开始横行山野。

而乐飘飘本来站在最安全的地方，可谁想到山洞内部出了问题，倒把她抛在了危险中心。

事发突然，之前又没有预兆，于是惊叫声中，乐飘飘猛然陷入地面裂开的巨大缝隙中。

旁人来不及救援，法术也施展不出。乐飘飘倒是在惊恐中保持着一丝冷静，挥出掌风，把身边的大吉抛到大利那边。

"主人！"三只灵宠一起焦急地大叫，但乐飘飘的身影却消失了。

洞外，"地震"也在波及。事实上，整座山都抖动了。而野修们似乎早有准备，在山洞就要塌倒的时刻，突然全体撤出了战圈。

"不好！"三大帅主立即反应了过来，小一郎迅速发布命令，"穷寇莫追，余人守住方位不动。老二、老三，跟我来！"

可当他们三人飘至洞口，正看到石洞被夷为平地，连整座山峰都似歪了般。若不是有修为者拼死相护，那些凡人商户必死无葬身之地。见此，无迹和凤九目眦欲裂，运用大神通，移开巨大山石，就见山精和地龙还没彻底退去，狂怒之下把它们斩得粉碎。可惜地面却不知何时合拢了，再找不到乐飘飘的行迹。

无迹立即纵身而起，身外凝结魔气，就要钻入地下寻找，却被小一郎拦住，"慢着，你关心则乱，瞎找一气，不但找不回飘飘，还可能置她于险地！"

"那要怎么办？"凤九也急了。

"这些野修是冲飘飘来的，我们中了调虎离山之计。"小一郎强压怒火，"安逸太久，还以为可以置身世外，哪知覆巢之下，焉有完卵？我一时想不出谁的利益和飘飘相关，非绑了她不可。但至少她暂时不会有危险，不然直接杀死她就是，犯不着闹出这样大的阵仗。若我们逼得太急，反而会迫对方出手，于飘飘不利。"

"可是也不能放任不管哪。"无迹的眼睛变得赤红，"若被我知道是谁下手，定要他灰飞烟灭、尸骨无存！"

"飘飘是我们三个人的心尖子，怎么能置之不理？"凤九急道，"不过我明白老大的意思，你我虽然不再坐着妖魔两族的最高位，但多少有些嫡系亲支，老大在昆仑派也有根基，我们各自派人暗中寻找，哪怕掘地三尺也要找出线索。"

"是，是我的心乱了。"无迹略微想想，也就明白了，"找几个人明着找，但不要太深入，看起来焦急就是了，暗找的人才动真力气。最重要的，我们要知道是谁在暗中操作。"

"难道……还是因为百里布？"凤九迟疑了。

且不说他们三人如何组织人手寻找乐飘飘，他们口中念叨之人远在深深的地下，却突然蹙紧了眉头，睁开了眼睛。

自从失去飘飘，他就再也没有躺下休息过，累极之时，就是盘膝而坐，闭目调息。可就在一瞬之前，他感觉到掌心中的守约砂突然剧烈跳动起来。

那守约砂，本是为了让飘飘不说出某些事情而种下，后来居然变成了心念相连之物。飘飘在他身边等待复生的一百年里，他有意加强了这小东西的念力，因而飘飘有什么危险，他就能立即知道。

"北天。"他轻声叫。

燕北天立即从暗影处现身，低头道："陛下，何事？"

"守着幽冥地宫，没得到我的命令，绝不允许有任何动作。"

"出了什么事？"

"我要出去一趟。"

"陛下带多少人？"

"无须。"

"不行。"燕北天立即反对。

"飘飘有难。"百里布沉默了一秒，苦涩地说："我会悄悄援手，人多了，反而容易被修仙联盟的人发觉。"

"你又要去救她了。"燕北天摇头苦笑。

他不劝了，因为事关飘飘，冥王就固执得很，听不进哪怕一个字的忠言。何况，他也不想飘飘有事。只是都经历了生死，是谁还不放过那可爱的姑娘？

百里布再不答话，飘身而出。

他继承冥王之位已经五百年，不仅可以控制整个幽冥及其军事力量，也能随意出入阴间与凡间，而且不被修仙联盟的人发觉。只是他心口总有一处奇怪的伤，阻碍他的修为更进一步。

距离飞升仅一步之遥，可却停滞了，是老天不让他飞升，还是身处幽冥之地，就永远也见不得光？他不知道。他只知道幽冥阴兵与修仙联盟的仇怨无法化解，他更肩负着百里家族的血海深仇。或者，上天也明白，他若成神，必是生灵涂炭，所以封了他的路。

不过，没关系。五百年来大战小战不断，不管修仙联盟用什么招数，他都没有败过。凭自己的力量，他也可以颠覆这天地！只要他的伤彻底好起来，修仙联盟就会面临灭亡。

但是，毁灭的一切不包括飘飘。不管因为什么，飘飘有危险，他是一定会出手的。

他抬起左手，掌心中的疤痕火烧一样，还变得红了，似有什么力量，牵引着他的手向北指着。他没有犹豫，化身为一道淡金色光芒，向北飞掠而去。

而他的身影才消失，就有另一道身影从嶙峋怪石后走了出来。

月光下，那男人异常美貌，妖气荡然，特别是一双完美至极的手，令人见之沉迷。

"果然啊，多情种子。"他轻轻一笑，正是狐妖王乱。

当年被百里布的乾坤箭追杀，一直不知所踪的他，如今修为大进，却离飞升还远。不得已，他还有人情债要还，也有性命债要讨。

他抬头望向凌厉山峦的极顶，望向那云上的高处不胜寒处，露出嘲讽笑意。接着他身形一顿，疾速飞起，片刻后穿云破雾，稳稳落在山巅的一块巨石上。

那里，一个身形娇小、浑身被火红包裹的人背对着他站着。

"百里布果然去救乐飘飘了。"乱稟报道，脸上换上恭敬的神色，虽然眼神仍是戏谑。

"继续盯着。"那人回答，是女人的声音，"有本座赐你的防护结界，只要你小心些，百里布是不会发觉的。"

"是。"

"称本座为主人。"女人冷冷地道，分外傲慢，"你该记得，五百年前，乐飘飘第一次入昆仑秘境前，本座就叫你杀掉她，可是你失手了。她后来掀起了多大的风浪，你不知道吗？本座没有杀你，还在百里布以神箭追杀你时破了法术，还你自由。你自愿卖身于本座，如今可是忘记了？"

"是，主人。"乱并不顶嘴，只是看起来没几分真心。

那女人也不介意，只道："前面的陷阱可布好了？你该知道，乐飘飘是钓百里布的饵，百里布是钓赤羽的饵，一环套一环，半点儿错不得。乐飘飘生命有危险，百里布才会救她，也会因而涉险，但他们还不能死透，这样赤羽才会出现。"

"主人确定当年那魔头赤羽没有死吗？"乱对此有点儿好奇。凭什么，这女人这么笃定？

"你很多嘴。"女人哼了声，抬头望天，然后，像是自言自语，又像是解释，"什么是死？什么是生？这些远不是你们凡人可以参透的。没有了肉身就是死亡吗？那不过是暂时的罢了。告诉你，赤羽是神，天上的龙神，上界第一战将，天帝的生死至交。他若死了，那颗帝星旁边的伴星，为何只是黯淡，却并不陨落？"

"哪一颗是帝星？哪一颗是伴星？"乱望着满天繁星，问。

"你不需要知道，去办事吧。"那女人转过身，露出那惊世绝艳的脸，竟是东尊付采薇。

借着指尖涌出的微光，乐飘飘看到四面八方不断有土壤、石头和黑影挤压过来。

生死存亡之际，她脑子里也不知怎的就出现了一种法咒，她本能地连念数遍，就感觉丹田内那个被金色包裹着的红色云团骤然炸开。随后她周身外就形成了一个巨大的发光结界，抵住了外部的压力。

乐飘飘一遍遍地念着法咒，冷汗不住地渗出来。师父说她是有修为的，但她不知道自己到了什么程度，只觉得可能不需要呼吸和吃喝也能生存一定的年限。可有时候，呼吸和吃喝不只是生理需要，而是心理需要，能证明……她还活着。

也正在此时，她掌心中忽然突突地跳起来，好像握着心脏似的。乐飘飘张开手掌望去，就见本来干净的手心中，居然浮现出一颗红痣，像一滴血，又有点儿像朱砂，并且越来越烫。

怪的是她没觉得害怕，反而是感觉心安，甚至……熟悉。然后，她的目光居然穿透了厚厚的土层，看到一个男人缓步走着。他每踏出一步，周围的土地就像平民见到王者，躬身退让，纷纷闪开道路，之后又在他身后合拢，变幻万千，但仍是不敢逼近他。

似乎，他是这幽暗地下的王。

更重要的是，她认得那个男人。大雪纷飞的路上，他一个人孤独地来去，看着就让人心疼。还有刑场的场景，他骑着马，被军队簇拥着，隔雪望来，眼神比冰霜还冷。

她到底见过他一次还是两次，怎么记不清了？他又怎么会出现在这里？

她本能地挥挥手，可那声呼唤却卡在了喉咙里。她忘记他是看不见的，那块黑布还是蒙在他的眼睛上，身上也还穿着那黑色的宽袍，领口和袖边及下摆，绣着的精致银色龙纹暗暗闪着光。

那朴素至极的打扮，却又显得极为华丽，可他却一脸漫不经心的模样，在黑暗的地下踽踽独行，然后停住了脚步，向她"看"来。

"又见面了。"他似叹息着说。

"你怎么在这儿？"乐飘飘问，随后又觉得极为怪异。

她和他之间，虽然看得见、听得到，却似乎隔着很远，至少几里之外，怎么会感觉得这么清楚呢？而且，他修行的是土系法术吗？她虽然记不起事了，却肯定土系修行者能有他这样的能力，能在土地深处行走自如，连一片尘土也不沾。

"路过。"

路过？这理由也太逆天了吧！但谁知道呢？说不定他就是这样修行的。

"请你帮我，救我出去。"她连忙求助，"我不是土系修士，你要不伸援手，我就得被永远埋在这儿了。"

男人突然笑了下，"姑娘是什么系的修行者？"

乐飘飘一愣，想起从没问过师父们。但不知为何，心里却有个答案，大约……她是五系齐全的废柴。

好在，那男人并没有再问，而是说："好，在那儿等我。"

乐飘飘点点头，瞬间心安，她也不知自己对这蒙眼男人的信任是从何处而来的，仿佛就刻在骨子里，哪怕相逢不相识，那种感觉也不会变。

他说，在那儿等我，她就坚信，他一定会过来的。

"我叫乐飘飘。恩公，你叫我飘飘吧。"她看着那男人向她走来，客气地自报家门。

男人犹豫了一下，仍然回答："我是百里布。"

乐飘飘顿时大为吃惊。

百里布的名号，她是听过的。冥王嘛，修仙联盟的死对头。虽然和他们东南之地的普通百姓没什么关系，但那些故事倒是听过的。故事中，他是个可怕的魔头，杀人不眨眼，吃人不吐骨头，能止小儿夜啼，比阎王还吓人。故事中，他还是丑陋无比的怪物，可为什么这么好看？

"怕了吗？可还要我救你？"百里布唇角微动，苦笑若隐若现。

"我不怕你，只是……你和我想象中的不一样。果然耳听为虚，眼见为实啊。"

"眼见也不一定为实，不然为什么有傀儡术？"百里布的语调里突然有些悲伤，"就连自己的心，也是会骗自己的。"

"多问几遍、多等等就好了，欺骗嘛，总是不长久。"乐飘飘的心忽地一软，觉得有必要安慰百里布。眼前的男人，总让她感觉特别寂寞，想让她抱在怀里。

百里布一怔，继而释然笑笑，"是啊，时光，流年，多好的东西。就算连心也忘记了，只要等得，总会明白的。"

"你忘记什么了吗？没关系，我也失忆了。"

两人这么一问一答，就像朋友间的聊天，那闲适的样子与周围逼仄的环境极为违和，可百里布已经快速地靠了过来。

但他的脚才踏在乐飘飘的结界十丈之外，大地猛的又是一抖，刺耳尖利的摩擦声突然响起。

百里布蓦然停下脚步，戒备着。

不管是谁，既然把飘飘困于地下，就十成十布下了陷阱，眼前的情况更说明，飘飘不是因为倒霉才陷于地心之中的。所以，他表面上看来平静，心里却紧张，若出了什么变故，先把飘飘护下来再说。

而这瞬间的停顿，却令周围的景物发生了变化，当大地再次平静时，百里布骇然发现飘飘距离他又远了。不多不少，正是他初见她时的样子。

他眉头紧皱，快步向前行进。不出意外地，当他接近飘飘十丈之内，她的位置就会再度转移。第三次、第四次、第五次仍然如此。

"你一接近，我就会被推开，一直保持着同等距离吗？"乐飘飘也发现了这个问题。难道说，她就永远不能接触到百里布，甚至永远不能重见天日？

"更远些了。"百里布心中一叹，终于明白对方是为了引他出来，布局让他耗尽力量，然后出手擒之。而他明知如此，也一定要出手。可笑的是，对方真的算准他救了飘飘就无力再抵抗了吗？

飘飘经历了生死，五百年时光流过，却仍然被利用来攻击他。是谁？修仙联盟？看手段不像。毕竟，三大帅主隐居，条件是完全退出争斗，两不相帮。那三人的修为已经彻底恢复，修仙联盟不敢惹起他们之怒，毕竟那意味着腹背受敌。可是，谁会这么做呢？谁会得到利益？或者，仅是为了他？

感觉到飘飘的呼吸急促起来，感觉到她的心脏跳得快了，感觉到她极力掩饰的惊恐和不安，他的心，他那颗曾经为她挖出又由她安放回来的心，揪紧地疼。

他所做的一切，是想让她无忧无虑地活着。今天他若从一开始就忍耐着不出手，对方也许会放飘飘一马，她的三个师父也会想办法救她。对方对他是试探，而他关心则乱，中了圈套。

遇到她，他做的决定总是错。这，就是劫数吗？

"不要白费力气了，你还是走吧。"乐飘飘很沮丧，却也知道这样走走退退，到底没有个终了，只能累死了事，"如果可以，请你帮我带话给我的师父……"

她没说完，因为惊讶地看到百里布不知从何处拿出了弓箭……比寻常弓箭大两倍，弓身雪白，弓弦如银，连箭矢也是亮白色，在黑暗中夺人心魄。

百里布弯弓搭箭，箭尖划破自己的中指，沾血之后对着她。

好奇怪，她一点也不怕，一个眼盲的人拿箭对着她，她心底深处却明白他绝对不会伤害她的。

"你要做什么？"她好奇地问。

"此箭最是执着。"百里布沉声道，"箭头若沾着某人的精、气、血，对准之后，弓箭便一直追逐此人，至死方休。除非以大罗金仙之力，转其至相近之体。而若沾了我的血，射中之物就再不能逃离我左右！"

"不要！"乐飘飘一下就明白了。

百里布是要以日月弓、乾坤箭固定住这片会动的土壤。禁锢着她的地方，明显是被施了无尚大法的，所以别人无法靠近。百里布此举，是利用弓箭的神力，但也是以自己的修为作为倚仗。要知道自然之力无比巨大，以人力对抗地力，说不定会令施救者受重伤。

她是想逃脱出去，可是她不能以牺牲别人为代价。

百里布并不回答，他神情傲然地连放了四箭，钉在她结界的四个角。当箭矢深入土壤，周围剧烈扭动了起来，似乎是疼得颤抖！好像她身处一只巨大土兽的体内！

乐飘飘站立不能，要双手掌心吸住结界壁，才勉强稳住。抬头看去，就见力量对抗中，百里布额头冒出一层层细汗，抿紧的唇角也隐约有血丝溢出，虽然没有华丽绚烂的斗法，但这种比拼更是惊心动魄，就像是，武侠小说中高手的内力比拼。

不过，她怎么会知道弓箭的名字？看到百里布受伤，她为什么会心痛？最关键的是，为什么百里布一个才见过两面的人，为了她，连命也不要了？真有这么仗义的人？为什么她一见到这个黑衣蒙眼的男人，心里就会涌出那么多为什么？

"你放开，这样不行的！"急切中，她喊道，"不如你去找我师父，大家联手吧？再这样，你会受伤的！"

百里布仍是不理，突然又把刀抽了出来。

而乐飘飘暗抽一口气，因为这把刀她也认得，幽魂刀嘛。以前，刀身上的裂缝还没这么多，现在看来，几乎布满了刀身，令那刀散发出非常可怕的凌厉杀气。

"去吧。"随着百里布的命令，幽魂刀发出嗡嗡的声响，凌空划过一道寒光，死死钉在结界的后方。

乐飘飘只感觉脚下震动，似乎有什么在挣扎，但片刻间就不再动弹了。再看那把神刀，明明只是有灵性的器物而已，却透着那么一股子坚韧不屈的劲头儿，还仿佛对乐飘飘释放着熟悉的善意。

当结界被死死钉住，百里布开始靠近。他看似走得闲庭信步，但从他渐渐被冷汗打湿后贴在身体上的袍子，还有越来越苍白的脸色以及唇角越来越刺目的猩红可以看出，他在和来自四面八方的大地之力对抗。

"不要过来了！"乐飘飘急得大叫。脸上湿漉漉的，竟然掉了泪吗？

百里布不说话，只轻轻摇头。他不说，不是不想回答，而是他没有精力说。

他为什么一定要救她？她只是要求帮忙不是吗？乐飘飘混乱地想着，就算是师父，也只能为她做到如此吧。他们之前一定是认识的！她想不起来，但却很确定！她一定认识他！

离结界只有一丈时，他停下了脚步，身体几不可见地颤抖，显见再不能向前。

"真的别再过来了！"乐飘飘感觉出地面发紧，似乎积聚着反扑的力量。

"无妨。"百里布终于说出两个字，略抬起头。

他的眼睛被蒙在一条黑布里，看不见眸光。可乐飘飘此时真想看看他的眼睛，那眼睛一定像寒星那样，可以照亮整个黑暗的世界。

百里布提了口气，又欲抬步向前，但努力了几次，终究丝毫不能动。他感受到土性之力虽温厚迟钝，却绵延不绝，绝不是修为之力可长时间对抗的。可若他退一步，必然前功尽弃，飘飘会被移到更远处，乃至不见。

若暗中执棋者是为了他，这番摆布还不够吗？为的又是布什么局？

正焦急间，四周又开始震荡。接着，土壤好像被夯实，面积迅速减小，空旷出好大一片地方。还有水汽凝聚成形，木气缠绕固定，开疆拓土般在地底形成空洞，把结界孤立起来，随后小一郎、凤九和无迹的身影穿土而现。

三人同时看到乐飘飘，同时冲过来，又同时被阻在一丈以外，跟百里布一样，寸步难进。

"师父，你们怎么找到我的？"乐飘飘几乎喜极而泣。

"找了你三天了，今天感觉到地动有异，有幽冥之气传……"无迹忽然顿住。

他没办法解释为什么有幽冥之气他们就追寻而来，也没办法解释为什么他们三个相信百里布是救她而不是害她。

好在乐飘飘没注意这些措辞，而是惊讶地问："我已经失踪三天了？"

凤九点头道："是啊，现在什么情况？"这话其实是问百里布的，但却面对着自个儿的徒弟。

"恩公，大恩不言谢。"小一郎假装不认识百里布，摆足乡下人的态度，"不知可有解救我徒儿的办法？"说着挥手施法，绵绵水力形成一个大水泡，笼罩在结界上，帮助固定。

有小一郎帮手，百里布就略松了口气，分神道："此地被无尚大法所控，不断移位，越接近这位姑娘就会被推得越远。稍有不慎，就可能失了踪影。那时天地广袤，再寻怕是不易。"

"那怎么办？"凤九也出手，以木力又加固一层。

"结界已固定，只要裂之，各位以最快的速度把这位姑娘拉出来，立即离开就好。"百里布说得轻描淡写，但就算乐飘飘这种没见识的，也知道其中的凶险。

"好。"小一郎想都没想就点头应下，又转向无迹，"老三，你是土系修士，注意顶着点。"

"交给我吧。"无迹往后退开几步，一副要全力施为的模样。

乐飘飘感觉特别怪异，萍水相逢，这样信任彼此吗？她莫名其妙就罢了，可为什么事关她的生死，师父们也毫不犹豫？

可此时，她是个没有发言权的人，四个男人一商量就决定了。她甚至不知道事情是如何开始的，只觉得眼前寒光闪烁，百里布催动幽魂刀，把她的结界切豆腐一样切成两半，连半点儿声音也没有发出。而巨大的破坏力令土层像融化的钢筋一样扭曲翻转，一眼望去，就像对面的人都隔着几个时空似的。那四支乾坤箭就像大船上就要被撕裂的铆钉，抖动着要飞离地面！

"快！"百里布断喝一声。

地面之下，居然有风雷滚动，狂风怒号。无迹一手上撑，一手挥出神砂。黑色沙土旋转成巨大的钻头，生生在地下开出通道来。

凤九琴声叮咚，于清脆中生出无数藤蔓，把乐飘飘一下卷出险地。

小一郎则把泥土中的水汽尽数抽出，手中扇子一扇，化水为箭，在疾风中钉在地底洞穴的四壁，有如寒星点点，帮助稳定几乎要跳起来的地面。

"他怎么办？不能扔下他！"乐飘飘在被凤九抱走时，大声喊着，同时回过头，看着那个衣袍和长发被风卷得飞舞、浑身被雷电包裹，却更显得冷静如雕像般的男人。

"但凡在地下，他就是绝对的王者。"凤九的声音里有些复杂，"若无你的牵累，他定能来去自如。"

是吗？是她让他落到这般狼狈境地的吗？听二师父的意思，知道他就是冥王百里布，那为什么刚才大师父好像不认识？大师父可是以见识广博著称的呀。

乐飘飘的身子被抱起飞奔，可她的目光仍执拗地胶着在百里布身上。

他似有所感，侧过头来对她笑笑，并挥了挥手。那种无言，让人觉得很安全。

可乐飘飘仍然不放心，也不知从哪来的力量，她趴在凤九的肩头，双手连连结印。瞬间，三名红巾力士凭空出现，向百里布冲了过去，在他收回刀箭的时候，替他挡住土之气的凌迟和绞杀。

咦？！乐飘飘看着自己的双手，彻底愣住。

"你没事吧？"当四人冲到地面上，无迹立即跑过来问，关切之情溢于言表。

乐飘飘仍然举着双手。

"说话啊，没吓到吧？"凤九也问。

"我以前修行的是驭术？"乐飘飘终于开口，却是问小一郎。

无奈，小一郎点头，又与两位义弟对视。飘飘这是记起什么了吗？如果只是修为的事，不知道是福是祸。

"原来，原来我这么厉害！"又怔了片刻，乐飘飘突然高兴得跳起来。

她忘记了很多事，但有些常识却记得清楚。驭术的最低层次，是召唤黄巾力士，其拥有九牛二虎之力。中级阶段，是召唤紫巾力士，拥有龙象之力。那已经很了不起了，但倘若能召唤红巾力士，就拥有了鲲鹏之力，那是渡劫前后的修士才有的实力啊。

难道她的修为这么强大了？不能吧？难道是凑巧？对，一定是凑巧。但这也足够让她臭屁一阵子的了。而且，这会帮到百里布。只要他安全了，她就安心了。

"现在下山吧。"小一郎暗叹了口气。

土地的神奇，在于无论它上面是什么，高山或者峡谷，只要有土气相连，就能随意变换方位和地形。就像他们，明明是从一个山洼内感觉出百里布的冥气，想到他可能在救飘飘，于是潜入，但出来时，却在一座不知名的山峰顶上。

师徒四人徒步下山，既然危险解除，他们也不想惹得修仙联盟对他们注目，于是并没有驭器飞行。

而当他们离开，不远处的巨石后，狐妖王乱显身，一脸戏谑地自言自语，"付东尊究竟是什么来头啊，她给的隐身结界，强大如三大帅主和冥王百里布也发现不了，任我跟踪。"他自得地笑笑，"这几只傻鸟，真正的陷阱哪那么容易就破了？没见到有土虫咬了乐飘飘吗？好戏可还在后头哪。"

他妄自得意，却不知道，在深深的地下，百里布凝神而立，细细回味着与乐飘飘相处的点滴，淡淡微笑，随后又皱紧了眉，暗道："难道暗中操纵的人只会用蛮力？不会这么轻易就结束吧？"

第二十九章
再中媚香

　　乐飘飘和师父们回到新扎的营地后，心里还是放不下百里布。直到东方有一道黑气从山顶喷薄而出，又从西方隐没，预示着冥王百里布回到幽冥界，她的心才算踏实下来。

　　打从这天开始，她又开始做梦，好像都是从前发生的事，每回她都哭得泪湿枕头，可惜天一亮，又全忘记了。然而二仙村的商队不会因此而停，好在一路再也没出岔子，顺利到达那个自由交易的市场。

　　"迎仙镇。"乐飘飘抬头望着市场外孤立的门楼，只感觉这名字熟悉无比。

　　"据说迎仙镇以前是昆仑脚下的镇子，供修仙朝拜者上山前歇脚的。"一个以仙药换取冻梨的散修多嘴地解释，"后来连番大战，天移地转，整个小镇都移位到这荒凉之地来啦。"

　　"原来是这样。"乐飘飘做出恍然大悟的模样，"怪不得一个自然形成的集市也有如此飘逸的名字。"其实她知道自己来过昆仑，只是不记得干吗来的。

　　交易的事，完全不用乐飘飘插手，三个师父已经安排得妥妥当当，她乐得清闲，带着大吉、大利和包小妞在集市上闲逛。这里的集市和印象中早期的乡村集市没有太大的差别，也是以物易物，路边也有很多小吃摊子，还有点儿节日的气氛。

　　居然，还有杂耍班子来这里走江湖，赚点活命的粮食。

　　乐飘飘挤到中间去看，看着看着，就觉得自己以前也干过这件事，似乎还遇到了什么男人来着。再抬头，就恰巧看到一张年轻的脸，雪白的牙齿，笑起来像百花盛放。

　　男人与她的目光相撞，随后就慢慢踱过来。

　　"我以前认识你？"她问。

"绝对认识，还很熟悉。"男人笑笑，明明很阳光的，却又有一丝忧伤。

"熟悉到什么程度？"她相信这个男人的话完全出于本能，于是就又问。

很多事，其实她可以问师父，但她能感觉到他们的为难，所以干脆闭口不提。

"我两次向你求婚，可惜你两次都拒绝了。"男人大喇喇地说，随后又补充道，"我是洛城东，当年人称'昆仑之星'。可是后来天下大乱，灿烂的星星太多，我就湮没了。"他说得满不在乎，倒显出一种洒脱不羁来。

"我为什么拒绝你？"乐飘飘上下打量洛城东，"没理由啊，你长得挺好看的，又是昆仑派的高人。"

"因为你喜欢了别的男人啊。"洛城东笑笑，指指旁边一个茶摊，"我们去坐坐，这边的雪山茶是仙茶，喝了对修为有好处的。"说着，他又去招呼三只灵宠。

可惜，茶棚中人满为患，摊主只好在茶棚背面为乐飘飘和洛城东支了一张两人小桌，三只灵宠一人一个小板凳，沿棚子坐成一溜。好在他们手中零食颇多，倒也不介意形象不佳。

而乐飘飘一直想着洛城东的话，才一落座就急着问："我喜欢的男人是谁？"

洛城东欠起身子，紧盯着乐飘飘的眼睛，那种莫名的忧伤神情又出现了，"你真的什么也不记得了吗？"

乐飘飘摇头。

"那我不会告诉你的。"他突然恶劣地说："五百年前你从没给过我机会，虽然我最先向你求婚，可你从一开始就喜欢他，眼里从没看到过我。现在你好不容易忘记了他，我才不会给敌人做嫁衣呢。"

奇怪，他说得这么直接，乐飘飘应该生气的，可她没有，莫名其妙就觉得欠了他似的，连底气也不足，只问道："你很喜欢我？"

"应该是吧。"洛城东托着腮，想了想道，"开始时，我是因为你能拔出我的凌绝剑，后来我才知道，那剑原是前冥王赤羽所有，得了他传承的百里布也拔得出。再后来嘛，我觉得我是真心喜欢你的，只是跟你所喜欢的那个男人相比，似乎我又不那么喜欢。再再后来，我想明白了，我这种喜欢也是喜欢，哪怕不如他，却也是真心。"

他说得绕口令一般，乐飘飘听得头晕，只知道大致的意思是：洛城东开始时动机不纯，后来真正喜欢她了，但程度不如她所喜欢的那个男人。他沮丧过，但现在懂了，喜欢就是喜欢，不用因为程度不同而怀疑自我。

那个人是谁？她觉得脑海里有一块黑漆漆的地方，就是照不亮。

"我喜欢的那个人为什么不在我身边,他不要我了吗?你又为什么也不在呢?"

"很多人、很多事身不由己。"洛城东苦笑,"我呢,就是个傻子。当年总是跟他比,觉得配不上你,于是不停地闭关苦修,等我出关时,发现一夕已是百年,这世道已经面目全非,没有人和事会等我,包括你在内。就算修为高绝又怎么样?错过的实在太多了。生与死,也是一种经历啊。"

"我倒觉得你这样说,道心很是通悟。"乐飘飘脱口而出,随后就觉得奇怪。她为什么这样说,她的修为到底几何还不清楚,干吗弄得这么沧桑啊。

好在洛城东没有笑她,而是认真地想了想道:"不,我的道心不通悟,因为我不知道自己要的是什么。以前是想要强大,现在发觉天道都快没有了,我的路又在哪里呢?要不,你还是嫁给我吧?我们隐居,哪管他天翻地覆。"

他突然求婚,着实吓了乐飘飘一跳,但看他的眼神,虽然冲动,却又半点儿不作伪,真诚得很,不禁心软了一下。

"我会想起来的!"自苏醒后,她一直稀里糊涂地过日子,对前尘往事有一种发自内心的恐惧,想不起来时,就乐得不去想。但自从地底遇险,看到百里布受伤时她的心疼,还有今天洛城东说的那些话,她突然很想回忆起从前的一切。

"我记得,你好像有一只小仙鹤,能做发簪的。"她脑海中突然闪过一个画面,而且这一次,她居然成功地捕捉住了!这令她分外高兴。

"你说小丹啊。"洛城东哈哈大笑,"她长大了,遇到了喜欢的男仙鹤,两情相悦,这几天正在孵小仙鹤呢。"

看洛城东这样笑,乐飘飘突然心情很好,"我会想起来的。"她再度下决心。

洛城东苦了脸,"不用反复打击我吧?都说了希望你想不起来。不然你就是嫁了我,也还是会跑掉的,到时候我面子里子都丢了,伤心又伤情,坠入魔道怎么办?"

"我看你挺得得开的,不要吓唬我。"

"不是看得开,是想通了。"洛城东认真地说:"喜欢一个人,也应该自由自在,就算对方不喜欢你,也不妨碍你的心意啊。"

"那你还要我嫁给你?"

"因为知道你不会答应的,问问而已。"洛城东神色一黯,却马上又明朗起来,"我现在的修为已至化神,不过却总是输给那个人。输着输着,我突然觉得,老是计较这个干什么?日子不还是得过?难道我去死吗?执着个屁啊。各人有各人的机缘罢了。至于你,就算你忘记了一切,心里也还会装着他的,只是你看不见罢了。"他说话半文半白,却让乐飘飘很有好感。可到最后一句话的时候,她觉得心里像有小针刺了一下似的，不见得多疼，却揭示有一种东西存在。

"修仙联盟和冥界阴兵最近大小战不断，你要参加吗？"乐飘飘话题一转。

以前她从没注意过西北之地的战事，可"认识"了百里布和洛城东，她忽然关心起来。她不想这两个人在战场上对阵，这种感觉、这种为难，她以前似乎也有过。

"不参加。"洛城东直言不讳，"不是我昆仑要保存实力，也不是我贪生怕死，而是我缺席了前面的战事，现在想不明白为何而战。既无战意，何来战力？所以我才请求你嫁给我，然后跟我隐居呀。"

怎么话题又回来了？乐飘飘暗中翻了个白眼。

面前的洛城东，她确定心中有印象，虽然脑子里没有。但她更清楚的是，她对他不是情爱的感觉。

"我们做朋友吧。"她伸出手，与洛城东相握，"男女之间，也不仅是情爱对不对？"

"说得不错。"洛城东伸出手掌反握住那纤嫩的小手，"我只求你心里有我，至于哪个位置是不拘的。哈，我是听说你这次跟着二仙村的商队来这边，才特意出关的，没想到不虚此行。"

乐飘飘见他眼里全是潇洒和开朗之意，知道他是真正想通，真正放下，不觉也是高兴。两人就这么以茶代酒，说了半天的话，直到三个师父办完事，久不见她回去，亲自来找。

"山水有相逢，后会有期。"洛城东抱拳于手，说得大气大方。但随即又低头对她悄悄耳语，"我回去继续闭关，希望再出关时，天下已经太平了，千万别是焦土一片。到时候，我找你玩去啊。"

"咱们不见不散。"乐飘飘笑着低语。

两人这番情形，在外人看来像是极亲密的行为。小一郎等三人面面相觑，都很纳闷。等细细问了乐飘飘和洛城东见面的情形，无迹冲口就道："想嫁人吗？不如嫁给师父，免得山高水远的，有人欺侮你也不知道。"他一向视礼法于无物，说这话半点儿尴尬也没有。

乐飘飘也没有，她抱着无迹的手臂道："才不要哩，师父和相公合二为一，我不是吃亏了吗？"

一行人说笑回着到营地，直到乐飘飘一人独处时，她才有机会打开洛城东临走时偷偷塞给她的纸条。

上面只有一行字：你爱的人，是百里布。

乐飘飘呆住了。

随后开始剧烈地头疼，仿佛有什么东西要冲破束缚，可是脑海中那片黑暗又拼命压制。当你知道答案却不知道过程时，那种心慌和不安，也是痛苦的根源。

这就可以解释为什么她见到百里布会有感觉，而百里布又为什么会不要性命地救她。可是他们之间出了什么问题，为什么相见却不能相认？

她怕师父们担心，强忍着不说。又过了七八日，随着商队往回走，半夜扎营在背风的半山腰处，在三更天的时候她忽然感觉到地动山摇，还有喊杀声及激烈的碰撞声传来。

乐飘飘一跃而起，却看到别人都很淡定。

"不用怕，离我们远着呢。"凤九走过来安慰，"修仙联盟和幽冥界又打起来了，你头回跟着商队，所以不知道。基本上，我们只要躲得隔座山，就不会被殃及。"

不知为什么，听到这话，乐飘飘心里有些不舒服，但她没多说，又回到帐篷中。可一直到后半夜，她才翻来覆去地进入半梦半醒的状态。也就在这时，她看到帐篷帘子一动，有身影迅速闪过。

她的心里突然就像燃起一团火似的，因为只见那身影，她脑海中就冒出一个形象：紫发金瞳，残缺的身体，有时坐在轮椅上，有时却能够走动。看到他，她总是会心酸不已。她虽然忘记了一切，但看到他却记起了：他是原冥王，下界的龙神赤羽。

也只有他那样的神，才能突破师父们为保护她设下的结界而不被发觉吧。

乐飘飘就像被牵动了身心似的，悄悄爬起来，追了上去。奇怪的是，三只灵宠都没有被惊醒，她的出入也没有触动结界的警报。像是笼罩了浓雾的黑夜中，她深一脚浅一脚地追着那飘逸的身影，走出约莫半里之后，试图问话。

"你到底是谁？你要带我去哪里？"

赤羽不说话，只侧过头笑笑，满是凄凉之意，接着就继续往前走。远处，隔着两座山峰的地方，战斗还在继续，赤羽似乎施展了缩地术——那只有到达飞升境界的大能者才会的法术，令他们二人片刻就站在战场附近的山上。

"你不是赤羽！"乐飘飘突然停住脚步，"你到底是谁？"

"怎么看出来的？"那人笑了下，"我有一位神秘的大能者给的法宝，所以能轻易突破三大帅主的防护。我还有前冥王遗留的一件传承，能扮他扮得惟妙惟肖，却仍然瞒不过你的眼睛吗？"

"乱，你什么时候成了走狗？还是，你从来都是走狗？"乐飘飘的目光有如冰山之雪。

"我不得不对你刮目相看了。"那人很快恢复本体，露出一张妖孽的脸，还有一双颠倒众生的手。不是狐妖王乱，又是谁？

"你身上有香味，之前我闻过好几次。"乐飘飘仍然冷冷的，"而嗅觉是最令人难以忘怀的记忆，所以我记得你。只是你的气息隐藏得太好，我这么半天才发现。"

"你已经很了不起了，我是包裹在世上第一绝密的结界内呢。"乱抛了个媚眼，"既然认出我，怎么不跑？你不怕吗？"

怕，她如何能不怕？她现在不知自己修为几何，不知打不打得过，逃不逃得了。

"你费尽心机把我带到这里来，我若是能轻易地跑掉，不是太看不起你狐妖王了吗？"表面上，乐飘飘还保持着镇定，还有一点点轻蔑。

"聪明，白费力气的事不做。"乱笑着夸奖道。

"你到底要做什么？或者我该问，你背后的主子要你做什么？"

"我的主人，本是我一族中的老大，为她办事，我没有不服气。她之前想叫我杀你，我不是没下得去手吗？还屡次栽到百里布手上。"乱无所谓地说，好像是谈起别人的事，"现在她改主意了，不直接杀你，而是让你和百里布互相残杀。这样，说不定赤羽会跑出来哦。"

乐飘飘震惊，瞪着乱。

乱却笑得更妖，"赤羽没死，至少魂魄还在，这件事也不只是你和百里布知道。"

"你打算怎么控制我为你做事？"乐飘飘的身子悄然绷紧，"看来你的主子本事很大，连日月弓、乾坤箭的法术也破了。这么说，她有接近大罗金仙的实力？"

"知道太多，死得就快。"乱耸耸肩，"知道我要控制你，你可有戒备？哎呀，不管你如何努力，你的修为和我的主人相差太远，就算三大帅主联手也没办法，你又怎么能抗衡呢？只能徒增烦恼罢了。"

"那怎么行？谁会坐以待毙！我二仙门更没有那种没用的家伙。所以，意思意思我也会反抗一下的。"乐飘飘向后退了两步，"倒是我要劝你，当心给人利用完了一脚踢开。这有个名头，叫别看现在笑得欢，小心将来你买单！"

乱怔了怔，看向乐飘飘的目光突然变得极为温柔，"不管你信不信，我真的喜欢你，所以才给自己好多借口，拖延着不杀你来着。可是很多事身不由己，谁说为人就一定自由？都是弱小的臣服于强大的，强大的臣服于更强大的罢了。这就是个人吃人的世界呀。"他说着，忽然伸出手，摸摸乐飘飘的头发。

乱的媚术，修炼的就是那双手，所以当那完美无瑕的手指碰到乐飘飘的发丝，她心里毫无预兆地就生出些缠绵温存之意。这让她全身发紧，立即防备，每个毛孔散发着抗拒之意，却见月光下乱的眼神第一次那般清澈，令她一时分不清他是真情，还是假意。

"你……"她的话没说完，就见乱的嘴唇动了动，像是念了什么咒语。立刻，她就觉得背心处一阵麻痒，清晰地感觉到皮肤下、骨肉里有一条小小的东西在蠕动，在她正惊讶和恶心的时候，倏地钻入她的心底。

就像异物入侵时的本能反应，她丹田内那包着金光的红色云团蓦然变大，沿着全身的经脉汹涌而出。但不知是什么原因，始终无法完全进入心脉，只好改道，一力护着她的心之绛火和脑之髓海。其后果就是，她眼前似有滔天洪水和熊熊天火交替出现，害她浑身难受不说，还完全丧失了对身体的控制。尽管她心里和脑子里都是清醒的，但胳膊腿儿却不是自己的了。

"你要干什么？"她怒吼。

"相爱又相杀啊。"乱微笑着叹息，两种极端的情绪在他脸上营造出惊心动魄的美丽，"之前不是告诉你了？所以去吧，宝贝，把百里布杀死。幽冥阴兵那边，他正在督阵哪。"

乐飘飘惊怒交加，身体却自有意识地动了。她的修为到底到了什么程度？她到底会多少法术？她不记得了啊！就像她一直有骑宠包小妞，所以不应该练习过腾云之术。但此时，她却很自然地掐诀结印，身体如离弦之箭般，飞出藏身的山石后，直冲地面上的战场而去。

这场小规模的遭遇战本来已经进入尾声，百里布和燕北天都没有出手，修仙联盟这边也彻底落败，死了不少的人，只是在苦苦支撑而已。但半路杀出个程咬金，乐飘飘宛如一道红色的闪电，落在了战场中心。

百里布感觉到乐飘飘的出现，心被无形之手紧紧抓住似的，连呼吸也出现了短暂的困难。

他下意识地从冥王驾辇上探出身子，满身的疲倦和厌烦在见到她的一刻蓦然消失。可他的微笑还没有到达唇角，乐飘飘挥手就将十数名力士召唤出来，横冲直撞地打过来。

"帮我们的人！"修仙联盟这边，不知是谁高兴地喊了一句，登时，士气大振。

百里布浅浅的笑意僵住。

她失忆了，但结果还是被修仙联盟拉去当炮灰了吗？三大帅主是怎么保护她的！他心里突然升腾起滔天之怒，可立即又惊喜又惊讶起来。

黄巾力士、紫巾力士、红巾力士，这么轻松就能召唤出，看来飘飘得了龙气后，真的可以自行转换为修为。她复活之前不过是个小小的金丹修士，现在直接跨过非常困难的元婴和化神期，到达可以渡劫的边缘了吗？

"陛下，小心！"燕北天飞扑过来，令发呆的百里布躲开重大的一击。再看驾辇，碎如齑粉，可见乐飘飘下手没有留情。

"你快跑啊。"乐飘飘驾驭着周围浓郁的土木之气，又一个土木箭疾射过来，但嘴里却焦急地喊着。

"她被控制了心神。"百里布感知到乐飘飘分裂的情绪，声音一沉，终于知道她在地底时被做了什么手脚了。

可还没等他生气、心疼，乐飘飘的身子再度腾空，接着，一道青光自她头顶而出。那是她的山河悬匣，她一直想炼其为本命法宝，藏其于丹田中的，但一直没能做到。是什么时候，她已经炼化了它呢？

山河悬匣在她头顶两丈余高的地方停住，变得桌面大小，匣子倒悬，匣盖也打开，可里面的东西却不曾掉出，只有淡淡青灰色的光芒呈扇形照射下来，笼罩在乐飘飘身上。

远远望去，她如谪仙，淡雅似莲，清丽绝伦。

这一刻，她美得惊心动魄。

这一幕，印在了许多人的心里，也传达到百里布的心底。他看不见，却感知得到。

小小的二仙门掌门，好多人忽视的存在，却在最黑暗的岁月，绽放出最美丽的色彩。

"修罗伞！"她轻轻开口。

一把小伞自匣中飞出，稳稳落在她的手上。她把伞撑开，那伞即刻放射出万道光华。外面是淡金色，里面是暗青色，这把一直被她称为美人伞的法宝，今天终于恢复了自己真正的名字。

之前在她手里，只是普通有法力的伞，是三师父送给她遮阳、遮蔽雨雪的平凡礼物，此时不知为什么突然变得威力巨大，它的名号、驾驭它的法咒、催动它的力量，同样不知如何就浮现在乐飘飘脑海里。

她轻轻一转，伞边的淡金光华连成一线，在夜空间极为耀眼。接着，伞面上所绘的十八名绝色美人像活了一般，纷纷飞落，变成真人大小，宛如半空中落下一片香风花雨。

众人惊呆了，而乐飘飘的惊奇不亚于其他人，但她脑海里却自然出现答案。此伞乃魔族至宝，当年的魔主姒无迹征战修罗族，大胜。修罗族为保全族不被屠灭，其中有十八女修罗和三十六男修罗与姒无迹签下生死契约，附于伞中，甘为永世伞奴，供他驱使。

无迹把伞送给了她，混沌中师徒二人都不知道此伞的真正用处，但无迹恢复神识之后，就把传承也授与了她，偏她修习的是驭术，所以修罗伞从此为她所有，奉她为主。只要她修为足够，就能释放修罗族这五十四名战士，为她战斗。

现在她的修为，至少是渡劫前后的强大实力。大多数人，包括她自己在内，也不知道这本应千万年才能修炼所得的功法，怎么会突然就降临到她身上，好像神授。

但事实摆在眼前。乐飘飘手腕轻抖，伞尖微点，那十八名绝代佳人立即飘身到百里布的身前，杀气于美色之中弥漫，更增凌厉。

"不，不要这样！"乐飘飘在心里狂喊。

纵然她还没有回忆起从前，但她相信洛城东的话。百里布是她所爱的人，而且她亲眼看到百里布为她不惜舍命，她怎么可能针对他？可是心里却有一种和她本意相悖的力量，指使她的行为，违背她的意愿！

只见那十八名美女围攻百里布，身姿虽优美至极，却处处杀招。她们配合默契，隐约形成一个法阵，百里布看不到，却以一人之力对付由有元婴阶修为的修罗们组成的修罗阵，一时险象环生。

"飘飘，住手！"燕北天大喊。

这个男人，也应该是自己很熟识的吧？乐飘飘望着燕北天焦急的脸，她很想住手，却控制不住自己，只急得冷汗直冒。

"她被控了心神，不要上前。"百里布喝住燕北天。

飘飘继承了龙气，修为之强，只有他和三大帅主知道。北天虽然勤勉修行，也有奇遇，到底不是飘飘的对手。一个是他从小到大最好的朋友，一个是他深爱不渝的女人，他不希望他们受伤。

"天赐良机，铲除冥王！"修仙联盟的这队人马本来就快落败了，没想到天降助力，立即士气大振。

修仙联盟的带头人话音未落，才停手的双方又混战在一处。燕北天担心百里布，可对方三五个人向他猛攻，他根本无法分心，焦急之下还被一个佛修以禅杖打中胸口，受了点伤。

百里布心如油煎，又想保护燕北天，又想让乐飘飘恢复神智。可他被十八女修罗缠得死死的，片刻分不开身。而另一边的乐飘飘，拼尽心力与念力，想收手不打，仍然没什么效果。

怎么办？怎么办？她不愿意伤害百里布。她急得恨不能把自己打晕，可就是无法约束经脉内乱流的气息，自然也就控制不住手脚的动作和法力的施放。她的心力、念力和被操控住的法力在身体内对撞，激得她浑身热汗冒个不停，很快就浸湿了衣衫和发丝。

此时有一滴汗落入她的眼睛中，竟然刺激得她有些疼痛，而这疼痛比她眨眼的时间还短，却令她有难得的清醒。她反应奇快，立即借机把法力回收。她太急了，有点儿不管不顾，哪怕被自己的力量所反噬，也在所不惜！

战场上瞬息万变，真正的强手，能捕捉到最微小的不同。

百里布感觉十八女修罗动作一顿，知道是飘飘片刻清醒，收回了控制力。他顿时大骇，因为知道飘飘修为虽高，但战斗经验奇差。在这种情况下，修为越高，对自身的反噬越大！

他来不及呼喊，只来得及左手一挥，幽冥黑雾自掌心而出，把呆愣瞬间的十八女修罗包裹起来。同时，他腾身而起，感知着杂乱的气息，竟向修罗伞而去，生生把缠成一团的女修罗们又按回伞中，再把乐飘飘本身的反噬之力往自己这边拉。

砰的一声巨响，看不见的无形法力被撕扯开，分别撞向了百里布和乐飘飘。随后，两人的身子都向后疾飞。百里布还好些，不过后退百余丈就落下地面，踉跄着稳住身形。乐飘飘就惨了，宛如流星般没入遥远黑暗的天际。

那反噬的强大力量，终究大部分落在她身上，她根本没办法抵抗。

"飘飘！"百里布嘶叫一声，顾不得别的，循着她的气息就追过去。

这时，隐在半山腰处观战的狐妖王乱现了身，他中途截住乐飘飘，蓦然拔高，很快隐没。众人只看到天空略略扭曲，一道丈余的诡异银光一闪不见，再定睛细看，百里布也不见了。

"速闪！"燕北天立即发出命令。

阴兵和仙甲士组成的队伍有着绝对服从性，在修仙联盟的人还发呆时就迅速结队成形。等修仙联盟的人想要拦截时，他们已经化为一阵狂卷的黑沙，飞掠过山底谷地，消失无踪。

可惜小一郎他们此时还没有发觉乐飘飘失踪，燕北天也已带队遁形。但燕北天心里清楚，那道银光和天空的扭曲感虽然短暂，却意味着百里布等三人进入了时空结界。

燕北天的判断没错，因为此时百里布正追入一片空间。空间内面积不大，跟二仙村的大小差不多。四周，全是星星，令人好像置身于星群，分不清上下前后左右，也看不见过去与未来。

"放下乐飘飘。"百里布冷冷地说道，"到了这里，非本王不能再出。"

"你什么意思？"乱妖娆地笑，一副吊儿郎当的样子，"显摆你有半神之体啊。有什么了不起的，我还有人质呢。这个女人，你舍得她再受伤吗？"

"除非你想困死在这里，永世不得出。"百里布看了一眼乐飘飘，心疼到不行，可只能忍耐着，装出很理智的样子。

乐飘飘受了重伤，下巴和衣襟上全是血迹，脸色白得几近透明。她说不出话，更没有力气站着，几乎是半挂在乱的身上。

百里布虽然失了眼睛，但神体特殊的感应，却令乐飘飘的模样浮现在他黑暗的心底。他心中又痛又恨，只想把乱碎尸万段。

"有你们两个垫背，我有什么可怕的？"乱眯起了眼，"百里布，你的乾坤箭追了我这么多年，害我没命地逃啊逃，你觉得，我会不会趁机报复你呢？"

"本王看不起你。"百里布冷哼了一声，"好歹是一个妖王，却甘为人奴，还以女子相要挟。"

"喂喂，我这种出卖美色的男人，有谁会看得起？我早就不在乎了。"乱油盐不进，"你倒是很男人，可惜着了我的道，修为到了快飞升的边缘，却一直止步不前，是不是很郁闷？"

百里布一挑眉。

他的修为确实面临这个问题，本来他以为他不能飞升是天意，怕他以半神之体升仙，会获得更大的力量，原来，是这个狐妖做的手脚。

只是此时，他一颗心挂在乐飘飘身上，所以没表现出什么打听的兴趣，也没心情愤怒。

乱卖关子，哪想到对方没反应，大为扫兴，只好心痒痒的自己说下去，"还记得你我初见之时，你中了我的媚香吗？"他一边说着，一边扶乐飘飘坐下，然后自己也盘膝而坐，挡在乐飘飘身前。因为他身子高大，百里布又不能视物，感知不到心上人的气息，百里布就不得不关注他的话题。

于是，百里布只得问："那又如何？"

"你定力不错，我很佩服。"乱由衷地说道，"当时你不但没有被药力控制，和乐飘飘共赴巫山云雨，还借机由情入道，使得修为大进一步。可所谓祸兮福所倚，福兮祸所伏，你当时没中招，却为以后埋下了祸患。"

"当日若率性而为，岂不是全身修为尽毁吗？"百里布冷笑。

乐飘飘浑身无一处不痛，就好像自己是个瓷娃娃，已经寸寸碎裂了。她虽然无力得不能说不能动，但却听得清楚明白，不禁心里恼火。

她强迫自己不要管这两个男人，要趁机做点手脚，不能束手待毙。

只听乱幸灾乐祸地道："大破大立，那时毁了修为，日后还能修炼起来，况且你是半神之体，做起来总比别人容易。可你由情入道，偏又要死要活地爱上飘飘，于是你就有了情魔，阻了你修为，永远只能停留在这个阶段。"

原来是这样！百里布和乐飘飘都有恍然大悟之感，完全没有怀疑这番话。场面一时冷寂。

"后悔了吧？"乱哈哈大笑。

"飘飘是我的心魔。"百里布似叹息又似几分轻松说道，"若你说的全是真的，我此生誓不除此魔，要与魔共存。"

乱呼吸一窒，试图看透百里布的内心，但见他神情坦荡，竟然还有些开心，不禁又是郁闷，又是感叹，哼道："还当能打击你呢，哪想到这杀手锏不顶用。"

"放了飘飘，本王可以不杀你，也不问你是受谁指使。"百里布话题一转，声音又沉下来。

"我得到命令是，要你们两个自相残杀，若不能，乐飘飘就必须死。"乱随口说着，好像是讲故事，而不是事实中的生与死。

"你敢！"

"哎呀，怎么办？我有人质哦。"乱回手一抓，把乐飘飘拎在手里，向百里布丢过去。

与十八修罗美人对战时，那么危险的情况百里布都没有祭出幽魂刀，生怕伤了修罗美人，就等于伤害了驾驭她们的宿主乐飘飘，可此时，他却毫不犹豫地拔刀。

那刀一出鞘，阴森之气立即弥漫到整个空间，令人汗毛直竖。乱此时才知道，纵然百里布被情魔所困，其修为也不是自己能比得上的。除了付东尊，只怕三大帅主也不济事。幸好，他手上有付东尊给的法宝，幸好，他有人盾可以利用。

可是片刻之后，眼前的一切让他惊得目瞪口呆。因为百里布在拔刀的下一刻，居然劈向了乐飘飘。虽然准头是差点儿，只斩断了乐飘飘半边肩膀，但足以令她翻到在地，瞬间没了气息。

"你！"百里布脸色苍白如纸，却咬着牙笑了，"就算只是傀儡，我也下不了杀手。"

啊？！

乱迷茫了，不知道百里布这话是对谁说。愣了一下后突然回过味来，回手又是一抓，却空了。只见乐飘飘侧躺在地上，背心处鲜血淋漓，竟然趁着他和百里布对话之时，把控制她心神的土虫逼了出来。

而且，她不声不响地运用了傀儡术，造出一个假的乐飘飘。她又是躺倒在地，乱不敢回头看，随手后抓的结果只是……抓了个傀儡丢出去。

百里布是面对着乱和乐飘飘的，纵然看不见，却能接到乐飘飘发出的传心之声。她不记事了，却记得这个，令他没来由地开心。随后他不动声色，但在斩杀傀儡时，终究还是不能狠下心。

这时乱再想抓住乐飘飘的真身已经没有机会了，瞬间，乱就做出了判断，腾身跃到空间的上方，随手就丢了一个透明的物体来。

那是个琉璃罩子，只半只手掌那么大，但掷下来后，立即放大至方圆一丈，有泰山压顶之势，呼呼的风声中，似乎空气都被压缩。

一个法宝当然不能困住百里布，但在这种情况下，百里布若举刀相抗，至少需要两息时间，他就有机会和时间再度把乐飘飘制住。若百里布先救乐飘飘，自然有破绽露出，他就可以转守为攻。

进可攻，退可守，这是妙招啊。

乱算计得挺好，也很好奇百里布会怎么选择。不是生死相许吗？不是至死不渝吗？从前听说乐飘飘为百里布而死，也曾见百里布为乐飘飘舍命，但那都是在有准备的情况下，面对突如其来的危机，他会怎么做？

潜意识中，他期望百里布会自私一点。活了这么久，惯在风月中打滚，他早不相信什么男女之情，所以当他亲眼目睹一对真正的有情人，多少有点儿失落，并产生自我怀疑。其实，他是深深的妒忌，为什么他不能拥有？

他眯起眼睛，目光炽烈，果然看到百里布选择对抗法宝。身心愉悦之下，他扑向乐飘飘，把伏在地上不动的乐飘飘再度拎起，像挡箭牌一样置于自己身前。那边，百里布的刀和仙器激烈碰撞，火星四溅中，幽魂刀的周身外腾起青灰色的光芒，瞬间把水晶罩包围。

咔咔之声中，那仙器至宝居然像被腐蚀了一般，出现无数道裂缝，瞬间碎成齑粉。

"仙器都毁了，看你怎么向你的主子交代。"百里布唇角上挂着嘲讽之色。

"只要我完成了任务，区区法宝有什么关系。"乱眼睛也不眨地说。

"你敢动飘飘一根头发，本王必将你挫骨扬灰，令你永世不得超生。"百里布神情比刀还冷厉霸道，"况且你连护身之物也没了，如何能逃？本王再给你一次机会，立即放手！"

"要狠啊？"乱扬眉，轻佻地道，"爷最不怕别人耍狠了，了不起同归于尽呗，就只怕你舍不得乐飘飘啊。这丫头算不得顶美，却有本事把男人的心都掏空了。别说你，我也不想让她就这么香消玉殒。"说着，他搂过乐飘飘，在她额头上吧唧亲了一口，另一只手还在她腰上掐了一把。

百里布愤怒异常。

但乐飘飘的反应就奇怪了，她完全不说话，身子软软地靠在乱的身上，在被他轻薄了几下后，忽然变得体轻如羽毛。

乱大叫一声不好，再低头细看，只看到一个气泡突然破裂，怀中哪里还有乐飘飘的影子！

"一辈子玩鹰，倒让鹰啄了眼。"乱哭笑不得，可在这种节骨眼儿上，明显生命堪忧，他居然还能谈笑自若，连百里布也佩服他。

但是他不能宽恕这只狐妖。就算只是飘飘的傀儡，也不能让别的男人调戏！

"能制造出一个傀儡，也可能制造好多，对不对？"乐飘飘的声音终于响起，她的身形也在一块山石中浮现，居然驱动了山石，把她的真身隐藏住了。

"是我低估了你的修为和心智，可倒霉的却会是别人，所以我也不是很惨。"乱苦笑摇头，"没想到你的傀儡术居然精致到这种地步，能骗了我两回，你是第一个做到的。所以，我至死也不会忘记你。"话还没说完，他身形倏地疾掠，这回的目标却是百里布。

事到如今，讨巧的打法已经没用了。若他袭击乐飘飘，且不说会不会又被傀儡所骗，而且百里布的修为比他高出太多，到时他在侧面拦截就够他喝一壶的，还不如硬碰硬，死也死得壮烈些，还能显得很英勇，赚取敌人的尊重。再退一万步说，就算他跪地求饶，百里布也绝不会带他走出这个空间，他只有困死一途。

身为一只狐狸，能少吃亏就是占了便宜啊。

而结局，是预料中的。

眼花缭乱的打斗只持续了十几回合，乱拼尽全力也总共才支撑了数秒的时间。其中百里布的刀在乱的肉身上不知纵横了多少来回，最后刀魂还咬住了他的魂魄。

他哎呀一声倒地，却仍然保持着姿态的优雅。

血的红，脸的白，眼睛的黑，奇异地构成绝美却又透着死亡的画面。

真是妖孽！

乱咳了声，血从唇角流出，他脸上却带着笑，"哎呀，忘记说了，刚才进空间时，乐飘飘中了我的媚香。天，这可怎么办，我造孽了。"

"你这损人不利己的，干吗又给我下媚药！"乐飘飘大怒，顾不得身体虚弱，大声嚷嚷。

"我是坏人，反角嘛，当然不要脸。"乱努力盘膝而坐，就像与乐飘飘讨论问题一样。

"拿解药，本王放过你。"百里布上前，浑身上下散发着死亡气息。

可乱却一脸无辜地摊开手，"怎么办？没有解药。你早说啊，我好歹留下后招。你平时那么狠绝，我哪想到会有活命的机会，现在你我都亏了，冤枉死人！"

百里布又惊又怒，只感觉自己的一切都被人步步掐算好，寸寸掣肘，分外无力。果然是他太自负了，认为没人能对他构成威胁，时间拖得越久，对幽冥阴兵就越有利，他也会占尽上风。没想到有人会暗中出手，不管那人是谁，能力和修为都是高出他的。更没想到在三大帅主的保护下，飘飘还一再出事。这只能说明，修仙联盟也是被幕后人利用的。

到底是谁？又为什么这么做？

"咦，我为什么说又？"乐飘飘突然注意到自己的语病，难道说，她以前也中过媚香？

"其实没有大碍啦。"乱摆了摆手，"对修为、身体、寿数都没有影响。就是……我说了我是真的很喜欢你嘛，于是我得不到的，别人也休想得到。"

"你什么意思？"乐飘飘追问。

"就是你不能和男人交合，否则嘛……"

"爆体而亡？"乐飘飘再追问。

"哪有那么血腥，我不可能让你死得不漂亮。"乱嗔怪地横了乐飘飘一眼，好像将死之人不是他，"只要你与男人上床，你的修为就全完了。这招有点儿阴损，可谁让我舍不得你呢。"

乐飘飘气坏了。这只狐妖，简直是灭人伦的家伙！为什么她忘记很多事、很多人，却一见他，就记得他是谁，也模糊记得一些与他之间发生的事？没天理啊！

"你这浑蛋，死也不让我好过！"乐飘飘爆粗口。

乱哈哈大笑，"瞧瞧，瞧瞧，我就是喜欢你这个粗鲁的模样儿。"

"你是找虐，你欠抽，你就是个受！"乐飘飘几乎吼了，之后气力不济，差点儿跌倒。

百里布身形一闪，赶紧把她扶住，拥进怀里。

乐飘飘感觉很奇怪。

百里布对现在没有恢复记忆的她来说是个陌生男人，但是她喜欢他的怀抱，听着他的心跳，她非常有安全感，恨不能时间就此停住，成为永恒。

以前，她一定是非常爱他才对。

"算了，我都快死了，你就别再骂我了。"乱又咳出一大口血，但面色仍是如常，"鸟之将死，其鸣也哀；人之将死，其言也善。我们狐狸，快死的时候也应该做点好事才对。"

"快给我解药，不然我剥了你的皮做大衣！"乐飘飘瞪眼威胁道。

"冥王陛下对我放的是大招，我这身子会变成飞灰不说，连魂魄也将湮灭，你还怎么剥皮啊，小东西。"乱叹了口气，终于流露出一点惋惜和留恋，"但我可以告诉你一件事，作为交换，百里布不能收了并炼化我的魂魄。就让我随风而去吧，有了机缘便会重新投胎，哪怕身为草木，也胜过连存在于这天地之间的资格也没有是不是？怎么样？冥王陛下，你可答应？"

百里布有些犹豫。说实话，他不是很恨狐妖王乱，虽然极厌恶他，但还没到不共戴天的程度。但他受不了这狐妖刚才对飘飘的所作所为，因而认为不可原谅。

他不在意乱要说出的消息，这狐妖背后的人，他可以自己去查，不用搭上这份人情。可他明白，飘飘很想听听那只狐妖怎么说。

"你决定。"他轻声道。

"我想听听他要说什么。"乐飘飘抬头，看了看百里布。

"我只和你说，旁人不能听的。"乱又提条件，之后重重吸了口气，像是强弩之末，再迟些，他的遗言就来不及听了。

"放心，他伤不了我。"乐飘飘轻轻捏了下百里布的手，催促他放开她。

可最近出事太多，他们总被算计，百里布不放心，他皱眉对乱道："要么本王一起，要么你就别再废话了。"

"好吧好吧。"乱息事宁人地说："我是为你好，怕你听了不高兴，但你自己找不痛快，可怪不得我了。还有，你要把我的残魂带出空间，随便你丢弃在什么地方都可以。"

百里布点头，算是承诺。他随后干脆打横抱起乐飘飘，来到狐妖王乱的身前。

"拿着我的妖丹。"乱一张口，吐出一个白色光点，洛在乐飘飘的手里，"若你信我，它就是很有用的宝贝，若不信，就当我多管闲事。"

"你就想和我说这个？"乐飘飘纳闷之中，有些被耍了的气愤。

"不，我要和你说的是……"乱强提起一口气，摆出最颠倒众生的笑容，"不管你信与不信，我是真的喜欢你。就是……就是……这话。"

说完，前一刻还活蹦乱跳、好像根本没受伤的乱，面色急剧灰白下去。随后，身子如散开的雪雕一般，迅速塌下，化为一堆白色尘土。同时，幽魂刀上又多了一条划痕，但比其他痕迹浅些，若有若无的。

"他这是……死了？"乐飘飘有点儿不能相信。

百里布嗯了声，再度把她抱起，"我们离开吧，我的人和你的师父们，一定急坏了。"乱临死之前的表白，确实让他不爽。可是算了，飘飘如此可爱，喜欢上她，实在很容易。

乐飘飘点头，想说什么却始终没有出声，不知为何，她有些惆怅，对乱的死亡，她并不觉得开心。

那颗妖丹，要丢掉还是留下来？她很犹豫。要知道妖丹和龙元一样，是他们生命和魂魄的根本。可也正因为妖丹是妖的精华，若乱想使什么坏，在死后还害人，她傻乎乎地接受，肯定就着了道。但若乱还有什么秘密的事要告诉她，她却丢了妖丹，不是自己犯蠢吗？那个狐妖做事总是喜欢曲里拐弯，逗弄人心，如今不就让她陷入两难了？

她突然记起有个叫五龙渊的地方，她还得了五颗龙元呢，不知是不是藏在山河悬匣中。要不，把妖丹也放起来，先净化一下，或者过些日子再说？

这么想着，她情不自禁地把手握紧，却突然感觉妖丹上涌出一丝丝凉气，就像夏天吃的冰激凌，忽一下通过她的手臂，钻入她的心底。

第三十章
时间长河中遗失的记忆

哗地一下，她眼前涌出白色光芒。她骇然发现自个儿不是在百里布怀里了，而是站在一条河边。

是……河吧？

长长的河从天这边到天那边，好像没有尽头。可是河水，怎么也看不清楚，亮闪闪仿如一匹镶嵌了无数珍宝的绸缎，可这河水又不像是水，虽然哗哗有声地流淌，却像星云飘浮在脚下。

她迟疑着，考虑要不要下去看看，可哪想到心念至此，她的人就真的踏入了河里，身体极轻，有极自由的感觉。

难道，是她的魂魄到了某个空间里？掐一下自己，果然是不疼的。不过她不害怕，因为她感觉周围安静祥和，没有半点儿威胁，只是枯燥得很，只有河水静静流着，亘古不变。在河面上空，飘浮着几个闪烁着彩色光芒的古字体，貌似小一郎教过她，却一时想不起来。

犹豫了一下，她向前走了两步。

河水没有温度，不冷不热，甚至没有实质，但阻力却在，迫使她停住。然后她眼前出现了一幅幅画面……不，是她好像飞临到某个地方，以旁观者的角度，亲眼看着发生过的事，就像看电影，就像倒带，就像回到过去。

这里是昆仑脚下的迎仙镇外，三个师父从山里匆匆出来，她的三只灵宠拦住他们，把她留下的信交给师父们。

下一个画面是潼川的废墟上，她化身为百里布的模样，死在三个师父的面前。

再下面，三个师父枯坐在密室中，打开了她的信。

画面跳跃，似乎是不同时间内发生的有关联的事。乐飘飘心头一凛，忽然想起那古字是什么：时光之河。难道，她由乱的妖丹指引，进入时间的长河，寻找自己遗失的记忆吗？

她压抑着激动和雀跃，安静地以旁观者身份观看，就见小一郎捏碎了蜡丸，并念出了声。

三位师父：

见字如面。

如果你们看到这封信，说不定我已经离开你们了。对不起，让你们伤心了，可是我没有其他办法。你们是我的父亲、兄长、朋友，是最可信赖的人，我无法逼迫你们做出选择，但我又真的很爱百里布，不能看着他受伤害，于是只好我来走出这一步。

西尊师兄对我说起百里布因失心变得邪恶之后，我就明白，他们要利用我，在百里布的心上做手脚，然后杀掉他。我没有阻拦，因为我知道西尊师兄就算要利用我，这话说得也有几分道理。而百里布被仇恨和他的父亲逼迫着，有很多事身不由己。

我想，他的修为若受到损伤，他的父亲就会允许他沉寂一段时间。这样，他就有了思考和选择的时间，师父们有了抽身而退的时间，百姓也可以有逃离这片土地的时间，到一个修仙者不会伤害他们的地方去。普通人应该有普通人的生活，不应该成为被无辜牺牲的蝼蚁。还请师父们在情况允许下，要修仙联盟答应修仙界的战争不殃及百姓，毕竟天地还要百姓的劳作奉养。我也会同样要求冥界应下这件事，竭泽而渔的道理，谁都懂得。

时间，所有人都需要时间，解决不了的问题，其实更需要时间。如果我的死，能争取到这些时间，师父，我死而无憾。不是我伟大，而是我自私，我不管天地是不是毁灭，我只关心我所爱的人。我想让你们活着，哪怕只是暂时。

不过，我不相信四大天尊，所以我才非要住到师父们的地方。这样，给百里布的心做手脚，是会由师父们执行的。三位师父疼我，所以不会过分伤我的心上人。我需要百里布的心受到损伤，但伤害却不能太大。

三位师父只是想要拔掉百里布身上的龙印，我理解，而四大天尊却想要他的命，斩草除根。

我逃离昆仑，选择和百里布在一起，细追究，是背叛了师父的。我明知道百里布会因我还回他的心脏而受伤，却仍然这么做了，说起来，也是背叛了他。

双重的背叛，我希望我的死可以洗刷。

请师父们放过他，我也会要求他放过师父们。因为你们和他都爱我，只有我死了，才能让你们彼此放下对对方的仇恨，至少不会直接对上。因为，我会是你们无法面对的心伤。

原谅我利用了这一点，我不能看着我爱的人自相残杀。

如果可以，请师父们离开修仙联盟，带着咱们二仙门的人隐居。就算天地覆灭，我也相信生灵自有生存之道。常听人家说道法自然，不是不去努力，而是应该懂得放弃。

这就是我悟的道。

永别了，师父们。几十年的相处，就是缘分，哪天天崩地裂，在时间的长河中，那也是抹不掉的。谢谢你们，曾经那样疼爱我。

飘飘绝笔

三位师父读完信，虽没出声，却都是泪流满面。

"我们不够资格当她的师父，也没有脸承她的师徒之情。"凤九哽咽，"在这个局里，她什么都知道，可是我们从没有替她考虑过。"

"这个天下、这场纷争，已经不是当初我们除魔卫道的战事了，而是因为惧怕、因为报复和权力。当年我们三个与赤羽的最后一战，其实已经变了味。"小一郎苦笑，"飘飘看得明白，我们三个却被蒙了眼。"

"照她的意思去做。"无迹咬牙道，掩面奔走。

乐飘飘看着三个师父伤心的模样，也跟着难过，可是，却有另一种强烈的心碎感直达她的脑海，牵着她在时间长河中挪动角度，看到冥王宫殿中的百里布。

燕北天回到百里布的寝宫时，被乐飘飘放倒的百里布正挣扎着起来。他的胸口，放着一枚蜡丸，捏碎后，是她另一封信，给百里布的。

殿下，我背叛了你。就算如此，我还是想得到你的原谅。是我太任性了吧？

你的心脏，我师父做了手脚，会影响你至少几百年的修为。在此期间，你不能走出幽冥界，要安心养伤，安心想想今后要怎么做。不管你做出什么决定，我虽然看不到，但是，我希望你活得没有负担。

每次和你一在起，我都觉得你好累，所以，我总想让你感觉平和安宁。可惜我是大笨蛋，根本做不到，于是用了蠢法子。事先不能和你商量，自作主张了，是我的另一个任性。

我对你用了傀儡术，不是和燕大哥学的，而是龙神殿空间更高明的一种，所以能骗过更多的人。我觉得你该为此讨厌我、责怪我，但我请求你偶尔在心里还能爱我一下，这是我的第三个任性。

如果你能容忍我这三个任性，还请你放过我的师父们，还有无辜的普通百姓。你看，我这样对你，却还诸多要求，女人真是不可理喻啊。

可是殿下请你记得：这世上始终有人真心爱着你，至死不渝，并且，没有遗憾。

对，那个人就是我。

画面跳动，连续的，但也是不连贯的。乐飘飘看到百里布瞬间脸色苍白，他不顾燕北天的劝阻，疯狂地冲上地面，却已经晚了。他喷出一口血，晕倒在地，燕北天把他背了回来。

醒来时，寝殿内空荡荡的，百里布枯坐着。不知多久，光影波动，紫发金瞳的赤羽出现。

看到赤羽的影像，乐飘飘像往常一样，泪流满面。

而赤羽和百里布对视着，谁也不说话。半晌，百里布突然匍匐在赤羽的脚下，"师父，是您吗？师父，告诉我，要怎样才能救飘飘？"

"你追不上她。"赤羽轻叹，伸出一只手轻抚百里布的头顶，但苍白如玉的手指却虚空空穿过，显然，身体并非实质。

"知道吗？上天很残忍的。心爱的人，总是抓不住，溜走了就再也追不回，哪怕上穷碧落下黄泉，仍然是无用的。"他说。

"我要她回来。"百里布非常执拗，那种任性的样子，在别人面前从没有流露过。

"真是笨，和我一样笨啊。"赤羽露出凄凉的微笑，向后退一步，从怀中掏出一个光华灿烂的月光石，"幸好，还来得及。"

"这是什么？"百里布惊讶。

"这是飘飘的魂魄，可惜受损严重，很难修复，非短时间可成。"赤羽弯下身子，把月光石放在百里布的贴胸处，"你是半神之体，身上有龙气，把她的魂魄放在你感觉龙气最丰沛的地方，日夜以己身滋养，不能沾染外界俗物，更不能染上冥界的阴气。或许过得百年，她就能重生为人。只是，她怕是记不得之前的事了，也不会知道你为她做了什么。这样，你还要救她吗？"

"不需要她知道。"百里布的脸上只见狂喜，没有犹豫，"我只要她活下来，别无所求。"

"果然很笨。"赤羽又叹了声，身形一晃，似乎连虚影也要消散，"你好自为之吧，我不能凝形很久，为了收集飘飘的魂魄，我耗尽这些年积攒的力气，下一次不知何时才能相见。"

"师父……"百里布不舍。

"别浪费飘飘以死为你争取的时间，就先蛰伏于地下，将来……自有将来的决定。"赤羽又是淡淡一笑，"这天道，怕是还不能放过你呢。"

"师父。"百里布再叫一声，伸手去抱赤羽的双脚，可眼前如烟消雾散般，赤羽如来时一样，静悄悄消失。

画面又转。

百里布坐在龙床上，左手捧着月光石，入定般看着月光石与掌心中那道伤痕的互动。他的身外，有淡金色的微光流转，循环往复。那光芒温润而顺畅，像是在抚摸他，却在划过他双目时突然强烈起来，月光石也同时呼应一样，闪过荧光。

"原来这样才可以。"百里布微微摇头，脸上似有笑意。

突然，他举起种有龙印的右手，挖出自己的右眼！鲜血淋漓中，把月光石内存着的魂魄放入眼窝之中。

画面抖动，也不知是乐飘飘的震惊还是痛苦。她只觉得过了很久，还是相同的场景，百里布取出右眼中的魂魄，见魂魄已经凝成一个珍珠大的人形，却仍然没有生气，他的右眼也再没有金光闪现。

"五十年了，还是不行啊。那，就再五十年！"百里布喃喃自语，一咬牙又挖出自己的左眼，把小人儿安稳置入其中。

乐飘飘的眼泪流得更多了，尽管赤羽已经离开。她头疼得像是被千万根钢针刺穿似的，各种复杂的情绪混杂在一起，说不出的难过。而往事，所有的事，瞬间就全部记了起来。就像天空拉开了一道大幕，豁然晴朗！

百里布失去眼睛是为了她！他挖出自己的眼睛以滋养她！五十年，一百年，他日夜忍受着不间断的痛苦，任她吸取他身上的龙气与神气，只为让她活过来，哪怕她不再记得他。

俗语总说爱一个人就像爱自己的眼珠子，百里布正是这样爱她的。

看到变幻的场景中，百里布把终于恢复人形的她送到三个师父手中。看到他一句话也没有留下，一个人在雪天中转身离去。那时，他还不习惯没有眼睛，一路走得跌跌撞撞、步履蹒跚，孤独的背影让她的心都碎了。

她哭得哽咽，连气都喘不过来。她摔到在时间长河内，同时在现实中醒来。

眼神聚焦，乐飘飘发现自己在自己的房间，自己的床上。

头顶上，三双灵动的大眼睛，眨也不眨地盯着她，见她睁眼，都露出轻松喜悦的神色。

"包小妞，你跑得快，赶紧去告诉三位长老，主人醒了。"大利吩咐。

"少摆谱，好像你是老大似的。"包小妞哼了声，却还是嗖一下跑走了。

"我怎么了？"乐飘飘问。

大吉乐得眉眼弯弯，柔声细语地解释，"主人那天晚上突然跑掉了，第二天早上是一个叫燕北天的把主人送了回来。二长老看过，说主人受了内伤，但明显已经好转，睡醒了就没事。大长老说商队不能耽误，三长老就亲自背主人回来了。不过主人足足睡了一个月，这都回村第五天了。"

竟然已经一个月了吗？不知道百里布怎么样。之前她被反噬力所伤，他也承受了一部分力量。至于说好转，难道是因为时光之河的缘故？那种地方是天地灵气汇聚之所在，若无大机缘，就算神仙也未必找得到。当时，她确实感觉身体迅速好转来着。可是百里布呢？为什么由燕北天送她回来？他是不是伤得很重？

恢复了记忆，爱的感觉就回来了，因为心里惦记着，不自觉地就很急切，乐飘飘忽一下坐起来。可她才要跳下床，又觉得很是不妥当，压下心中想要立即去见百里布的渴望，强迫自己静下心来，好做决定。

"飘飘，你醒啦？"三个师父一起挤进来。

乐飘飘使了个眼色，叫大吉、大利先出去玩，留点空间让她和师父们商量正事。

"我什么都想起来了。"她平静地说，看着三个师父齐齐愣住，又纷纷释怀。

"该怎样就怎样吧，到底是好事。"无迹笑得温柔，"我家飘飘这次，算是真正回归了。"。

"你想要如何呢？"凤九问得一针见血。徒弟苏醒了，同时苏醒的，还有五百年前那段情缘。这么多年他亲眼看着，再无不放心之处，只看飘飘的选择。

"我啊？"乐飘飘盘腿坐在那儿，"我记得龙神殿空间中，有一个玉简是记载缩地术的。"

"你要修行？"凤九纳闷，没想到他这徒弟不按常理出牌。一般这个时候，姑娘们不都是立即哭着喊着，投入到情人的怀抱吗？何况百里布为她几番生死，那份情，感天动地。

乐飘飘点了点头，"我才知道，我的修为居然过了化神期，若不是天道混乱，天门不开，说不定我能直接渡劫飞升呢。有这样的好底子，当然要立即练功。"

"这个我支持，你之前修习的傀儡术就是龙神殿里记录的功法，比普通的傀儡术不知高明多少倍。不过你那是速成的，你看要不要先巩固一下？"无迹从来就是乐飘飘说什么都好，这次当然也不例外。

小一郎却抓住了重点，"你要练缩地术？你想去哪里？"

这一说，三个师父都盯住了乐飘飘，神情严肃。

乐飘飘笑笑，"我死过一次了。"

"飘飘。"无迹为难地叫了声，大手抚上乐飘飘的头顶。

"所以我不欠这世上任何人、任何事了。而我背叛他，他却自挖双目来救我。

乐飘飘还是笑，可眼睛却湿润着，闪着动人的光泽。

"他的眼睛是这样……"凤九话说一半，不禁动容。

四百年前，百里布亲自把飘飘送回来时，已经是眼盲了，他却什么也没说。他们当然也不知道他是如何令飘飘复生的，只是那份失而复得的狂喜，足令他们可以忽视一切。

"我在他面前很任性，在师父们面前也是一样。"乐飘飘深吸了一口气，"以后，我想更任性一点。我要和他在一起，不管对错，哪怕他是这天下最大的恶人，做尽了坏事，哪怕所有人都厌恶他、唾弃他，我再也不会离开他。还是那句话，我死过一次。之前我服从理智，以后我只管自己的心。这样……可以吗？"

小一郎等三人面面相觑。

最后，仍然是无迹率先点头，"好吧，如果这是你所愿……为师宠你一向无原则。你尽管放心，为着你，我不会与他为敌。"

乐飘飘抓住无迹的手，摇了摇。

第三十章 时间长河中遗失的记忆

她知道，这是三个师父的底线。他们再淡出，仍然有自己的族人。将来修仙联盟和幽冥界的战争若无法化解，他们会袖手旁观、两不相帮。

"这和你练缩地术有什么关系？"小一郎仍然追问。但他和凤九没有反对无迹的话，已经说明他们的统一态度。

而缩地术，有点儿像现代的虫洞理论。两个相隔遥远的地方，就好比一张纸上的两个点，可能一个在这边，另一个却远在另一边，中间隔着好大的空白。但若把纸折起来，两个点之间的距离就很近了，甚至能够重合。

缩地术就是这样的法术，但普通的技巧在路途遥远的情况下，仍然要走一段时间，唯有高明的术法，可令人一步即到。

地处东南的二仙村和位置在西北的潼川城，也就是幽冥界入口处，相隔有千万里，走路要个把月，用飞的也得两天时间，何况进了西北境就会受到管制，不许乱飞了。所以，她要去看百里布，缩地术就是最佳的选择。

幸好，她的修为强大，少则练习个十来天，多则一个月就能熟练运用。不像当初，她速成傀儡术时只用了两三天，还得背着百里布。

"我舍不得三个师父啊。"乐飘飘知道他们就吃这一套，立即甜言蜜语，"如果会了缩地之术，婆家娘家两边跑，不过须臾时间，说不定，我可以天天回来蹭家里的饭。"

"哎哟，真是女大不中留，婆家娘家的，就这么大咧咧地说出来，也不知道羞。"凤九刮了下乐飘飘的鼻子。

"就是，都打算投奔其他男人了，居然还要吃我们的，要我们养，有这样的道理吗？"小一郎不满地说，"哪有徒弟都找到归宿了，还要吃师父的。真是天理难容啊。"

"吃我吃我，我不介意的。"无迹立即表忠心，还带点挑拨离间，"你三师父我，好歹当了几千年的魔主，外加上几百年二仙门的长老，私房还是有点儿，不像某两人，抠门得很。"

"还是三师父最好了。"乐飘飘扬起脸。

"你说什么？死丫头，敢给老娘再说一遍看看！"凤九马上就跳起来理论。

"我就说我们养的是个白眼狼！"小一郎也哼了声。

乐飘飘立即服软，左哄右哄。其实，她爱的正是这种生活，平凡清静，在浓浓的亲情下，是淡淡的温馨。可是，谁让她爱的人处于风口浪尖呢？所以，她只能义无反顾。再者，她也明白，三个师父还是担心她，只是怕她不开心，强颜欢笑罢了。

师父们，飘飘还是对不起你们了。

为什么，就不能有一个和平的环境呢？她看得明白，修仙联盟、幽冥界和普通百姓，对这一切都厌倦了。有多大的仇恨是不能化解的？

缩地术的修习，果然进境飞快。毕竟，她就像武侠小说里那种内力极为深厚的人，只要记住咒语和结印的手法，很快就能自如调动丹田内由龙神之气形成的修为。

半个月后的某天晚上，晚饭后她说要消食散步，却直接离开了二仙村，没有向师父们明确告知。三只灵宠，她并没有带走，因为不知面对的是什么，她不能让那三个小家伙跟她冒险。

看着天空划过的一道红色光芒，小一郎叹了口气，"情债难逃啊。也不知飘飘这一去，会不会顺利。"

"飘飘说过，这世上，每一个人都是别人的债。"凤九倒看得开，"我相信飘飘能做好。这丫头耍起鬼心眼儿来，那位冥王陛下顶不住的。喂，老三，你哭什么？"

"我没哭。"无迹狠狠抹了一把脸，"我就是不服，凭什么我们辛苦养大的徒弟，就白白让百里布得了去？那小子，有什么好。"

"你这是典型的岳父心态。"小一郎嘲笑道，"总觉得自己的心肝宝贝让别的男人抢走了。"

"唉，我就是觉得一切都像一场梦一样。修仙，寿命几千年，不也就这么过了？咱们当初捡到飘飘时，好像就是昨天。"无迹背着手，"事如春梦了无痕哪。"

"还春梦？"凤九嗤笑，"难道我们的魔主大人想女人了？要不你干脆娶了一直暗恋你的小姚算了。虽说年纪小点，才十二岁，再等个三五年总可以了。"

"喊，有脸说我？"无迹反击，"你那个小蜻蜓不是也天天围着你转？还有大哥，蜜儿姑娘可说过了，今生非你不嫁。"

"唉，我们长得太帅了，到处招姑娘喜欢。这种痛苦，普通人怎么理解。"小一郎痛心疾首，"但我怎么可能为了一朵花而放弃整个花园，虽然这朵花是蛮漂亮的。"

三人你一言我一语的又斗起嘴来。

其实，这也是他们想要的生活。权势、地位、修为、成仙，怎敌得过畅情适意的生活？就连故意装傻充愣，或者自污成无赖样子，也很快乐。

只希望飘飘，能迈过这个高如灵山的坎，获得幸福。

此时的乐飘飘，已经站在潼川的地界上。

五百年前，潼川成了废墟。五百年后，曾经的繁体与毁灭，已成一片荒凉。

她本来不知道怎么找到幽冥地宫的入口，但忽然心头一动，感觉体内的龙气找到了感应似的，自动引导她前行，突破一个个暗黑结界，很快她身形隐没，到了地下河。

望着那无言的黑色河水，望着那个曾经供奉赤羽龙体的青色石台，她脑海里浮现出一句法咒，轻诵之下，她眼前出现了很多飘浮的白色光点，像逃生通道的荧光箭头那样，在无边漆黑中，在万千如蛛网般的道路中，指引给她正确的方向。

她慢慢地走着，和百里布一样，传承于龙神及前冥王赤羽的神龙之气，令她在幽冥界行动自如，没有惊动任何人，也没有受到任何阻碍，很快来到冥王宫殿，来到百里布的寝居之地。甚至，她直接就推开那扇巨大而厚重的门。

她看到百里布僵坐在龙床上，腰身挺得笔直，透露着疲惫和寂寞。而殿内的火光吞吐不定，映着他的脸，使他看起来格外苍白和脆弱。

这样的他，从未在外人面前出现过。

"飘飘。"他叹息着说，仿佛觉得一切不是真实的，"你又入我的梦了吗？"他一定坚信这一点，因为他没有表现出意外的态度。

难道他经常梦见她？也难怪，他失去了眼睛，感官传递的信息，总是会出现混乱。还有，他怎么会料到她能轻易而自然地就出现在他面前？事实上，她自己也想不到。

那么，就当这一切是梦吧！

乐飘飘悄然走进，跪在他面前伸出双手抱紧他。在贴紧他的一刻，她哆嗦了一下，带得百里布也是一颤。

"今天感觉不一样呢。"他笑笑，"甚至有温度和实质感。"

乐飘飘不说话，突然想起最初的时候，她一碰他，他就不能动弹。于是，她骗他，解释她的出现，是入了他的梦。现在，她突然恍惚起来，也有点儿分不清现实与梦境了。

她挺直身子，抱住百里布的头，吻在他的唇上。

百里布身子僵住，随后抬手轻轻握在她的脖子上。手掌下，是跳跃的脉动。这一刻，他不那么确定了。是她来了吗？这不像是个梦。

　　乐飘飘保持着沉默，因为有时候，身体比大脑和心灵都忠实，更有时候，肢体语言更能说明一切。她抱紧他的肩膀，浅吻逐渐变深。

　　"不，你中了那狐妖的媚香。"百里布突然挣扎起来，试图离乐飘飘远一点，"如果要和你……和你……你会失去所有的修为。"

　　谁管它什么修为？！他本来应该已经死了，是他牺牲了珍贵的双眼将她的魂魄温养，令她的肉身重塑。他的修为停滞不前，除了他由情入道，令她成了他的心魔外，还有她夺取了本属于他的龙气这一原因。如果真的要修为尽丧，他也无悔！

　　"你想……起……来了？"百里布断断续续地问道。

　　他试图逃开，可乐飘飘主动而坚决，轻易就点起他身上所有的火。乐飘飘不回话，只有身体的反应。就让他糊涂吧，就让他以为是个梦，这样他就不会挣扎，会在迷乱中接受她。

　　她知道他担心的是什么，他可以保护自己的女人，所以不介意她厉不厉害。可是失了修为，她就变成了普通人，会老，会死，会离开他。所以他宁愿不碰她，只求她在身边。

　　可是她什么也不管，哪怕只有几十年的相聚，哪怕只有片刻的欢愉。

　　"不行，快放开我！"百里布抓紧乐飘飘的肩膀，手指几乎陷在她的骨肉中，"立即放开！"

　　"这是个梦。"乐飘飘终于开口，带着诱惑、诱哄和诱导，"我在你的梦里，你可以为所欲为。"她的声音被情欲染得软软的，更加媚人。

　　百里布所有的理智和思维都被燃烧殆尽，加之他经常会梦到几近真实的她，于是此刻真的发生了认知混乱。

　　幽冥界不知日月，但自有分辨昼与夜的方法。当百里布第二天醒来，身上有那种满足感所带来的虚弱，还有床上的狼藉一片，说明之前是真实的。但是，他身边空荡荡的，又像是个梦。

　　她真的来过吗？如果所有的事是真实的，她是怎么来的？现在又去了哪里？会不会是他相思太过，于是在迷糊中临幸了其他人？幽冥界全是阴兵和仙甲士，但也有被俘虏的低阶女修士，被充为宫奴。他在她们身上下了禁制，令她们不能生出异心，只能乖乖做日常的活计。

整整一天，百里布神不守舍，好在修仙联盟与幽冥界现在处于僵持阶段，小规模的斗争还用不着他出手。在燕北天之下，还有一群忠诚的卫士，来自于当年他的近卫，现在各司其职，幽冥界的军队被管理得比之前的大秦军还要好。

他想，飘飘是真的出现了，还是他的脑子出了毛病，晚上就会知道。

他等到半夜，正要失望的时候，却看到乐飘飘又来了。而没等他开口问话，她就直接扑进他怀里。碰到她，他就疯了。于是整夜，他仍然没有搞清楚状况，就在极致的快乐中结束。

然后是第三天、第四天，一连七个日夜，她会在白天消失，夜晚来临。两人抵死缠绵，什么也不多说。但这时，百里布已经绝对确定：她来了，她是真实的。他毁了她的修为，把她变成了凡人。然而，他却无法控制、无法放手，也无法离开。

男女之情？他觉得他们之间并非单纯如此，因为，那份情更强烈。

可在第八天晚上，她却没有出现。百里布不知等了多久，只觉得越等越恐慌，心都要裂开似的，就像血流尽了回不来，干涸、疼痛得难以形容。

是谁逼她离开他？是谁抓了她？是谁伤害她了吗？

百里布脑海里涌出无数种可能，腾地站起来，大声叫着燕北天。无论如何，无论她现在在哪里，他都要把她抢回来，不管结局如何，他再也不放手了。

燕北天没出现，打开房门的，是乐飘飘。

"白天我都躲着你，因为你需要骗自己一切只是个梦。"她静静地说："现在你知道自己的真实心意了，还介意我是仙是凡，还要赶我走吗？"

"绝不！"百里布伸出手。

乐飘飘跑过去，扑进他怀里，听他不断地说着，"绝不！绝不！"

这不是童话，不能说王子和公主从此过上了幸福的生活。

但两人不看过去，也不在意未来，只享受着当下的快乐时光，好得像蜜里调油一般。跟上次在一起还不同，总是隐约有些绝望的感觉，好像每一秒都可能是最后时刻，因而都为对方奉献了全身心。

"知道嫦娥的故事吧？"当百里布又纠结乐飘飘变回凡人、失去悠长的生命时，她窝在百里布怀里，问。

百里布愣了一下，恍然大悟，"对啊，就算你无法再修炼起来，我可以为你找长生之药。"

"你不怕我吃了仙药就飞升，从此不理你了啊？"乐飘飘腻腻乎乎地问。

"我会找到你的。"百里布回答得简单，顺便偷香。

　　其实，乐飘飘对失去修为也有点儿舍不得，好歹她也到了渡劫期前后了好不好？绝对的大能者！普通修士终其一生也达不到的高度。何况，缩地术才练好，却只用了一次，可惜死了。

　　她本以为她完全不会在意的，直到在第一夜之后，她在床上发现了那根红羽。

　　那根羽毛指引了她两次穿越，还代表着龙神殿空间，是赤羽所赠，自从出现就长在她头上，从来没有掉下来过，可是现在……从前只觉得它碍事，特别在梳头的时候，但现在看到红羽孤零零地躺在床上，她忽然觉得失去了很重要的东西。

　　不过她仍然把它好好地珍藏在自己的小包裹里，感念赤羽的恩情。而来幽冥界之前，她知道可能会失掉修为，把法宝什么的都放回师父那里了。

　　除了，乱的妖丹。

　　她不知是出于什么原因一直把它留在手中。乱那个人，满嘴胡说，不能相信，可怎么唯独中了他媚香不能交合，否则失掉修为的事就是真的呢？

　　不过她不后悔。

　　"我要告诉你一件事……"百里布说，神情很是严肃。

　　"你不是早就娶妻了吧？"乐飘飘顿时想歪了，"那我马上走。告诉你，不管我有多么爱你，我绝对不做妾的。"

　　"你想哪里去了！"百里布在她腰上捏了一把，"是关于我的身世。"

　　啊？难道有秘密？

　　"你父皇他……"她试探性地问。

　　"我把你的魂魄放在眼睛中温养时，他走了。"百里布的声音突然低沉了下去，能够听得出来，他很担心百里松涛。尽管百里松涛逼迫他，给他巨大的压力，干涉他要走的路，但百里松涛也疼爱了他那么多年，最后为他受了重伤，那份父子之情是没办法割断的。

　　"他的伤好了吗？"

　　百里布摇摇头，"修为尽失，身子也没好利索。但是那个宫中供奉的佛修回头，不知对他说了什么，两人一起消失了。只留了封信给我，告诉我不要找他，他道心有悟，需要静心。还有，告诉了我一些事。"

　　乐飘飘翻转身子窝在百里布的怀里，以无言的行动给予他力量。

　　"其实，我父皇并不是我的亲生父亲。"百里布抛出的第一句话就是重磅炸弹，"但我也不是他收养的，与他也有很亲近的血缘关系。他……是我的舅舅，他一生无子，就把我当成了亲生儿子，大秦的继承人。我的母后，不，应该说母亲，是我父亲唯一的嫡亲妹妹，一千多年前的大秦长公主百里其华。"

乐飘飘完全震惊了，而且心中突然闪过一道光。

百里其华……其华……七花……进入龙神殿的咒语。龙神殿空间是赤羽所赠，赤羽是百里布的师父，为他牺牲很多，无怨无悔……百里其华与赤羽之间……

"我的师父赤羽，也算是你的师父，其实……"百里布艰难地说，声音干涩，"他才是我的亲生父亲。因为他是龙神下界，所以我才是半神之体。我一直以为我继承的是我母亲那边的神格，却没料到是这个情况。"

"那……那……"

"知道他为什么会身体残缺吗？"百里布接着说，有些痛心，"我母亲生下我就薨了，我身子极弱，可能活不下来。于是他挖出一只眼睛，把我放进去养着。"

乐飘飘想起百里布也是这样对她的，轻声问："你们神龙一族，眼睛是龙气最丰沛的地方吗？"

百里布点了点头。

民间说：画龙点睛，正是因为龙的一双眼睛格外重要。

而乐飘飘也沉默着。记得她身死之际，也是赤羽把她的魂魄收集起来。说起来，赤羽对他们实在付出太多。

但她和赤羽有什么关系呢？为什么，他们这么有缘？为什么他总在最关键的时刻出来救她？又为什么一见到他，她就心酸到不行，就想落泪？

耳边只听百里布继续道："我的幽魂刀、日月弓、乾坤箭，都是他用自己的龙骨、龙筋与龙鳞所造。为了给我留下能傍身倚世的神兵利器，他才自残了龙神之体。当年，是他停止了那场冥界与其他三界的战争，可是他担忧那些人不死心，未来会对我不利，所以为我安排好了一切能保护自身的东西。我们一起找到的龙印，你引来的幽冥阴兵，也是他的安排。"

父爱如山，就是这个意思吧！

听到这些，乐飘飘非常感动。纵然她前世是个孤儿，但今世她有三个师父，她明白男人一旦爱起孩子来，一点也不比无私的母亲差，甚至，更伟大，目光更长远。

"他为什么要下凡，为什么发起战争，又为什么突然停止？"她有很多疑问。

百里布却摇摇头，"我不知道，父皇并没有详细说明。我想，他是觉得机缘到了，我自会明白，但肯定也与修仙联盟的阴谋有关。我自五岁懂事起，父皇就告诉我，我母亲是修仙联盟害死的。而且父皇和母亲年轻时的理想就是把修仙者从普通百姓的地方赶出去，互不相干。杀母之仇、治国的理想，是百里皇族和修仙联盟不可化解的仇怨。为了母亲，我不能罢手。"

虽然赤羽才是百里布的亲生父亲，百里松涛只是舅舅，但百里布仍然改不了口，用着与以前一样的称呼。

对百里布而言，母亲死于修仙联盟之手，亲生父亲如今已是魂体，不管赤羽发动战争是对是错，到底也是伤在修仙联盟的手下。养父，也是亲舅舅被修仙联盟的人伤得修为尽丧，如今流落在外，生死不知。所以他这样痛恨修仙联盟是可以理解的。

如果有一个合适的时机，大家沟通沟通，签一个和平协议就好了。如果这一切只是个误会，就更好了。然而，这也只是她的美好愿望吧。

"可是，你到底生于何年啊？"乐飘飘发现一个问题，"如果你是赤羽亲生，时间对不上呀。你父皇的年纪，也有点儿说不过去。"

百里布笑笑，摸摸她的头发，"实际上，我比你大很多岁。在我师父和你三个师父斗法之前我已经出生，不然，你看到我师父时，他不可能已经身残。父皇说，我生下来时是被包裹在一颗珠子中的，没有任何意识。师父以眼睛养育我之后，也是他与你三个师父斗法之前，又把我沉入地下黑水河底，以水汽滋养。我所有的修为，全是他以留在我脑海中的残念所授。我在五岁那年醒来，记不起之前的任何事。但是，我已经在混沌中修行了五百年，因为是半神之体，修行速度是普通人的百倍，所以早就大成。苏醒后的修为，只是不断释放而已，那一半人类血统就是我的封印。至于我父皇……他在我师父指点下修行，一步步踏实走来，生命早就长及千年，百里皇族一代代的皇帝都是他的傀儡，直到我苏醒，他才以后代的身份入世。"

怪不得父子全是修仙天才，原来是厚积薄发。连那仙甲士和好多神奇阵法，想必也是赤羽留下的，不然，土地贫瘠的大秦，如何能凌驾于其他六国之上？

"龙神和你的母亲，是怎么在一起的？"

百里布仍然摇头。

应该是很相爱的吧？一个是神，一个是凡间女子，他们的爱情，又怎样为天地和世俗不容？

"我得回二仙村一趟。"乐飘飘脑子里闪过一个念头，对百里布说。

"不许。"百里布很干脆地拒绝。

乐飘飘从他怀里爬出来，"不带这么霸道的，我还没嫁给你呢，就限制我人身自由。告诉你哦，我是很传统的，我们俩现在这样，顶多算是无媒苟合，你怎么着也得派人提亲，然后八抬大轿来抬我吧？虽然我还没嫁你就和你那样那样了，可大面儿上也得让我过得去。退一万步说，我现在就算嫁你了，难道就不能回娘家看看吗？"

百里布愣住。

若他还是大秦太子，当然会举行大婚之礼，可他现在是幽冥界的冥王，世道又这样乱，他以为这就算娶了飘飘了。事实上，他是舍不得放她离开，哪怕一瞬，但她说的也有道理。他心中喜欢她到不得了的地步，自然她想要什么，他就给什么。

只是……目前确实比较困难。

"非常时期，简单一点就好。"看百里布露出为难的样子，乐飘飘连忙道，"你就带几大箱黄金珠宝，选个黄道吉日，找人——就燕大哥好了，到二仙门正式求亲。媒人嘛，我们二仙村就有，就是意思意思表示一下诚意。然后我师父会选个日子，把我送过来。你若不放心，成亲时派兵保护就是了。但我还是觉得保密比较好，不然难保没有人半路抢亲。可是这个形式，我不想省下。"

百里布发，因为他不知道怎么回答。

他想满足乐飘飘，又想这来来回回，至少得一两个月吧？他现在一天也离不开她，两天就是忍耐的极限了。可不答应……姑娘家，都会梦想自己成亲的场景吧？他也不想飘飘不明不白地跟着他。把二仙门的人都接来幽冥界，在这里办婚事？又相当于拉二仙门倒向他这边，怕修仙联盟那边生事，也让三大帅主为难。

迎娶冥后，到底是件大事，而他，恨不能早一天立她为后。

"不然这样吧，"见他踌躇，乐飘飘又退一步，"这次就叫燕大哥送我回去，你也比较放心，然后直接就提亲，我再跟燕大哥回来好不？"这话底下的意思就是：这一趟必须走，是免不了的。

当然，实际上她要做什么，百里布不需要知道。就让他以为，她想要个婚礼吧。不过细想想，虽然她不介意就这么和他在一起，可身为女性，嫁人这种事，潜意识里还是很渴望的。

她很希望他唱一句：掀起你的盖头来……

那边百里布犹豫半天，最后还是点头应下。不过他又以各种理由强留了乐飘飘半个多月，才让燕北天带她走。为了加快来回的速度，他们在幽冥界，也就是地下走了很长一段路，这样既不会惊动修仙联盟，又节省了一半时间。

所以，乐飘飘在离开二仙村一个半月后，又回来了，带着大箱小箱的珍贵礼物。

全村沸腾，就好像她是凯旋的英雄似的。实际上她是夜奔男人，所以她很难得的不好意思了。而她的红羽没了，是人就知道她丢了修为，居然也没有人问起，想必是怕她难过吧。

而当乐飘飘跟三个师父说明她要成亲的事后，那三人登时骄傲得连胸脯也挺高了，摆足了岳父架子，诸般挑剔不满，把燕北天好一通折腾。

过了两天，她把燕北天丢给大师父小一郎和二师父凤九去对付，自己却貌似无意地找到无迹，在寂静无人处问起，当年三大帅主和赤羽在结界山洞的那一战。

"当时，赤羽不是已经停手不战了吗？修仙联盟为什么还要赶尽杀绝？"她问。

无迹叹了口气，"说到底，就是麻秆儿打狼——两头怕。很多时候，人是因为恐惧才会做出残暴无理的事。就像你身上落了只毛虫，并不会要你的命，但你惊慌之下，会把它甩到地上踩死为止。同样道理，那时赤羽虽然已经表示放弃，并承诺绝不再挑起战争，但之前他表现出太强大的实力，是修仙联盟根本无法抗衡的。大家都以为他是权宜之计，完全不相信他的话。后来打听到不知为何，他的肢体残缺了，修为损失了不少，便都认为这是个千载难逢的时机，必要把他消灭才能放心。美其名曰，除恶务尽。可是现在想来，赤羽并非十恶不赦。"

"赤羽为什么挑起战争？"乐飘飘又问起这个问题。百里布不知情，兴许师父知道呢。

可她仍是失望了，因为无迹也说不清。

"真正的原因没人知道，但他的目的却很明确，他想统一下界。"无迹说："可修仙界本来井水不犯河水，哪有人肯臣服，于是就只能战斗。"

"那他收手的真正目的呢？按理说，他所爱的女人百里其华是被修仙联盟害死了，他应该更疯狂地报复才对。"

"你怎么知道这件事？"无迹很吃惊，"当初，只有修仙联盟的最高层才清楚。"

"百里布告诉我的。"

"这是修仙联盟的污点，当初发誓谁也不说的。我们到底忘了，百里其华是大秦皇族，赤羽有可能把实情转告给百里家的长辈，然后一代代传下来。"

乐飘飘没说话，因为百里布是赤羽和百里其华之子，百里松涛是从那场大战中活下来，一直操纵皇家傀儡的人，在没有征得百里布同意之前，就算是师父，她也不能随便透露。

而听无迹的意思，没有人知道百里布的身世。但是背后指使狐妖王乱的人呢？是不是知道很多不为人知的细节？

"龙性最淫，赤羽也风流好色。"无迹继续说："他入世后，身边美女无数。偏他有那个本事，让各界的顶尖美人都臣服于他，甚至自动献身。可他又从不把女人当回事，不知伤了多少女儿家的心。后来，默默无闻的大秦长公主百里其华遇到了赤羽。也怪了，从此赤羽收了心，独宠她一个。那时战事激烈，无人能抵抗赤羽。事实上，他算是横空出世，之前甚至没有人知道他是从哪里来的，后来不知谁探查出他竟是上界龙神降世。"

听到这些，乐飘飘吃惊不已。

"那时候，修仙联盟几近崩溃，只差一步就会被赤羽所灭，他却因为沉醉在百里其华的温柔乡中而暂缓了攻击。修仙联盟认为这是翻身的机会，而只要杀掉百里其华，赤羽就可能走火入魔。至情的人，必至性。只要他失了心智，我们就有反败为胜的可能。"

"所以，修仙联盟对百里其华下手了？"乐飘飘简直难以置信。

这是修仙者吗？这就是澄明的道心？可见，只要关系到利益，人类自己对自己的考验，比上天的考验还真实、还要黑暗。

就像现在的修仙联盟，因为她是百里布的心魔，也被惦记着。若不是有三个师父罩着，只怕她也早成了诱饵，为所谓"人间正道"而牺牲。

无迹很羞愧，随后却又摇头，"奇怪的是，我们只是制定了针对百里其华的计划，却不知是哪方先下了手，突然传出百里其华死讯。"

"真的不是修仙联盟动的手？"乐飘飘紧张又好奇地问。

"这个我没办法回答，因为大秦长公主的死是个谜。当时的修仙联盟和现在一样，并不是铁板一块。"无迹道，"总之，赤羽心灰意冷，直接放弃了大好的局势，停手罢战了。"

"可你们非要斩草除根，是不是？"乐飘飘又问。

其实她也能理解修仙联盟，也没有立场责怪。毕竟，和平的首要条件就是平衡。赤羽的力量太强大，怪不得别人害怕他，不杀他就不能安睡。而他，不也怕将来儿子会倒霉，留下很多神物和冥王的力量吗？

说到底，不信任，就没办法言和。很多全面性大战，起因往往在一念之间。人心，才是这世上最难测的东西。

"赤羽失踪后，冥界阴兵也消失了。三界中的修仙者惊魂未定，找了十几年，才听说赤羽还活着，只是身体残缺了。我们认为那是他最虚弱的时候，于是才有那场大战，才有了五百年的和平。但今天看来，我们显然都错了，以暴制暴是不可能带来和平的。后面的事，你也都知道了。"

"大秦的那位长公主，很美吗？"乐飘飘沉默了好半天才问。

她回二仙村，并非为了求亲，那只是借口，她是想问问师父们关于一千年前的那场下界大战，还有关于赤羽和百里其华的故事。显然，知情人很少，就连百里布，因为他父皇没说，他也不知道。但三个师父是当初修仙联盟的最上层，果然她是问对人了。

但是那场爱情的细节，只有当事人才能明了。麻烦的是，旧的谜还没有解开，新的谜，也就是百里其华之死，又在往事中露了出来。

"见过大秦长公主的人不多，我有幸是其中之一。"无迹叹了口气，"瘦瘦小小，样子非常普通，扔在人堆里，除了那身公主的高贵气质，根本看不出她与普通人有什么区别。可就是这位姑娘，却牢牢抓住了赤羽的心。要知道，赤羽连绝色的女修、妖族狐媚和魔族圣女都视若敝屣，只是享乐，却从不曾动过真情，更不会把谁放在眼里的。"

乐飘飘又细问了半天，直到无迹再没什么可说的了，她才回自己的屋去。

一进屋就看到大吉、大利和包小妞都在。

灵宠的修为是和主人对应的，主人的修为高，灵宠就厉害；主人的修为低，灵宠就笨蛋。可乐飘飘是修为尽毁，现在是凡人一个，因此算毁了与灵宠间的契约，他们三个除了虚弱了几天外，能力并没有下降。

"你们跑来干吗？不去玩吗？"乐飘飘有点儿奇怪。

她对灵宠的管理一向松散，基本处于放养状态，这三只也乐得如此，平时若没有被关进山河悬匣，就四处疯玩，有时候要用他们都找不到。

现在乐飘飘与他们之间没有了契约，他们却改变了行为，总是在她附近晃，一脸闷闷不乐的样子。难道，灵宠就一定要有主人才行，否则就不快乐吗？

想到这种可能，她觉得挺对不起这三个家伙。尤其，现在他们三个甚至连人形也不愿意变，就以本体的形象出现在她面前：一只大白兔、一只火红色的漂亮鸟、一只肉乎乎的龙，看起来又萌又可怜。

"大长老说主人失去了修为，要我们就近保……"大吉没什么心机地说，话到一半，被大利拐了一爪子，就没说下去。

"不碍事，我本来就没了修为嘛，不用在我面前这么小心翼翼。"乐飘飘摸了摸大吉的羽毛，"而且，我已经不是你们的主人了。"

"喊，装什么大方！"包小妞一脸不屑，兔子眼却红红的，"修为而已，还能再修炼回来的。你别犯懒啊，我们就等你重新筑基，好签下血契。"

乐飘飘苦了脸。

当初筑基有多辛苦，她是很了解的，真不想再重来一回。而且，她也感觉出自己的身体不能再修行了，丹田、髓海和绛火都空荡荡不说，关键是像漏勺，什么也存不住。

但这话她对谁也没说，因为怕爱她的人失望。但百里布是了解的，毕竟他们的接触那么密切和频繁。所以，他才说要去为她寻长生药。现在，面对这三只灵宠，她也不忍打破他们的幻想，只含糊地点点头。以后的事，以后再说吧。

"我很笨啊，是五行全灵骨。"她摊开手，"你们要等我，需要很长的时间，就甘心让其他灵宠超过吗？"激将法应该有用吧？他们能另选主人最好。其实三个师父一人一只，多好。

"你怎么这么侮辱人呢？"大利拿看白痴的目光看乐飘飘，"我们三个是仙种，一般灵宠比得了吗？就我们现在的状态，其他小动物修个几千年也未必达得到，还介意你重修？但你确实也得快点，看你这半死不活的，走起路来像砸地，肉身沉重，气味浑浊，一点不飘逸，真的很丢脸呢。"

"你还是一如既往的欠抽。"乐飘飘骂了一句，"别自视这么高，其他灵宠倒罢了，就说鬼车和飞廉，也是仙级的上古宝贝，你不怕被人家比下去？"

包小妞一听就不乐意了，甩了甩长耳，不服道："有什么了不起的！比凶残，鬼车未必是我的对手。来，现在带我去会会他！"

大吉上前一把拉住，"别冲动，别冲动。"她有心理阴影，飞廉就算了，顶多就是不理他们而已，装高傲，有时还怪可笑的。鬼车可是个浑不吝，她还是一只小鸡时，就差点儿被鬼车抓去虐待，现在想想还心有余悸。

大利哼了声，然后又要发表意见。乐飘飘知道他火上浇油的本事大得很，连忙把话题拉回来，再没多说别的，心想，慢慢把真相透露给三位师父，他们慢慢自会劝服这三只吧。

吵吵闹闹中，天色就暗了下来。燕北天还在和三位师父就成亲的细节纠缠，乐飘飘吃了饭就躺在床上想心事。想着想着，就迷迷糊糊睡着了。正在半梦半醒中，她突然感觉脑袋底下一阵颤动。她下意识地向枕头下掏去，入手的是一个小布袋子，里面装着那根红羽、五颗龙元和那颗乱的妖丹。

"谁捣乱！"她哼了声，用手使劲抓那个小布袋，哪想到眼前白光一闪，她发现自己进入了一个奇怪的结界中。

她在做梦。她很清楚这一点，然后就像鬼压床，明知道是怎么回事，却无能为力，根本醒不了。可到底是修过仙的人，对这些奇闻异象见怪不怪，愣了片刻后她就打了个哈欠，不耐烦地问："谁？谁把我叫进来的？"

噗的一声，乱出现了。

"你不是死了吗？"乐飘飘纳闷极了，同时也有些惊奇，还有一丝丝喜悦。

"是死了，死得可彻底了。"乱无所谓地挥挥美丽的手，"可我提前分了残魂在妖丹里，因为跟你有话说嘛。再说了，这有什么稀奇的，你那五颗龙元里面也附了五个奇怪的家伙，其中一个还是和尚。"

"他是土龙，很善良的。"乐飘飘怀疑地看着乱，"倒是你，想干吗？"

"你也别烦，反正我办完这件事后，就连残魂也会没了的，真正再不会出现。"乱叹了口气，"若以后有缘，过个几百年，你若看到一棵狐狸草对你摇摆，一定是我。唉，可怜我真心喜欢你，都死了还记得要还你一份情，你却这样对我，好伤心哪。"

"别惺惺作态！"乐飘飘有点儿恼火，"你给我下了媚香，害我如此之惨，还有脸在这儿说喜欢我，要还我情？还你妹啊！"

"我没有妹妹。"乱一摊手，无辜的脸无比欠扁，随后又贱笑，"不过，你既然进了我设下的妖丹空间，说明你还是和百里布欢好过了，修为已经失去。当初我设下这个结界时有两个条件：第一，只有你能进；第二，你已非处子。"

"下流！"乐飘飘涨红了脸。

"你怎么也像世间俗人呢？"乱有些不满，"天地分阴阳，世人有男女，男欢女爱不是最正常不过的事吗？只要有情，什么做不得。"

"我怎么样，不关你事！但你设这个结界，到底有什么用处，难道就为了笑话我？"乐飘飘怒。

"我哪有这么无聊，说了是还情。"乱摊开手说："前面用媚香害你，若你们不顾一切非要在一起，说明真是有情人。虽说你为此变成了凡人，但谁说修仙者或者做神仙就一定快乐？而且，我这不是有补偿吗？"

"你怎么补偿我？"乐飘飘来了点兴致，但仍然持半怀疑态度。

乱这个家伙，挖过太多次陷阱让她跳了。

"这就是妖丹的另一个作用了。"乱得意地笑，"它能带你去一个地方。"

"什么地方？"

"我也不知道，但据猜测应该与赤羽以及一千年前的大战有关系。"

"你不知道？还据猜测？你还能更不靠谱点吗？"乐飘飘火了，"你要我吧？做狐妖做成你这样也算极品了，死前要害人，死后还要坑人！"

"喂，你怎么不信我！"乱不满地瞪眼，"这东西可是我从幕后主使人的手中偷来的，现在她还未必发现呢。"

"幕后主使人？"乐飘飘挑眉，"你的主子？"

"可不是嘛。"乱飞了个媚眼过来，"告诉你，她呀，就是东尊付采薇！"

乐飘飘大为吃惊，因为，她怎么也没想到是那个女人在作怪。而且这么容易就得到大BOSS的名字，是不是太简单了？一般故事中，应该历尽千辛万苦才能调查出来才对呀。

再者，付采薇可是四大天尊之一，正道的绝对偶像啊。所以，她一时还有点儿不敢相信。

"她为什么要这样？"总有个理由吧。要杀她、命令乱挑得她和百里布自相残杀，她什么毛病啊，变态，还是吃饱了撑的？

"为了赤羽。"乱老实地回答，"太细节的我不清楚，想来是为感情吧。女人，还能因为别的什么事这么执着和疯狂吗？说不定当年她爱着赤羽，可赤羽却爱着别人，她妒忌之下就失去理智。冥王赤羽，上界的龙神，绝世美男子，据说颠倒众生哇，所以付东尊由爱生恨是最好的解释。女人嘛，反正就是不可理喻的。"

"她做这一切，就是为了让赤羽出来？"虽然乱这么诋毁女人她很不爽，但那狐妖也有几分道理。

"谁知道她。"乱哼了声，"若不是她拿捏住我的命门，谁会给那个疯婆子使唤！以我的观察，她也不是下界的人，指不定就是上界和赤羽一道临凡的。她的修为远比大家所知的高得多，要不怎么能轻易治服我？以后你若和她对上，千万要小心。"

"你这样说，有证据？"乐飘飘彻底来了兴趣，因为她感觉在接近真相。

赤羽的身世、下凡、战争、爱情，以及一切一切的真相。

"真相肯定和我妖丹里存放的东西有关，那是我从付采薇那儿偷来的。"乱得意洋洋，"没有女人能支使我而不付出代价。嘿嘿，你除外，谁让我贱了一身的狐狸骨头，就是喜欢你呢。"

"到底是什么东西？别卖关子了。"

"我也没打开过啊。"乱眨了眨眼睛，"我偷到那东西就立即放在妖丹中了，若敢私下研究研究，只怕一动，付采薇就会知道。但她藏得那么珍重，一定是对她极为重要的，甚至，可能是解开她行为之谜的宝贝。可惜啊，我是没机会也没运气看了，所以交给你了。我想，至少你不能被害了还不知道是因为什么。"

乐飘飘看着他，心中不知是气是恨，或者，还有对他终将离去的遗憾。其实乱这个人，除了嚣张恶劣、行为乖戾、下流无耻外，也没什么大缺点。有时候，还怪好玩的。

"舍不得我了吗？"乱忽然温柔一笑。

不知为什么，乐飘飘觉得这是他这辈子笑得最真的一次。于是她点点头，"是有点儿。"

"那就不枉我这份心。"他继续微笑，"我辈修仙者，问的就是心意。可惜啊，所谓缘分就是这样，不管你多爱、多恨、多舍不得，该离去时还是会离去的。"说着，身形就是一虚。

"乱，谢谢你。虽然我恨你恨得牙痒痒，可还是……谢谢你。"乐飘飘真诚地说。

"小东西，我就喜欢你这样。"乱哈哈大笑，"总算，我给了你一把通向真相的钥匙，也就不亏欠你了。啊呀，我真要走了，记得注意狐狸草啊。"

"好。"乐飘飘答应。

话音未落，在那魅惑世人的笑中，乱的身影彻底消失不见了，而乐飘飘的眼前又划过一道白光。她猛然睁眼，发现自己还躺在床上，小布袋子就放在枕边，她的手中却握着那颗妖丹。

一时之间，她竟然有几分惆怅。乱，会转生为狐狸草吗？那是这个世界稀有的植物，像兰花的叶子，生于乱草之间，生命力极为顽强，与向日葵的某些特性相似，只不过它会对着月亮，转过草叶的正面。

乱的话又让她想起席慕蓉的那首诗：

　　　　如何让你遇见我

　　　　在我最美丽的时刻

　　　　为这

　　　　我已在佛前求了五百年

　　　　求他让我们结一段尘缘

　　　　佛于是把我化作一棵树

　　　　长在你必经的路旁

　　　　阳光下慎重地开满了花

　　　　朵朵都是我前世的盼望

　　　　当你走近

　　　　请你细听

　　　　那颤抖的叶是我等待的热情

　　　　而当你终于无视地走过

　　　　在你身后落了一地的

　　　　朋友啊

　　　　那不是花瓣

　　　　是我凋零的心……

乱，真的能转世为草木吗？乐飘飘很不确定，更不确定的是，要不要完全相信他的话。

她用力握紧手中的妖丹，眼前又是一花，定睛细看，竟然发现半空中凭空出现一道门。门那边，光华灿烂，就像闪烁着五彩的光，像是水纹波动，分外诡谲。还有，那门是虚空的，像是某个结界点，与真实世界相连却又相斥。

怎么办？进还是不进？门内是哪里？她若进去了，还出得来吗？她已经没了修为，若有什么危险，就是个死翘翘的结局。可如果不进，她预感她一定会后悔。乱一直真真假假，但这次，她觉得他说的是真的。

"主人，你在干什么？"在另一张小床上睡着的大吉醒了。

大利和包小妞是打地铺，因为乐飘飘没了修为，不能再使用山河悬匣，所以他们三个要跟紧她，就只能守在身旁一途。

"主人脖子疼吗？为什么一直向上仰着？"大吉瞪圆了黑豆般的眼睛。

乐飘飘非常意外，看着大吉茫然的样子暗暗心惊，难道除了她，没人看得到那扇门？

"快看看，半空中有什么？"乐飘飘一边指着五彩门所在的方位，一边走到地铺的位置，伸脚踢了踢大利和包小妞。

"什么也没有呀。"大吉很纳闷。

大利和包小妞醒了，睡眼惺忪地望着乐飘飘，"我就知道，就算主人没了修为，一样会虐待我们的。"大利不情愿地睁开眼睛抱怨道。

乐飘飘没工夫搭理他，再问："你们两个看到没？那边有什么？"

"墙喽。"包小妞跳起来，"不知道大利的龙角撞墙，会有什么后果。"他恶劣地一笑，没等乐飘飘反应，突然对着大利的屁股就是一脚。

只听嗖的一声，大利正对着门飞过去，一下就淹没在其中，消失不见了。

这下，乐飘飘和大吉都傻了。

包小妞愣了半天才缓过神，"怎么回事？主人教大利什么法术了？难道是隐身术？可是能避过我的天眼，这隐身术也太厉害了吧？"

"你个惹祸精！"乐飘飘拍了包小妞一把。

这下，不进也得进了，而且不能进得慢了，不然谁知道大利在那边会怎么样？会不会被卷到什么地方去？虽然他是上古神兽的后代，可毕竟是在凡间长大，而且从没离开过她，独立生活能力应该挺差的。她不能任由这个笨蛋丢了也不管！

乐飘飘没有犹豫，纵身一跃，也跳进了门里。

门外，大吉和包小妞目瞪口呆地望着眼前的一切，大吉急得都快哭了，"主人怎么也不见了？怎么办？怎么办？"

"能怎么办？主人在哪儿，我们就得在哪儿，上吧！"包小妞咬牙道。

"那是墙啊，撞上肯定很疼。"大吉有点儿害怕。

包小妞呸了声，"就这么一点点大的老鼠胆，还要我叫你师姐。那边一定有什么看不见的结界，不然大利和主人不会消失。快点吧，也许结界门有关闭时间，那时，不但我们会撞墙，还会丢了主人和那只笨龙的。"说着，包小妞伸出兔爪，拎了大吉的翅膀，也冲向同样的方位。

大吉闭紧眼睛，浑身紧绷，可预感中的疼痛感并没有来，而是感觉像是掉进了水里，轻微的撞击，接着哗啦一声，穿越薄薄的水层，掉到了实地上。

嗯，也没怎么摔疼。

向下一看，竟是如茵的绿草坪。眺目远望，哇，好大的一片，望不到尽头，就像一块绿色厚绒毯。

"你们怎么也来了？"身边响起主人懊恼的声音，"得，这下连给师父们报信的人都没有了。他们看不见我们，肯定得着急。如果我们遇到危险，连援兵也没法叫了。"

"没出息，还没出事呢，就想着叫人救。"包小妞对主人嗤之以鼻。

"放心啦，这里气息祥和，没有凶煞之感，一定不会有事的。"大利摇摇龙头，"但此地如此之广，能不能走出去才是个问题。"

乐飘飘四处看看，确实觉得赏心悦目，不像是可怕的地方。但那扇结界门既然是付采薇的，又是乱偷来的，那么作为补偿她的东西，肯定也不会简单，指不定隐藏着多么大的秘密呢。

"大吉，你方向感好，记着点路，我们往前面探一探。"乐飘飘当机立断。

大吉嗯了声，轻巧地踩了个舞步。这是她的能力，会留下除她之外谁也看不到的印迹。

一人三宠向着一个方向而去。

脚下，绿草坪无尽延伸，踩上去软软的，极舒服。有草叶的清香在空中飘浮，一丛丛的各色野花点缀其间。如果抬头，会看到蓝天白云，高远而静谧。

总体来说，这里是个很不错的地方，若不是没有方向和时间感，景色又一成不变，倒还真的很令人心旷神怡，宛如天堂。

咦，这不会是天堂吧？！

"啊！"

乐飘飘正想着，包小妞忽然大声惨叫起来，然后对大利怒目而视，吼道："跟这么紧干什么？你踩到我的尾巴啦。疼死了！"

"兔子尾巴这么短，能踩上的难度那么高，我居然做到了，你不觉得我很有技术吗？"大利嘎嘎地笑。

包小妞浑身的兔毛都竖起来了，像松针似的。

乐飘飘及时一摆手,阻止了他们,同时心中闪过一个念头。

他们没死。他们也不是在幻觉中。他们是真实的肉身存在,因为包小妞被踩疼了。这么说,那扇门确实是一个结界的连接点,他们到了另一个地方,可他们到底是被扔到了哪里啊?

"大吉,我们是不是在原地转悠?"她问。

大吉往身后看看,摇了摇头,"主人,没有。我们一直在向前,没换过方向,也没有回头。"

好吧,那就只能……继续走。

于是,继续走。

也不知走了多久,反正这个地方无法飞行,失了修为的乐飘飘很快就走不动了,由包小妞背着向前进,最后,在三只灵宠都累了的时候,眼前突然出现了一道艳丽的彩虹。在彩虹的下面,居然有一道石梯,缓缓而上,一直延伸到云朵之后,不知通向何处。

石阶上,长满了各色的树叶和花朵。

"幻真天梯。"大利念道。

那四个字是刻在石阶旁的巨石上的,黑石白字,字体颇有古意,看着像甲骨文或者其他象形文字类的,乐飘飘看不懂,大吉、大利倒是懂得的。

"什么意思?"她愕然道。

"就是梯子的意思。"大吉很认真地解释,"确切地说,照字面解释是指亦真亦幻的梯子。"

乐飘飘点头。她当然明白那是梯子,可是到底要不要上去瞅瞅呢?所谓亦真亦幻,会不会它并不是实质,而是踏上去就会摔得粉身碎骨呢?犹豫了一下,她咬咬牙,迈步而上。死就死吧,都到这个节骨眼儿上了,她已经没有退路了。似乎是命运推动着她前来,要让她找到谜底,那她就不会退缩!

"主人,你确定要这么做?"大利阻拦道。

"我们有选择吗?"乐飘飘摊开双手,"既来之,则安之。别跟小老头子似的。"说着,她连上了两阶。

还好还好,名为幻真,但脚下是实实在在的。

一边的包小妞听到大利吃瘪,嘻嘻一笑,故意三两下蹿到乐飘飘前面去。大利哪肯示弱,也追了上去,只有大吉乖乖陪着乐飘飘在后面走。

"别走远,若离开我的视线,你们就死定了!"乐飘飘威胁,怕累的时候没了脚力。

可是大利和包小妞一跑就没影儿了，害她只能自己走。爬了两百来阶后，她就累得像狗一样，直接趴在地上。

正当乐飘飘狼狈得毫无形象可言的时候，突然隐约听到了鸾凤和鸣之声，她抬起头，天上竟然有花雨降下。不远处深深的云海翻腾着向两边卷开，就像打开舞台上的帷幕似的。

一个男人就从那云海花雨中走来，花叶与雾气在他身外两丈处闪开。他穿着件素白的袍子，腰上一条黄色丝绦松松系着，赤着脚，及膝的长发也不束起，丝丝飞舞却丝毫不乱，手里拎着鱼竿和鱼篓，施施然自成风流。

看到他，乐飘飘心里涌出一句话：范儿这种东西，真不是随便什么人都能摆得出来的。

这男人的气质太超群了，甚至令人忽略了他的样貌。他一步步走近，乐飘飘居然没留意他长什么样子，到底是圆是扁，是黑是白。

谁啊这是？若说是大人物，怎么没有随从跟着？孤零零一个人，穿得也不华丽。若说是小人物吧，现身时的排场又这么大，又是仙鸟，又是仙花。别是和《死神》里八番队的队长京乐春水一样，出场时需要可爱的小七绪同学在上面撒花瓣吧？

如此想着，乐飘飘不由得向上望去，结果没看到制造花雨的人，倒是一片花叶轻轻落在了她的额头上，引起了那男人的注意。

"你是谁？"他问，声音温柔如春日的微风。

"我……我是乐飘飘。"乐飘飘累得爬不起来，干脆就坐在那儿，"请问，这里是哪儿？"

"这是上界，天庭。"那人掩饰着一点点诧异，好看的眼微眯着，"你怎么来的？"

后半句，乐飘飘没听到，她心里正震惊得无法描述。

这里是上界？天庭？那个千万个修仙者想要飞升，却苦修多年而不得的地方？她一个肉体凡胎，一个丢了修为的人，怎么稀里糊涂上来的？这也太神了吧！

"你是怎么来的？"那人又问了一遍。

"我我我……我就这么溜达来了。先是一大片草原，然后就是爬梯子。我……你看我累得现在还站不起来。包小妞！大利！"最后，她叫起那两只不听话的东西。

嗖嗖两声，包小妞和大利跑回来，站在她身后，一副打手兼保镖的样子，警惕地盯着那男人。

"来得这么容易啊，我们这边可都下不去呢。"那男人也没见走动，忽然就来到乐飘飘面前，也盘腿坐下，"这就叫歪打正着吗？"

"我人品好呗。"乐飘飘耸耸肩，平静下来。

"你又是谁？"

"我是天帝。"

"喊，骗我啊，当我是下界来的乡巴佬？"

"为什么真话总是没人相信？"

"因为……这种程度的话，好歹要谦虚一下，让人蒙在鼓里，然后恍然大悟才够曲折。太简单的话，反而让人怀疑。要不怎么说，人都有贱骨头呢。"乐飘飘耸耸肩。

"那么你现在信了吗？"那人笑了。

"你叫什么？"乐飘飘想了想，问。

"连营。"

"好吧，我信。"

"为什么？"

"因为你的名字好听，因为相信别人比较省力。怀疑，是很费精神的。"乐飘飘大大咧咧地拍拍男人的肩。

在她的观念里，天帝应该是中年美大叔，不可能像他这样才二十出头的样子。还应该穿着华丽的龙袍，脑袋上戴着皇冕，不怒自威的，而不应该这么和蔼可亲，问什么答什么。

所以她断定眼前的帅哥是骗她的，或者是逗她的，于是她就更要装得若无其事，显得她见过世面嘛。这连营说不定和狐妖王乱一样，也爱捉弄人。

"你来这里干吗？"她随口问，"不会是钓鱼吧？"

"就是钓鱼呀。"连营很认真地答。

"这里哪儿有水？"

"谁说鱼一定在水里？我在钓云中鱼。我每天都来这里待上半日。"

"原来你是守梯子的。"乐飘飘恍然大悟，"我们那儿管做这种工作的叫保安。不过，刚才的鸾凤和花雨是怎么弄的？真好看。"

"哦，我一出现，基本就会有那些。"连营满不在乎地说。随后，他凑近了脸，好奇地看着乐飘飘，又耸了耸鼻子。

"你身上有赤羽的气息。"好端端的，他突然皱了眉。

于是，气场瞬间就变了，"是怎么回事？"他问。

瞬间，乐飘飘情不自禁地哆嗦了一下，不是害怕，而是生出了百花面对阳光时所产生的那种混杂了期待和尊敬的心情，就好像，自然而然觉得自己非常渺小和卑微。

他真的是天帝啊！她立即就扭转了刚才的判断。

"你你你……"

"这回是真的相信我了？"连营一脸的温柔和煦，却再不会令乐飘飘觉得他是个守梯子垂钓的低层人士。

很多事就是这么奇怪，一念之间，天翻地覆。

"没能第一时间相信也不能怪我。"乐飘飘只顾着惊了，倒忘记了怕，"天帝是上界最大的BOSS，怎么会没有侍卫宫女太监什么的跟着，又怎么会如此随意自在，还自己就到处溜达？"

"报死？"

"就是头儿，领导，最大的官。"乐飘飘解释。

"上界与下界不同，没有那些凡俗的礼仪规矩。但上界比下界更注重忠诚和服从。"连营幽幽地说："至于说侍从……早在万年前，赤羽就荡平了上界一切可能存在的危险。如今别说我身边，就是整个天界也不常有巡卫，真正的清静自在。"

赤羽……乐飘飘念着这个名字，心中陡然一酸。

"他有着赫赫战功，为什么会下界临凡？"她问。

这个问题似乎有点儿大，天帝连营居然愣了一下，半天说不出话。他沉默良久，才道："你知道吗？下界有什么种族，上界就有什么种族。因为所谓上界，就是由下界的生灵修到一定的境界后，飞升而来所组成的。"

上界就是下界的升级版，她懂。

"所以，下界有的贪欲和争斗，上界也有，可能，还更残酷激烈。"连营继续说，神情微冷，"赤羽是我从出生到现在，十几万年光阴里唯一的朋友，也是上界的第一战将。他是尊贵的龙神，也是主管杀戮的王。在天界，曾出现了多次动乱，若没有他，我这个天帝早就被打到下界，变成泥尘灰土了。而万年之前，他更是平定了最大的一次叛乱，正因此，上界诸族这才有了持续至今的和平与安宁。"

"他是厌倦了，所以才下界吗？"

"不，他是被我害的。"连营一叹，目光穿透了云层，不知望向何方，"当年大事已毕，我把他关到了锁龙台上。那是专门惩罚神龙之地，要受无数苦楚，甚至会损毁很多的修为。他不曾想到我会那样对他，所以当我这么做了，他先是不解，然后那无尽的痛苦令他愤恨，最后他叛逃到了下界。"

"什么？"乐飘飘简直难以置信。

她瞪着连营，看他的面上平静无波，越想越气，不禁骂道："你怎么能这样平静地说这种事？果然帝王心术，上界和下界一样，玩鸟尽弓藏、兔死狗烹那套。你还说你们是朋友，还说他为你做了那么多，你怎么能这样对他？！原来上界是掌握在你这种人手里，怪不得下界也道德沦丧，德行缺失！"

"我……做得很过分是不是？"连营轻声道，既不恼，也不怒。最关键的是，他不解释。

为什么？他为什么那么对赤羽，现在却连句辩解的话也不说？忽然，她似乎明白了赤羽的心意。在上界，纵然他强大无匹，毕竟斗不过天帝，所以他才求去的。

幻真天梯是上下界唯一的通路，刚才连营又说他们上界的人很难下去，那么赤羽一定是付出了惨重的代价才得以离开的。他那样心高气傲的人，肯定受不了这种背叛，于是他想统一下界，然后是想直接打上来吧。

照连营所说，赤羽一直甘为他驱使，权力欲望应该不是很强烈才是，那么支撑他的，一定是复仇的意念！

只是赤羽逃离上界是在万年之前，可下界大战却是在千年之前。这只能说明赤羽伤得相当严重，用了九千年的时间来疗伤。他是龙神，纯阳之体，却潜入幽冥界那种极阴之地，想必是为了躲避上界的追杀或者追查，也想必受了诸多苦楚吧。

不知不觉中，她已经满脸是泪。

"走，我带你去一个地方。"连营站起来说。

"我不去，我不愿意跟你说话！你虽然是天帝，可我看不起你！"乐飘飘怒极，哪里还能对连营还保持着尊敬和恐惧？

连营并不生气，"你可以不理我，可难道你不想和赤羽说话？"

"什么意思？"乐飘飘一惊。赤羽的魂魄回来了吗？

"赤羽在上界有自己的龙神宫，那里放着一面通心宝镜。"连营慢慢解释，"那宝镜是他的本命法宝，与他心意相连。他做过什么、经历过什么，宝镜中都有记录。如果他的魂魄现在还在，你甚至可以看到他此时的心意。"

"你看过了？"乐飘飘很怀疑，"如果你已经看过，那我就不再相信，谁知道你有没有做手脚？"

"那是他的本命法宝，我只能毁掉，却不能打开。"连营苦笑，"你也未必能进入镜中，只是你来得太蹊跷，也许冥冥中自有缘分也说不定。反正，看一看对你也没有损失。"

乐飘飘迟疑了一下。

她在判断连营说的是真还是假。可结果却让她十分郁闷，因为就算连营说了那番害过赤羽的话，她仍然相信他。这是他施展的法术吗？到底他是上界的天帝，而她只是下界的凡人，倘若他想操纵她，那还不是易如反掌？

那么，还是去看看吧。既然地位和力量相差如此悬殊，她倒也不担心了，因为她就算想被人家利用，只怕也没有资格。

见她答应了，连营一卷袍袖，反手拉着她，这回不用走的，直接腾云而去。

大吉、大利和包小妞一直插不上话，但他们三个脚底下利索，刚才不能飞，现在不知为什么就能了，当下紧紧跟着。

路上，他们遇到不少人物，什么奇形怪状、什么谪仙风姿的都有，但见了连营都要恭敬行礼，到这时，乐飘飘心里最后一丝怀疑也消失了。

她不过是得了一颗妖丹，据说妖丹中有一个上神携带的宝物。然后她穿过一道门，走过了平原，爬了梯子，居然就到了上界，见了天帝，现在还要去龙神宫。

这是什么样的孽缘啊！

很快，一行人来到一处偏僻之地，四周是广袤的云海，远处是一座巨大的金色宫殿。乐飘飘不知该怎样形容那宫殿，反正就是传说中的霞光万道，瑞气千条，一看就是神的居处，绝非人间富贵荣华可比的。

待到了宫殿门口，连营才放开她，"你自己进去吧，当初我应过赤羽，他的地盘，我绝对不会涉足。我就在这里等你，不管你进不进得了通心宝镜，我都会等到你出来为止。"

乐飘飘想说两句话挖苦连营，可是那种无力厌恶他的感觉又来了。似乎这个人身上有一种净化别人心灵的能力，让人一点点恶念也凝聚不起来，太无趣了。

于是她也不再废话，抬脚便走进赤羽的宫殿。

进门后，一种熟悉感扑面而来，因为这里和龙神殿空间是一样的建筑结构和室内设计，只不过，她的龙神殿空间特别袖珍，此处却大得变态，连咳嗽一声都有回音。

"不愧是神的宫殿，真大啊。"包小妞赞叹。

"大就是好、大就是高贵吗？"大利习惯性地反驳包小妞，"那乞丐应该天下最大，他们天当被、地当床，'宫殿'大到没边了。"

"你真会抬杠。"大吉瞪了那二位一眼，"主人是来办正经事的，你们不要吵。"

乐飘飘停住脚，仰着脖子四处看，"是哦，有斗嘴的工夫，还不如帮忙。都快去找找，哪里有一面镜子？那宝贝名为通心宝镜，应该是镜子形态的对吧？唔，这里是正殿，两侧应该就是偏殿，那大利，你和包小妞往左，我和大吉往右，哪组有了消息就通知另一组。如果都没找到，咱们就到后殿会合。"

"得令！"大利一抱龙爪，"我预感找到镜子的人会是我，因为我是龙种，到了这里有很强烈的亲切感。"

"那还不快去！"乐飘飘喝了声，拉着大吉往右边偏殿而去。

很快他们就双双来到后殿，因为偏殿及正殿都没什么好看的，算得上空无一物，待时间长了，连他们都觉得有一股寂寥孤冷之意，更不用说有什么宝贝能藏着了。可是到了后殿，他们却惊讶万分，入眼的居然是一片花团锦簇、脂粉遍地，虽然眼下静悄悄的，却看得出当日的莺歌燕语和热闹奢靡。

想来，天帝对赤羽是不错的吧，至少生活上给予了极好的待遇。好多人对她说龙性最淫，说赤羽在遇到百里其华之前有多么风流。也许，这里曾经也有无数绝色美女来来回回，也曾有英雄醉卧温柔乡，也曾夜夜笙歌吧。

"这下可难找了。"大吉很苦恼，"这里似乎有过很多女人，镜子有好多啊。"

"只要功夫深，铁杵磨成针。"乐飘飘咬着牙说："咱们有四个人，慢慢找，早晚能找得到！"

主人都这么说了，身为灵宠，自然也不能反抗。于是，他们三只就乖乖地把各处的镜子都搜罗来，全堆在院子当中，很快就堆成小山似的。他们还搬了凳子来，方便大家坐下挑拣。

第三十二章
赤羽, 从前

在三只灵宠忙前忙后的时候, 乐飘飘却很不负责任地在回廊上慢慢走着, 欣赏着宫殿的每一处华彩和精美。在绕到后院的天井处时, 她看到在天井正中央的地方有一个小巧的莲池——白翡为栏, 青翠铺地, 黑玉镶嵌, 说不出的温润华贵、华美优雅。

可惜, 一池莲花都枯死了, 凝成了死气。

乐飘飘上前, 见池水还清澈, 池底铺了彩色的小石子, 石子上还有奇怪的花纹, 极为漂亮。不过水中无鱼, 稍嫌灵动不足, 好像一万年没人来过的样子。

她情不自禁地探出半个身子, 往池子里看。她很小心地拉着栏杆, 确保自己不掉下水。但是, 她忘记护着身上带的东西了, 只听啪嗒一声, 她怀里的小袋子落了水。

"哎呀!" 她懊恼得不行, 因为那个小袋子里面装有五颗龙元和一颗妖丹, 外加一根红羽。就算她现在是凡人, 那些东西对她来说也是很重要的。

当她小心翼翼地跨过栏杆, 想要把袋子捞上来时, 水面突然荡起了巨大的涟漪, 紧接着, 银、红、黑、金黄、淡绿五颗龙元浮上了水面, 就像是煮汤圆。虽然颜色煞是好看, 但仍然吓了乐飘飘一跳。

这是什么情况? 这五颗龙元分别出自冰川雪龙、地狱焰火龙、汪洋天一龙、沙漠土龙以及大泽魔龙, 当时这五条龙守护的须弥结界被她和百里布联手破了, 龙元归于她, 虽说龙元的个头儿不大, 但也沉甸甸的, 哪可能从水上浮起? 除非这水不一般, 或者……龙元变异。

正当乐飘飘发着呆、不知如何是好时, 水面上忽然升腾起五色烟雾, 很快, 无形的雾气又凝聚成五个龙头的人形, 神态俱是凶恶, 只有一个例外——那笑眯眯的和尚，正是老相识沙漠土龙。

"女施主，小僧又与你见面了。"他打了个稽首。

神与妖毕竟不同，所以乱只能附一缕残魂于妖丹之上，过了限定的时间就会彻底消散于天地间。神龙一族则不同，即便肉身被毁，魂魄被拘走炼化，意念却还是完整的状态。若机缘足够，便可重塑肉身、重修龙魂。

"这是什么路数？"乐飘飘指指池子，又指指五龙。

"五龙渊本就是赤羽建造的须弥结界，一切只是为了保护那个能调动幽冥阴兵的龙印。"土龙解释，"我们五个本是龙神本体的五蕴所化，虽然被你和百里布所破，但胜者为王，我们还是会臣服于你们。"

"臣服？你管这种态度叫臣服？"乐飘飘指了指俱是一脸桀骜的另外四龙，"看样子，他们恨不能吃了我好不好？"

土龙尴尬地咳了几声，"龙的性子傲慢，没扑过来咬你，其实已经算是臣服了。"

"那太谢谢了。"乐飘飘哼了声，毫不客气地瞪回去，"现在有多远闪多远，别耽误我办事。"

"不知小僧可否帮忙？"土龙客客气气地道。

"嗯，把那小袋子给我。"乐飘飘指指池底，"你们五个是出来了，那袋子里还有其他东西呢。"

土龙一挥手，尚黑的汪洋天一龙就随手往水中一指，再一挑，已经湿透的袋子就弹射到了乐飘飘手中。乐飘飘连忙接住，拧了拧，顾不得潮湿就揣在了怀里。又见那四条龙仍然一副不屑的样子，干脆也不道谢，转身就走。

"回来回来。"土龙在后面叫她。

"干吗？我没空和你论道，我还有正经事要做。"乐飘飘有点儿不耐烦，但所谓伸手不打笑脸人，土龙那么温和，她也不好发脾气。

"你是不是要去找通心宝镜？"土龙问。

"你怎么知道？"乐飘飘不禁大惊，脸都涨红了。

不会是这五条龙能在布袋中听到外界发生的事吧？那她一直把布袋贴身放着，有时候还放在枕头下，她和百里布亲热的时候，岂不是……

好在土龙的回答让她暗松了一口气，"是刚才天帝通知我们的。"

"他何时通知了？我怎么不知道？"

"那个……是不需要当面说的。我们五个在沉睡，突然听到了天帝的声音，于是就苏醒了。"

怪不得连营只说让她找通心宝镜，却不告诉她怎么找。她还以为又是那套天机不可泄露的说辞，敢情是人家早就不动声色地安排好了。

"既然天帝叫你们帮我，你们怎么现在才出来，害我找了半天。"乐飘飘抱怨道。

"我们被困于龙元之内，要遇龙起之水才能出来呀。"土龙仍然好脾气地解释。

"龙起之水？这个池子？"乐飘飘这才明白，所谓冥冥之中自有天意，其实就是误打误撞而已——她要不是吃饱了撑的，又想逃避劳动，怎么会逛到这里？又怎么会把袋子掉进水里？当然，也有可能是五龙在袋子内挣扎着自己跳下去的。

"是啊，通心宝镜也在此处，要不怎么说它是龙神的本命法宝呢。"土龙笑道。

贱，一般而言不是个好字，但这个字如果和呆、萌、厚道、腹黑放在一起，就可爱了——比如土龙现在这样子。

不过听到通心宝镜就在这儿，乐飘飘还是很高兴的。

"这么说，我有了你们，就能轻松进入宝镜内了？"她试着推测。

土龙点了点头，"有龙神之五蕴者，自能随意出入宝镜。你要进吗？你是要进来的吧？你现在就进来是不？你这么急，应该是想立即进来的。好，那我数一二三了啊……三！"

咻一声，五条龙化作五色光环，平落于水面之上。那水面骤然形成了一个旋涡，虽然只有脸盆那么大，吸力却十足强悍，乐飘飘还没来得及反应，整个人就被吸了进去。

土龙属唐僧的啊？这么啰唆就算了，还自说自话，兼之不会数数。她还没有决定要不要立即进入镜子，也还没有叫来三只灵宠护驾，他就行动了……

忽然，乐飘飘面前出现了画面，而且她看到的画面是跳跃的、断断续续的，不过，她也从中了解到了很多事件的真相。她还突然明白了另一件事，天帝连营进入不了通心宝镜，却可以毁掉通心宝镜，但是他没有那么做，这证明他问心无愧，也证明赤羽和他之间发生了什么足以改天换地的误会！

那误会到底是什么？

她看看四周，还是上界的龙神宫殿，还是后殿天井处的莲花池，景色没变，但是氛围变了。赤羽倚在万花丛中，他身体上没有残缺，俊美得比天上的太阳还要耀眼。全天下的纨绔加起来也没他一个人恣意，他仿佛享受着世上的一切美景美色，却又完全置身世外，丝毫不为所动。

接着，她又站在了战场的边缘。赤羽金甲金刀，没戴头盔，几乎垂地的紫发迎风飞舞着。在他身边站着的正是黑发白袍的连营。他们两人，一个有君临天下的贵气，一个有主宰战场的霸气，在战场中都显得无比耀眼。

其实，赤羽目光中时常闪现出的凌厉金芒更吸引战场中人的注意，让人感到，他仿佛就是世界的中心。他身上散发出的腾腾杀气，连乐飘飘这个几万年后的旁观者都感到不寒而栗。

他迎着风，微微仰起头，深深呼吸，似乎享受着杀戮带来的极致快感。他的神色，狂傲如九天之上的烈阳。他的笑声，快意而充满渴望。他的眼瞳，除了金色，还有血一样的红，灼热得令人生怖。

他动手后，竟没有任何人可以在他的刀下生还，而且死状也都极为恐怖。很快，他在本军与敌军间趟出一条深深的鸿沟，像把地面生生撕裂成两半。沟中，血水流淌着，渐渐没过了脚面甚至膝盖，充斥着令人见之欲狂、闻之欲死的氛围。

天哪，自从她见过赤羽，满心里就全是他淡淡的微笑和忧伤，似乎千古寂寞由他一肩挑起，令她总觉心疼心酸，几欲落泪。她从没有想过赤羽还有这样的一面，残酷无情，心狠手辣。人命在他眼里，连草芥都不如。可怜这些上界的人，历经了不知多少磨炼才修行飞升，可若站不好队，等待他们的却是比下界还要痛苦的死法。

断肢、残躯四处飞。一个十四五岁模样的仙女，惊恐地爬到赤羽的脚边，哀求地望着他，那眼神，就连魔鬼看到也会心软的。可赤羽看也没看，抬脚就把她踹得粉碎。

这一刻，乐飘飘不禁想问：赤羽有心吗？如果有，他怎么可以做得这样绝？如果没有，他下界之后怎么会那么爱百里其华，还有了他们的儿子？怎么会三番五次地救她，还那么温柔？！

这不是赤羽……这不是她知道的那个赤羽！

她很痛心，画面却又变了，这次是上界的庆功会。神殿里，赤羽意气风发，逢酒必饮，无论哪个美女投怀送抱，他都来者不拒。很快，他就醉得不省人事了，没注意到坐在上位的天帝连营正沉静地望着他。连营皱着眉头，不知在想些什么。

镜头再变，连营与一名面相普通到扔在人堆里都没人会注意的佛修，一左一右地架起赤羽，把他从黑暗中拖出。下一步，他们已经来到一个巨大的石台上。

果然天上地下是相对应的，此处的石台几乎是大秦皇宫下那个供奉赤羽龙身的石台的翻版。只不过凡间的石台边流淌着黑水河，而此处的石台外围翻腾着漆黑的云海。石台四周也多了几根高耸的石柱，上面悬挂着乌沉沉的铁链，看起来似乎还有血迹浸于其上。

赤羽被关在石台上，铁链有如凶恶的巨蟒将他紧紧缚住，外面还升腾出一层光屏，好似围墙。尽管认为他杀戮时有如魔神般恐怖，但一见他落到这步田地，乐飘飘的心又疼了起来。

只听连营有些纠结地问那佛修，"回头大师，真的要把赤羽关在此处吗？你知道，只要启动阵法，每天必有九九八十一种刑罚加诸其身，风雷水火交替轰击，那痛楚，连魂魄都备受折磨且不得退避，这岂是他可以受得住的？"

回头大师？和尚？佛修？怎么听起来怪耳熟的？乐飘飘心念一动，但一时没有想起来。

只听那回头和尚叹了一声，道："天帝容禀。脱胎换骨哪有那般轻易？本就要承受常人无法承受之痛。天帝既想化解龙神身上累积了数万年的戾气，为防止他走火入魔，就必须让他忍受此苦啊。"

连营紧抿着唇，脸色苍白，看神情，显是挣扎了一番，不过到最后，仍是坚定地点了点头，又长叹了一声，道："他是为我才落到这般田地的，可惜我却不能以身相代。他本来只是战意强大，虽然太过喜好女人，行事却正直无私。但这么多次南征北战，鲜血和杀戮令他的道心出现偏差，渐有成魔的趋势。说到底，他也是为了上界的太平才走到歧途上的。"

"天帝，为一个人好，不能只看眼前，要为他长远考虑。"回头和尚的脸上也流露出怜悯之色，"退一万步讲，若不把龙神的道心扭转过来，由着他堕入魔道，那恐怕不只上界，下界也会变成人间炼狱的。您这番苦心，相信龙神早晚会明白的。"

"我只是觉得天道不公。纵然身为天帝，我也搞不懂天道是什么。"连营望着醉卧于石台上的赤羽，"他是为着上界平安和下界的苍生步上战场的，久而久之才被杀戮心侵蚀，日渐变得凶残。可到头来，天道没有给他报答，我也不能帮他，所有人都无法偿还他，却还要他忍受无尽的苦楚，回到原来的境地。这，是为什么？"

"天道无解。"回头和尚微微低下头去，"它只是一种规律，有时候难免会出偏差，于我们而言，也只能顺应而已。往好处想，赤羽如今这般惨法，说不定以后会有别的机缘。"

半晌，连营咬牙道："启动阵法吧。"

回头和尚双手合十，低声念了些什么，又道："老衲主掌刑罚，阵法一动，是无论如何也要执行到最后的。天帝，请您在受刑期间不要来探望龙神，若他心里有了指望，可能会影响戾气的拔除，那他就要受更多的罪了。"

什么？佛修这样一个以慈悲为念的和尚，居然是上界主管刑罚之事的？这也太奇怪了！

"只要他熬过百日之期，就可以了吗？"连营不放心地问。

回头和尚郑重点头，"必然如此。可是他的修为会因此大为降低，神骨也会受到影响。不过上界从今往后至少能有十几万年的太平日子，让他慢慢修养就是。老衲想，龙神在戾气除去之后，必会明白天帝的苦心。"

"我有什么苦心？我不觉得自己有如此大仁大义。我亏欠他，上界诸位神仙也亏欠他，可这样的痛苦，谁能帮他顶一下？"连营苦笑，"其实若论战功，天帝应该是他的，只是他太好女色，德行有亏，很多人不服，这才推了我上位。"

"天帝仁念，性子平和，正是六界之福。"回头和尚诚实地说。

连营还没回话，锁龙台上空突然传来轰隆隆的声音，接着一道闪电以迅雷不及掩耳之势，强力扯开黑重的云团雾气，一道紫色霹雳直接打在了赤羽的身上。

若是凡人，定会被轰得连渣都不剩了。

可是，那道霹雳只在赤羽肌肉强健的身躯上留下个大口子，鲜血随之喷涌，把锁龙台的台面瞬间染红。

赤羽惨叫一声，醒了。

然而他根本无法挪动身体，铁链扣住了他的手脚，而且，这些铁链像是有自己的意识似的，既限制住了他的法力，又令他无法逃走，并随着他的挣扎变幻着长度与范围。

赤羽抬头，正见到连营和回头和尚的脸。他先是惊愕，随后似乎瞬间明白了什么，愤怒令他须发皆张，有火焰在他眼睛中燃烧。

"你！是你害我！为什么？！"他狂吼。

连营张了张嘴，却终究没有出声。

"是我威胁到你的帝位了吗？本座从来没有在乎过！放开我！还是你已经不需要我了，所以把我关到这里？！"他心里明白，锁龙台并不是为神龙一族准备的惩罚之地，它叫这个名字，是因为连龙神也无法抵抗这里的刑罚，这里是最重的惩罚之地!

"你……好自为之。"连营只说了这句话，猛然转身离开。

"阿弥陀佛。龙神，望你浴火重生，来日必知因果。"回头和尚说完，跟着天帝一起离去，只留下龙神赤羽在愤怒地叫骂。

乐飘飘在一个俯视的角度望着赤羽，看他徒劳挣扎，直至遍体鳞伤；看他承受着风雷水火和八十一种残酷刑罚的折磨，直至奄奄一息。因为他曾经那样的强悍，所以他此时的无助也更加让人心疼。

如果可以，乐飘飘真想不顾一切地把他放出来。若天下因为他而太平，凭什么就不能因为他而沦陷？天下不是一个人的，是亿万众生的，每个人都有责任，不带这么欺侮人的。

可她终究只是个旁观者，她甚至连自己的位置都无法选择，对这面通心宝镜，她没有权力说不，所以她只能眼睁睁地看着。

似乎过了很久，其间赤羽安静了一阵子，似乎在想什么事情。之后，他不反抗了，但看那样子也并非屈服，而是有了其他的盘算。

就在这时，一个女人出现了。

乐飘飘身处修仙世界，见过的绝色美女不计其数，所以她对美人很免疫。可溜进锁龙台的这个女人，却惊得她目瞪口呆。

她自己也是个女人，且绝对没有拉拉倾向。但尽管如此，她仍然迷醉在此女的美貌之中。那是用语言无法形容的美丽，五官、皮肤、身段、头发，这些外在的部分无一不是极致完美，气质上纯净如雪，飘逸似云，偏偏还夹着一丝魅惑，融合出一种颠倒众生的味道。

这种女人，天生就是该祸国殃民，让六界为之大乱的。

她是赤羽的心上人吗？

"赤羽。"她急急地低唤。

"琼楼，你怎么来了？"赤羽的回应却淡淡的，不见欢喜，也不见厌烦。

"我来救你。"绝色中的绝色美人琼楼凑近了些，泪盈于睫。那模样，连乐飘飘都感动到不行，恨不得为她上刀山、下火海地去死一遭才能报答其万分之一。

可是……等等。

就算再美，也不至于让她如此吧？这种美太邪了，居然令女人都无法生出妒忌之心。这不会是法术或是媚术吧？琼楼不会是妖仙或者妖神吧？不会是乱那个种族的吧？

乐飘飘心中一凛，清醒了不少，脑海中立即闪现出很多问题。她越看越觉得琼楼的相貌很面熟，有点儿像东尊付采薇。因为此女出场时几乎全身都散发着柔润的光，竟然令乐飘飘没看清她的五官。如果琼楼真和付采薇有渊源，甚至她就是付采薇本人，那就能解释为什么东尊大人的宝贝能送她到上界，乱又为什么说东尊不是平凡人了。而且这样想想，好多事似乎连起来了……

"有谁知道你来？"赤羽仍是淡淡的，看起来很是疲惫。

"没人知道！"付采薇，或者应该称之为琼楼的女子急急地说："也没人知道你在这儿。天帝对外说，你受伤闭关了，甚至封了你的龙神殿和锁龙台，不让任何人靠近。"

赤羽冷哼了声，"坏事，总是越少人知道越好。可你是怎么知道我被关在锁龙台的？"

"你忘记了吗？我有一种隐身法术，能化身于空气之中，任谁也发现不了。"琼楼一边说一边左顾右盼，似乎时间紧迫，又似乎怕人发现，"我听到天帝与回头和尚说起你的事，所以知道了。现在别说这么多，趁着锁龙台的刑罚暂歇，快随我走！"

哪想到赤羽却不动，只懒懒地道："不，我要等连营来，问个清楚。回想之前，我觉得他欲言又止。再者，他不是贪权之人，这么做说不定有苦衷。"

"天帝以前不贪权，那是因为他没有尝过权力完全掌握在手里的滋味！"琼楼激愤地冷笑。

赤羽挑了挑眉，看样子仍然不信，但加诸在他身上的刑罚，让他又不由得怀疑。而就在他犹豫的时候，那短暂的休眠时间到了，痛苦重至。

"赤羽，你清醒一些吧！"琼楼急得掉下眼泪。

那常人无法忍受的刑罚令赤羽有些神志不清，可他仍然守着心中的一丝清明，那是这些天他想过的，怕连营有什么不能明言的缘故，因为他觉得不该怀疑他们的友情。

可是琼楼却接着说："你还对天帝抱着什么幻想？不怕告诉你，整个天龙一族是荡平动乱的主力，如今却已经面临灭族之危了！"

"你说什么？！"赤羽在刑罚的痛苦中勉强直起身子，他可以不顾自己的生死，却不能不顾整个龙族。

"天帝囚禁你，瞒得了别人，却瞒不了龙族的族长，他产生了怀疑，便派人去探查。天帝在龙族中安插了密探，立即知晓了这件事，一道圣令，就把整个龙族引到不老山去了！"

赤羽大惊。

不老山，没有时间流淌，不管什么人，迷失其中后就永远被困住，无生无死，有如行尸走肉一般。那个地方，方圆百里都无人敢接近，连营怎么能……

"不，不会的！"他突然大叫一声，"就算他因我而对龙族忌惮，但他是仁君，断不会做出这种事来！"连营不是心狠手辣的人，他太清楚这一点了。

"赤羽，你怎么不明白？"琼楼急得不行，"以他那种心机和智慧，随便设下陷阱，在其他人看来就像是龙族自己误入不老山，咎由自取，怨得了谁？难道，还有人敢去不老山调查不成？再说，除了他，你觉得谁还有本事诓了整个龙族跑到那种地方去，难道你龙族之人是傻子吗？好吧，就算你不信我，你可信你的通心宝镜？虽然那是你的本命法宝，一般只会反映你的心意和行为，但也能模糊察知同族的事对不对？耳听为虚，眼见为实，你不妨先拿出来看看，若是没这回事，你再回到锁龙台上来等你的天帝！"

"可以吗？"事情来得太突然，赤羽被折磨得心智脆弱，一时有点儿犯迷糊。其实他不是轻易动摇的人，但连营对他的背叛早就侵蚀了他的心灵。就算他理智下发现疑点，可他的心已经出现了裂痕。

要让彼此亲近的人误会，其实是世界上最容易的事，因为他们承受不了伤害，越信任，就越在意，也越受不了。

"明天这个时辰我再来，希望你能想清楚。"琼楼站直了身子，凄然一笑，"我知道你不喜欢我，可我……却不能眼睁睁地看你被利用，然后再一脚被踢开。你是骄傲的龙神，也是上界的战神，无论如何你不能被这样对待。真正的朋友，不会放任不管！"琼楼这一番话说得凄然，简直让人闻之落泪，既表达了她对赤羽无怨无悔的真情，又隐约指出了连营的可耻和卑鄙。

赤羽不可能没有触动，他挣扎着，不管是神魂、心念还是肉身。

乐飘飘看在眼里，虽然身在局外，也有点儿迷糊了。她本能地觉得连营不是坏人，也清楚地知道他是为了化解赤羽身上的戾气才这样做，毕竟，长年的杀戮，已经毁了赤羽的道心，让他走到堕入魔道的边缘。可惜为了治疗的效果好，连营不能多说什么。其实，他也很纠结吧。

只是琼楼说得那么言之凿凿，如果真能从通心宝镜中得到证据，那么真相到底又是怎样的？

在似乎无穷无尽的折磨之后，琼楼再度出现。乐飘飘知道，这已经是一天过去。

"考虑得如何？"她直接问。

"你如何放我出去？"赤羽因为垂着头，声音发闷。

"我得到了启阵和闭阵的法咒。"琼楼略有些得意，"回头和尚虽然谨慎，可惜太好杯中之物，只不过被我灌醉了些，我就打听出了天帝的幻楼所在。然后，再反用幻楼，让他进入幻觉，套出他心里的话，得到法咒。可惜，为了迷惑他，幻楼那种等级的法宝被毁，好在终于成事。"

天哪，一个和尚掌管刑狱就够逆天的了，居然还是酒肉和尚。看样子，赤羽对连营的怀疑还是占了上风。

"来吧。"赤羽站起身，困着他的锁链如毒蛇一样随着他的行动而伸缩着。

琼楼的脸上闪过惊喜，之后盘膝而坐。她毕竟不是主管刑罚的人，虽有法咒，但仍然费了好大力气，直到连喷数口血，伤了心脉，损了修为，才勉强在阵法再次启动前将其关闭。

乐飘飘在一边看得极其紧张，直到那些铁链从赤羽身上掉落下来后她才松了口气，然后她跟在赤羽和琼楼的后面，不知穿越了多少结界和秘道，最后回到龙神殿的水池边。

赤羽和琼楼，一个是受尽折磨，修为遭重创，一个是负了不轻的伤，两人一路搀扶，倒有了点共患难的意思。乐飘飘看在眼里，不知为什么，非常不爽。

"居然已经九十九天了。"赤羽掐指算算。

乐飘飘心中大叹，因为连营和回头和尚说过，只会关他百日，这么说来，他已经到了就要被拔除戾气的最后时刻了。只差一天！只差一天他就可以自由了！功亏一篑啊！可惜，她什么也做不了，只能干看着。看他单手结印，池水微澜，池底下突然映出一道光，接着水面就像镜面。

镜中，许多士兵神情呆滞地走来走去，虽然相貌各异，但头上都有两只龙角，摆明是龙族的人。而周围是一道山沟，曲曲折折的不知盘绕多少圈，看得人都晕了头。还有雾气弥漫，隐约带着化解不开的死气。好像一切都是不流动的，包括时间。

在这种情况下，万物不老不死，可神智全无，又有什么意思呢？就算最不起眼的石头也有自己的灵性，也能沐浴着日月的光辉，但若陷入不老山，连最后的灵智也消失了，这才是最大的悲哀啊。

第三十二章　赤羽，从前

-619-

可是为什么，为什么琼楼说的是真的？难道连营真的对赤羽不安好心？难道真是连营关起龙族中人？若非天帝出手，谁又能左右得了这样强悍的龙族？

所谓当局者迷，旁观者清，连乐飘飘这种旁观者都糊涂了，何况心智已经出现裂痕的赤羽？

他顿时暴怒，浑身上下有金色流光隐现，"连营，你好样的！"暴怒之中，还有什么理智可言。

或者说，龙神赤羽完美无缺，唯一的毛病就是脾气非常暴躁，容易失去理智。

琼楼连忙拉住他，"赤羽，现在不是发怒的时候。你不在锁龙台上，只怕一时片刻就会被天帝发觉，事情已经到了如此地步，你的修为又受了损伤，不但救不得龙族中人，还会把自己搭进里面的。"

"要怎么办？"生平第一次，赤羽失去了主张。

"先逃到下界去！"琼楼的眼睛亮得奇异，"不然以现在的情形，不但讲不出理来，还会被杀掉的。到时候，若连营安你一个功高震主、意图谋反的罪名，你百口莫辩！"

"我不能放弃我的族人！"

"不老山虽然是活坟墓，但好在里面的人既不会老，也不会死，别说只是千万年，就算天地毁灭，他们也会困在那里。你只要在下界找个地方藏匿起来，养好伤后，再想办法回来找连营算这笔账，最后看有什么法子把族人救出。万物生而有克，连营是天帝，一定有我们不知道的秘法，可以去不老山救人。"

正说着，一阵庄严而肃杀的鼓声传来。

"是风闻鼓。"琼楼顿时变色，"风闻鼓响，是召集所有天兵天将集合，要抓捕逃犯！"

"走！"赤羽一咬牙，目色赤红，可见愤怒和心痛得多么厉害。

"不用担心。"两人快速离开时，琼楼低声道，"幻真天梯是上下界相通的唯一桥梁，下界的人要修炼到一定程度才能飞升，而上界之人也要得了圣令才可下界临凡。一会儿我们拼死冲过去，然后合力把天梯封上，标上我们的特殊印记。那么，今后除我们两人合力之外，上下界就再不能畅通，当然也不会有人来追捕了，我们就可在下界安心养伤。而我们就算修为只剩下半成不到，在下界也是绝顶的存在，无须担心！"

赤羽不说话，只点了点头。

乐飘飘紧紧地跟在后面，感觉分外怪异，因为琼楼好像把一切都准备好了。可是她为什么那么做？她分明是对赤羽有情的，但赤羽对她更像是普通朋友。在这种妾有心、郎无意的情况下，琼楼这样做，有意义吗？

突然，她脑中灵光一现，明白了很多事。那是只有女人才能直观理解的，男人根本不懂。

琼楼本来与赤羽像两条平行线，但当她和赤羽一起下界了，今后两人间就会有一种同病相怜的感觉，会因为是同一个地方的人、彼此知道对方的秘密而自然亲近起来。而且她为赤羽做了这么大的牺牲，赤羽会感动，结果就是直接使两人的感情更进一步！说不定是很大的一步，从此她就能得了赤羽的心！

乐飘飘是通心宝镜的旁观者，明明知道未来赤羽爱上的是百里其华，却仍然感觉心底凉飕飕的。如果真是连营陷害赤羽倒好，可如果一切全是琼楼的巧妙设计和利用，让那两个高贵又高傲，却又缺乏沟通的男人心生嫌隙，令赤羽带着仇恨来到下界，令赤羽在孤独中感念她的深情厚谊，继而令赤羽爱上她，只爱上她一个，那她也太变态了！

为了得到，先予伤害。那不是爱，而是占有！难道，她不知道这样做，会让赤羽感受到友情背叛和族人因而受到伤害的双重打击和愧疚吗？若真爱一个人，怎么舍得？这样，她还敢以爱为名？

现在乐飘飘都不用考虑，就知道龙族全族陷入不老山，一定是琼楼搞的鬼。

但她不得不佩服，这个女人真有本事。直接而老套的计策，却真的成就了下界千年的动荡和杀戮，令多少人为此受苦，多少人为她这一己私欲付出惨痛的代价！可这一切，仅仅是因为她的小感情、大执念！这其中，赤羽的苦、众生的苦、百里布和她的苦，要找谁算？！

想明白这一点，乐飘飘简直要气炸了，恨不能立即抓花琼楼那颠倒众生的脸。可她仍然控制不了自己的行动，她不由自主地跟着那两人逃到幻真天梯处，眼看着赤羽和琼楼拼尽全力，合力封上天梯。

这个女人真是疯了！为了得到赤羽，真是不惜一切，甚至包括她耗费了成千上万年苦修得来的一身修为！

有一层蓝色的光，在天梯的尽头慢慢合拢。

乐飘飘绝望地看着。明知道后面会发生什么，可她却阻止不了。正在这时，眼前两道白光极快闪过，她定睛一看，发现是回头和尚和连营。回头和尚在前，竟然还快些。

"阻止啊，快点阻止啊！"乐飘飘狂喊着，却根本没有声音，引不起一丝波澜。

蓝色光幕之间的缝隙越来越窄，赤羽和琼楼已经不见。

回头和尚与连营疯狂追赶，后面又有无数天兵天将跟随。在幻真天梯马上就要合拢时，回头和尚突然扔出一件法宝。那法宝光芒万丈，竟是一粒种子，正卡在光幕之间。可惜，这种阻碍没持续两秒，终于还是抵抗不住了，只在天梯之门关闭时，余下一条非常小的缝隙，却无法通过。

唯有回头和尚，在蓝色大门合上的瞬间冲了出去，但也带起剧烈的震荡和一阵血雾，看起来因为不顾死活的决然往外冲，受了非常严重的伤。

连营站在天梯的下方出口，神情微凉，还有些淡淡的苦涩。身后，那么多人却连呼吸声也听不到。终于，下界脱离了上界的掌控，就连飞升之门也断了。

或许，上下界再不相干。可是天道，真的要如此运转吗？

乐飘飘望着惊心动魄的这一幕，突然感觉"时机"真是个奇妙的东西，有时候真的只差一点点，结果却是差得天南地北。而后，她脑海中又闪过一道光。

她终于记起回头和尚是谁了。百里布告诉过她，百里松涛重伤，是靠着一个叫回头的和尚救护才活了下来。之后，百里松涛又和这个和尚离开了。

这个回头和尚，是那个回头和尚吗？如果是，他怎么跑到大秦皇宫去了？他带走百里松涛又是什么意思？

"唉——"

还没想明白，她就听到身边传来一声悠长的叹息，充满了无奈和寂寞。再看周围，场景居然又变了，是一处宫殿，到处全是白云凝成的纱，连营就歪在不远处的榻上，显然，这是他的寝宫。

通心宝镜，因为赤羽憎恨之心太过强烈，连天帝这边也照应到了一些。

"天帝，还在为龙神的事忧思吗？"说话的是一个漂亮的年轻姑娘，宫女打扮。她名为韶华，是天帝宫的宫女，却也是连营身边能说得上话的人。

连营长叹一声，"功亏一篑，全是因为我没料到琼楼会从中挑拨。"

"天帝怎么会凡事都能掌握呢？岂不知民间说：女人心，海底针。女人若是不可理喻起来，绝对只有想不到，没有做不到，而且行事出乎预料，不能以常心度之。"韶华笑笑，"龙神丰姿绝世，这上界大半的女人都爱慕于他，可惜他从不对任何人动过真情。可越是这样，就有越多的女人想得到他。琼楼是妖族九尾天狐的首领，修为和容颜都是顶尖的，但不管她冷艳高贵还是小意温柔，甚至无形中施展媚功，龙神都对她不假辞色。她那样骄傲的人，如何能忍受得了？或者，她对赤羽也有爱慕之心。"

"你说她这样做，是因为爱着赤羽，想以救命之恩打开赤羽的心，再到下界与他双宿双飞去吗？可她知不知道，赤羽戾气未除，杀气未尽，也许到下界会掀起腥风血雨，这岂不是害了他吗？杀孽越重，他的心越污浊，将来会堕入不可挽回之地！"

"天帝，琼楼那种怎么能叫作爱呢？您别侮辱这个字好不好？"韶华哼了声，"她为的是她自己。但我觉得，天道轮回，早晚还会回到龙神下界的那个点上，机缘若好，就能拨乱反正，天帝只需静待就是了。"

"韶华，我发现你道心澄明通透，比我还强啊。"

韶华吐了吐舌头，"那是因为我只是个小宫女，不用考虑太多大事，心境自然就开阔轻松啊。所以天帝不如每天到幻真天梯那边钓钓云中鱼，天长日久，一定也能松松心的。"

"我只怕下界因此大乱。"连营皱眉，"而且天道轮回不知几千几万年，若赤羽灭世，又该如何？"

"天帝每天在云海那边看着就是。"韶华仍然神态自如，"我觉得，永远不要小看普通的百姓，他们虽如蝼蚁，却没有任何事情能将他们完全覆灭，就连天地也是他们在奉养。对百姓好的人，不管是上界还是下界的帝王，都会得到回报。天帝放心，我敢打赌，总会有人站出来阻止悲剧的发生。我觉得，这才是天道。"

连营一惊，若有所悟，眉眼渐渐疏阔，微笑道："也不知回头大师卡在天梯之门的种子会不会发芽、开花？那可是他日日收取阳光，培育出的至阳至坚的种子呢。"

"一定会开花啦，因为世上还有至阴至柔的东西呀，阴阳相合，必能开花结果。"韶华想了想，"只可怜那龙族，不知被琼楼怎么唬的，居然误入了不老山。"

听到这话，连营立即坐起，"垂钓不忙，我得想办法先把龙族中人救出来。我记得天书中有记载的，要好好查阅出方法才可以。我想，琼楼是偷了我的圣令和幻楼，把龙族诳去，然后又诬陷于我，再去诳赤羽。不然，幻楼这样的法宝，怎么会只迷惑了一下回头大师与看守锁龙台的天兵，之后就毁坏了呢？"

说做就做，而当连营忙活起来，乐飘飘就有些无所事事了。她既不能从镜中出来，又不能自主行动，就在上界飘来荡去，心中暗恨土龙办事不牢靠，怕他把自己扔进镜子结果忘记放出来。又骂三只灵宠，主人失踪这么久，为什么不找呢？

也不知自怨自艾了多久，她飘到一处空旷寂静的苍穹下，像无根浮萍一样。随后，骇然发现在一丝凉意的侵袭下，自己的身体发生了变化!

乐飘飘感觉自己在慢慢缩小，身子慢慢透明，胸口处却热得厉害。她吓得大叫，却仍然是出不了声，而胸口的热烫越来越强烈，最后竟撕扯下一块肉似的，很疼，但没有血迹淋漓，细看之下，发现脱离她的是一个水滴形的透明水晶。

是休! 百里布送给她的定情之物! 一直贴在胸口上，怎么拉也掉不下来的休!

再看她自己，迅速缩小，似乎也变成了一滴水珠，和休的样子完全相同，就像双生姐妹。

什么情况? 休究竟是一件妖物，还是一件宝贝? 为什么把她同化了? 还有，这到底是冥冥之中的什么定数，还是和这里的环境有关? 她为什么变成了一滴水珠了? !

第三十三章
那一年，我爱过的男人

　　惊慌中，她的身子突然急坠，和身边的休一起。不知道掉落的距离有多深，时空在这一刻变得特别扭曲。严重的失重感令她瞬间失去理智和判断力，直到她突然看到眼前出现一座宫殿，接着是一个床帐的顶部，再然后看到一个姑娘。

　　很年轻的姑娘，五官是普通的清秀，身材瘦小，衣着简单却透着隐约的华贵。她仰面躺在床上，睁着眼睛，也不知在想些什么。

　　乐飘飘和休落下，好巧不巧正落在这姑娘的眼中。乐飘飘在右，休在左。

　　姑娘哎呀一声，坐了起来，揉了揉眼睛。乐飘飘只觉得眼前一黑，待到再可视物的时候，她惊讶地发现自己已经藏身于这姑娘的眼睛中了。

　　"公主，太子殿下来了。"一个宫女上前回禀。

　　"千千，现在什么时候了？"被称为公主的姑娘翻身坐起。

　　"酉时两刻。"千千一边回答，一边快手快脚地帮助那姑娘整理衣服和发髻。

　　"床帐上面你仔细打扫过吗？是不是因为是死角就偷懒了呀。"那姑娘瞪了千千一眼，但没什么威胁性，看起来平时应该很好相处，"刚才有东西落到我眼睛里了，可能是灰尘。"

　　"有灰尘？"千千还没回话，一个男人的声音从门外传来。

　　那姑娘回头一笑，"皇兄耳朵这么长啊，我不过是开玩笑的。皇兄来这里，找我何事？"

　　"今天得了闲，来找皇妹对弈几局如何？"太子殿下笑得温煦，眼中满是宠爱，看起来兄妹关系极为融洽。

　　"皇兄屡败屡战，勇气可嘉，就怕今天输得更惨呢。"那姑娘撒娇似的哼了声，支使宫女千千去拿棋盘。兄妹两个肩并肩走去窗边矮榻的棋枰边，坐下，场面相当和谐。

可此时，藏于她眼中的乐飘飘却震惊得无以复加。

她记起了这座宫殿，记起来眼前的太子殿下。宫殿是大秦皇宫，太子是年轻时的百里松涛！

那么，这位被称为公主的姑娘，岂不是百里松涛的妹妹、百里布的母亲、龙神赤羽一生的挚爱……百里其华！

为什么，她会化成水滴，落在百里其华的眼中？难道是通心宝镜要她亲眼看到百里其华与赤羽过往的一切，亲历一场《那一年，我爱过的男人》的故事？

来不及多想，只听百里松涛温言道："其华，天气不错，怎么没去花园逛逛？你身子从小就弱，总窝在屋里可不是回事。"

"我在想事情呀。"

"你这丫头，正要说你呢！你先天不足，后天本可补养，可你身子不动，心却多思，对寿数上没有好处的。"百里松涛说着叹了口气，"本来我想找到修仙之法，你这样聪慧，若能用心修行，生命就不会有碍，还会大大长于常人。可惜……一直不得其法而入。"

"我们是秦国皇族，百里家的人。"百里其华的小脸板起，但眼神却仍然明亮而浅淡，"虽然秦国孱弱，却有傲骨，其他六国怕我们。而他们背后都有修仙门派支持，自然无人肯传授我们真正修仙的法门。若是胡乱修行，只怕死得更快些。"说着，她忽而一笑，拍手道，"皇兄你分神了，虽然落子还不多，但趋势不对。一子的得失不算什么，可再这么下去，必然大败。"

百里松涛一听，怔怔地望了会儿棋盘，居然不再细究，掷子认输了。

百里其华这才看出皇兄的轻松是刻意装出来的，这会儿眉宇间却染上了淡淡的忧伤，还有郁郁不得志的烦恼。

"皇兄，到底怎么了？"百里其华也放下棋子问。

"父皇的身子……只怕，熬不了太久了。"百里松涛长叹一声。

百里其华的脸色黯淡下来。

"前方还来了战报。"百里松涛又说："冥王赤羽已经把修仙联盟逼到昆仑山脚下，如果修仙联盟再守不住，天下就要被冥王统治。那时，世界将陷入一片黑暗。"

说完这话，兄妹两人沉默半晌，百里松涛才幽幽地道："开始，我是感谢冥王赤羽的，毕竟当时六国围攻我大秦，还借助了修仙界的力量，我大秦几临灭绝。幸好，冥王横空出世，要一统天下，和修仙界打得不可开交。六国失了所谓国师的帮助，加上妹妹细心谋划，机会拿捏得绝妙，我大秦才能置之死地而后生，才没有被灭国。从这一点上看，是赤羽的动作，给了我大秦喘息之机。可当他把所有人都打败，秦国的独立又有什么意义？"

"这就是覆巢之下无完卵，可惜那六国的君主目光短浅，只顾争权夺利，不知那些道修、佛修、妖修才是我们凡人的敌人，还要自相残杀，岂不知在修仙界的眼中是多么可笑。到头来，仍然是被奴役的命运。"百里其华语气担忧，却也含着轻蔑，"不过，修仙联盟的事暂且不论，那六国又有如何动作？"

"他们倒知机，见修仙联盟要抵抗不住了，立即见风使舵。以前，六国君主把一个普通的金丹修士都奉为上宾，皇帝都要执弟子礼，何等谦恭，毫无皇族风骨。现在可好，又开始向冥王示好。"百里松涛冷哼，"冥王好色，六国君主投其所好，集各国美女百名送上。偏那赤羽的皮相甚好，咱们的探子说，那些美人一个个欢天喜地地前去，甘愿为奴为婢。"

"哦？"百里其华挑挑眉，眼眸深处有一抹兴味，"她们倒不怕到了那个魔头手里，会死得惨不可言。不不，这话说得不对，因为冥王赤羽从来不为难女人，不喜欢的就扔掉罢了，断不会亲手残害那么多品。"

"可凡间的姿色，怎么入得了冥王的眼？"百里松涛仍然一脸嘲讽，"多少女修，不管是人，还是妖女和魔女，陷在赤羽那里的也不少。很多自诩风华绝代，也没见赤羽宠爱过谁第二回。可见，那冥王是没有心的。"

"没有心吗？那可未必。"百里其华低声咕哝一句。

乐飘飘听得清清楚楚，百里松涛却没听见，继续说："六国的心思只怕是白费的，冥王统一天下之时，情况好的，强令各国君主臣服，封为王公，留下苟延残喘的小命。不好的，全部杀光，把百姓归于其下，永世为奴，难道还有第三条路吗？而这只在冥王的一念之间。"

"那皇兄打算怎么办？"百里其华突然问，眼里闪烁着莫名的光芒。

"能如何？"百里松涛目露坚毅之色，"我百里家，我大秦，只有站着死的男人，没有跪着生的懦夫！父皇病体沉重，问不了朝事，一切由我做主，大不了鱼死网破。就算实力相差悬殊，我也不会向冥王低头。惟死耳！"

百里松涛握紧了拳头，没有半分退缩，令百里其华露出崇拜和赞赏的神色。只是很快，百里松涛的手松开了，一脸忧愁地看着妹妹，"我只心疼你，韶华才至，花朵般的年华，却生在这乱世。如果是个平民家的姑娘，还可以勉强活下去，但身为大秦的公主，身为百里家后裔，你的职责却是殉国……"

"能和皇兄、父皇在一起，黄泉路上也是快活的。"百里其华仰起笑脸，"再说，未必会是这个结果呢。"

百里松涛闻言一愣，因他知道自个儿的妹妹虽然才十七岁，但聪明绝顶，她这话不是说着玩儿的，必有良策，不由得喜悦，"其华，可有破敌妙计？"问完，却又觉得不太可能。

身在高位的人才知道，武力服从于智计，天下最诡谲多变的风云局势，最瞬息万变的战机决胜，往往是计谋起了决定性的作用。可是当力量对比特别悬殊，好比蝼蚁比骏马，除了逃走，还能有什么翻盘的机会？

"皇兄可还记得我们的理想吗？"百里其华轻声问。

"如何能不记得？我们小时候一起在奉先殿里，当着祖宗的牌位发过誓，要建立我们心目中的大秦。"百里松涛向往地说："我们要统一七国，因为统一才不会再有征战，之前的流血牺牲都是必须。我们要把修仙者和妖魔鬼怪全赶出人类的领土，万民的生存之地，自有皇族来管理保护！就算有人想要修仙，也不能凌驾于国法之上，更不能暗中操纵和驱使百姓！"

身在百里其华眼睛中的乐飘飘，听兄妹二人侃侃而谈，心中也渐有热血沸腾的感觉。诸子百家，她没有研究，只觉得百里兄妹的观念有点儿接近于法家，但又不是。他们有着非常超前的思想，要以民治民，却又有局限性，忠于皇权。总之，他们的理想是美好的，也确实是从治理天下出发，为黎民百姓着想。可百里其华死后，百里松涛统治下的大秦却变了味道。他们理想的筋骨还在，却没了当初理想的模样。

或者，是因为他少了仁，少了情，少了最纯真的部分。这些看似微不足道的东西，却扭转了整个理念的面貌。

只听百里其华又说："我说过，一定会帮助皇兄的。其实现在，正是好机会。"

"怎么说？"

"我去说服冥王赤羽，让他只统一修仙界，却不插手普通人类的事情。若他不肯，至少要让他做到以人治人，由大秦来统率七国。然后，我会想办法弄到正宗的修仙法门，让皇兄修炼成仙者，延长父亲和妹妹的寿命，自己也成为强者，再不惧修仙之人。"

百里松涛一愣，一时之间竟然不能相信这是妹妹说的话。太幼稚了吧？如果赤羽能这么轻易就被说服，他就不是冥王了。妹妹一向沉稳机智，可今天却太……异想天开。

"你要怎么说服冥王？"他勉强问道。

"请皇兄把我当成秦国美人，送与赤羽。"

"什么？！"百里松涛腾地站起来，"不行！别说你是我的妹妹，大秦的公主，就算是我大秦最卑贱的村妇，也不会送去以色侍人，求得苟安。如果那样，全大秦的男人都该去死！"

百里其华笑了起来，"皇兄，你也太高看妹妹的姿色了。非美人，谋士也。想这世间的美人，修仙界的绝色，那赤羽都不放在眼里，何况是我这般模样呢？我去，是以谋士的身份，是和赤羽谈判，以智慧交换我们所要的。"

"你……"百里松涛惊讶万分。

他这个妹妹，自小就聪明得能以一身胜过百个谋士。外人不知道，百里皇族中的人却明白，在大秦就要灭绝的边缘，正是当年才十二岁的妹妹运筹帷幄，才保得大秦坚持到了赤羽动兵、分散了六国兵力的时候。

她眼光奇高，看天下犹如观棋局，每一处有利与不利，都能成为她的棋子。只是人力毕竟有限，大秦底子太差，她能做到让大秦屹立不倒，就已经是奇迹中的奇迹了，怎么还能更进一步？父皇对外隐瞒着妹妹的才华，也是怕她引起各国的争夺和仇视啊。而慧极必伤，正是妹妹太过聪明，身子才弱成那样吧？

"皇兄不必担忧。"百里其华淡淡一笑，极为自信，"这几年来，父皇和皇兄为了我这不成器的身子，不许我参与国事朝事，可私下，妹妹做了收集消息的事。到现在可以说，一切尽在掌握之中。我们缺的，是力量，所以可以用自身的优势，利用那些消息，和消息分析后得出的结果，去换来外来的力量帮助。皇兄以为，赤羽都把修仙联盟打到没有还手之力了，为什么不一举攻下昆仑？"

"为什么？"百里松涛不能思考，只能机械地问。

"修仙联盟没有表现出来的那么弱，他们的三大帅主还没出手呢。"百里其华道，"表面上是难看，但昆仑是天下修仙者的圣地，若被逼到绝处反弹，那力量连冥王也无法承受。打狗入穷巷，反被狗咬，这道理连小民都懂得，何况冥王？他若攻上昆仑，上古留存下的护山法阵就会启动，那时，就算冥王能胜，也会损失惨重。杀敌一千、自伤八百的事，他不会做。其实那个人，别人都说他冷酷无情，我却觉得他重情重义。他杀戮时固然狠厉，我却隐约觉得，那并非他所愿。所以，他假意沉迷于美色，按兵不动。其实，他心里一定是焦虑的，是在等兵不血刃地解决修仙联盟之法。"

听到这里，乐飘飘不由得想：也许那九十九天的锁龙台经历，终究还是让赤羽的戾气消除了不少吧？而且她有点儿明白为什么赤羽会深深爱上百里其华了。他那样的男人，一直站在最高的地方，见惯美色，再漂亮的女人成千上万年地看下来，也可有可无了。但是百里其华这种性格的女人，这样聪慧，心性又好，只有他那种顶级的男人，才会发现她被皮囊掩盖的光华。这种用心爱上，才是致命的。

"你久居深宫，没见过赤羽，怎么敢这么说？"百里松涛仍然不同意妹妹的建议。

"皇兄啊，一个人对另一个人了解，不必非要见面。不然，为什么有个词叫'神交'？我从各种搜集来的情况上汇总、分析，从他行事作风和规律上研究，察觉蛛丝马迹，我敢说，这世上的人里，我最了解他。倘若咱们大秦有修仙者的军队，或者我们厚着脸皮和修仙联盟携手，就算不能赢了冥王，自保也是没问题的。你想，他若知道我有这样的手段，会不重视我吗？"

"那我们为什么不和修仙联盟携手？"

"因为修仙联盟更无耻啊。"百里其华摊开小手，"赤羽一诺千金，只要他点了头，以后必不会反悔。他是那么骄傲的人，于是他就不屑于食言。修仙联盟就不同了，他们面临困难时才联手，平时分散，各有私心，各有利益，咱们与之合作，无异于与虎谋皮。"

"你会给冥王什么？"

"谋士，当然献的是谋略。"百里其华自信地说："我有收服修仙联盟之策，有各个修仙门派的秘密和弱点，我还有他与大秦合作的优厚条件，能让他不战而屈人之兵。我感觉，冥王的志向并不在下界，他横空出世，必有不凡之处，说不定有更大的秘密，也说不定是上界的神，想集合下界的力量与上界对抗。如果是那样，七国和修仙联盟这一亩三分地，这些所谓权势还不够他看的，巴不得有人帮忙垫脚。"

我太崇拜你了！乐飘飘在百里其华的右眼中大喊，兴奋莫名。这样的女子是天地间的精灵啊，她是如何生出来并且长大的？她的心，比比干那种七窍玲珑心还要多几窍吧。怪不得连赤羽那样的男子都臣服于她的脚下。想她一介凡人，坐在宫中居然能猜出赤羽的来历，简直太神了！

乐飘飘在这里欢呼雀跃，而百里松涛沉吟了很久，却还是不同意，"不行，太危险了。"

百里其华也不急，只柔声道："皇兄常说我太过聪慧，是上天赐予大秦的宝贝。既然如此，皇兄是想让我窝囊地死去，还是让我痛快地活一次？面对机会，岂可让我转身走掉，最后以身殉国？"

"这……我怕你回不来。"说到这儿，百里松涛哽咽了下，真情流露，可见兄妹感情确实很深。

"放心。"百里其华安慰道，"就算他不接受大秦的提议、不采纳我的谋略，也只能说我看错了他，我定然会全身而退。就算我爱上他了，也会先为大秦争取到最大的利益。"

"什么？"百里松涛差点儿暴跳，刚才的伤感气息一下子消散了，"爱上他？！"

"我听闻冥王赤羽能让女人不可自拔呢。"百里其华大大方方地道，"我也是普通女人，喜欢上他也有可能啊。不过皇兄放心，我不会强迫他。可若他也喜欢我，我不介意给皇兄生个小外甥。不过我与他终非一路人，到时候我还要回来，终身不嫁，皇兄帮我养孩子好吗？"

"你……我……"百里松涛的脸都涨红了，"你这丫头，幸好此处只有我们兄妹，不然这些话传出去，你的清誉就全毁了！"

"谁稀罕！"百里其华皱皱鼻子，模样可爱娇俏，"不过赤羽如果只用肉眼看美色，不以心眼看佳人，我也会看不起他的。事不宜迟，皇兄赶快安排美人进献。这样一来，其他六国对大秦的敌视反而会少些，毕竟我们和他们一样无耻啊。"

百里松涛不回答妹妹的话，在房间里走来走去，背着手，显得极为纠结。好半天，他才终于答应按照百里其华说的去做。

"我会蒙面出使。"百里其华正色道，"不要让父皇知道。千千与我身量相似，让她在宫中冒充我就是了，不然父皇担忧我，对他的身子不利。皇兄放心吧，其华必不辱命。"

"我只想你……能平安回来。"百里松涛声音沉重，目光幽深。

乐飘飘心尖一颤，有所感动。

那是父亲对女儿的宠溺眼神，那是哥哥对妹妹的疼爱眼神，那是知己好友的欣赏眼神。又似乎，他有预感，百里其华可能回不来了。

兄妹两人又商量了下细节，百里松涛见妹妹有些倦色，知道她身体不好，今天说了这么半天的话，已经非常累了，当即先行离开。

百里其华走到妆台前，望着镜中的自己，忽然伸手抚了抚脸庞，然后伏在妆台上，迷迷糊糊地睡着了。

乐飘飘眼前的世界被关闭了，陷入了黑暗。

再看到景象，乐飘飘激动不已。

一切都是她熟悉的。

幽冥界，冥王殿。一样的寝室，一样的龙床，她和百里布曾经很多次缠绵的地方。

可此时，不是百里布坐在床上，而是上界的龙神、下界的冥王赤羽。从没有像现在这样，乐飘飘发现百里布和赤羽长得很像，只是一个气质英伟、沉静而坚强，坐着时，腰杆笔直；而另一个，在优雅中隐藏着暴戾之气，四肢摊开，半倚着，一只手搭在弯起的膝盖上，却形成一种令人无法回避的邪魅。

"你就是秦国送来的美人？"赤羽语含嘲讽，"听闻秦国贫瘠，原来美人也是。你且回去吧，本王不会为难于你。"

"谁说我是美人来着？"百里其华不卑不亢，"我乃秦国公主，也是秦国进献的谋士，没想到冥王以貌取人，倒也让我失望了。"

"谋士？本王见过好些，不过并不需要。"赤羽好笑地敲敲膝盖，"那好吧，鉴于你血统高贵，说明大秦一片真心，本王允你用一句话说明你的与众不同。若说得好，就留下你。"

"我比所有的谋士都美丽，比所有的美人都聪明。"百里其华神色优雅淡然，丝毫没有畏惧，却也没有半分谄媚。

赤羽愣了一下，哈哈大笑起来，"回答得倒是有趣。"

"那么，我是可以留下来了？"

"嗯，可以。本王一言九鼎，只是本王好奇，你为什么非得留下来呢？"

"因为我喜欢你。"百里其华直率地说。

赤羽又愣了，眼神闪出兴味的光，又有点儿轻蔑，"喜欢本王的女人很多，但第一次就直接说出来的倒是不多。"

"我和她们不同。"

"有什么不同？喜欢本王的人，要么是臣服于权势和力量，要么是喜爱这皮囊色相，还有其他吗？"

"冥王没必要因为女人们喜欢你这些就看不起人，这有什么不对吗？难道冥王殿下不喜欢美人，而是以丑为美吗？不过，我喜欢冥王陛下，是因为我知道除了你，没人配得上我。"

"狂妄。"赤羽露出厌恶的神色，"本王最烦那种自以为是的人。"

"我也是。"百里其华的目光直接迎上去，虽然是一点修为也没有的凡人，却无视于那能把她压成肉饼的威压，"冥王陛下连问也不问，就断定我是狂妄之人，不也是自以为是吗？"

赤羽呼吸一窒，眼中闪过杀气。但百里其华那风姿优美、完全不把他放在眼里的样子，又吸引他想继续听下去。

"好，那你就说说，到底是什么让你认为这天下的男子，只有本王才配得上你？"

百里其华淡淡地一笑，上前几步，"我知道陛下的烦恼，能为陛下解开此僵局。当然，不是无偿的。我要陛下允诺，不伤害普通百姓，将来许我大秦一统七国。冥王若需帮助，我大秦不遗余力，但绝非成为陛下的奴隶。"

"好高的条件，那你给的东西得值得才行。再者，就算本王答应了，你信吗？"赤羽斜着眼睛瞄向百里其华。

明明是普通的相貌，身段因为太瘦弱的缘故，都没有女性的曲线，可是奇怪，她浑身似乎浮动着淡淡的光华，有种泰然自若的自信。也不知怎的，令赤羽的心似乎被啄了一下，好像心里飞进一只小鸟似的。

"我信不信，有关系吗？"百里其华仍然镇定，"陛下冥界阴兵的实力，是我们大秦无法抗衡的。也就是说，我没什么好输的。"

有意思。这个女人真的有意思，比他身边的所有美人都更能勾起他的兴趣。赤羽目光微闪。而他不知道，许是因为通心宝镜的关系，乐飘飘感知得到他的心意，所以她不禁大为惊讶。难道这就是传说中的一见钟情？堂堂的龙神、冥王赤羽，居然会对一个既不美丽又瘦弱的年轻姑娘动了心，而且还是生平第一次！难道因为是初恋，所以之后才刻骨铭心？

因为困在百里其华的眼睛里，乐飘飘不能随意乱走，只能乖乖地听着两人说话。她看到百里其华落落大方地和赤羽对桌而坐，对天下局势侃侃而谈，又细说各修仙门派的弱点，以及他们彼此之间的利益，再分析幽冥阴兵的优劣。

乐飘飘不懂这些，只觉得百里其华说得头头是道，连她这种凡事不管的人，都渐渐明白了那些看似复杂，但经过百里其华梳理后就变得清楚无比的局势。原来，天下真如一盘棋，若看得清，其实真的很简单。

而赤羽，目光越发变得深不可测，这传达给乐飘飘的信息是：他对这个瘦巴巴、长得顶多算清秀的凡人小姑娘，产生了不可抑制的兴趣。

男人，果然喜欢征服别人，也喜欢被人征服。百里其华针锋相对的几句话，就令赤羽刮目相看了。

不得不承认，百里其华是不世出的天才，若不是因为她是女的，且这身体非常差，不能太过劳心劳力，说不定大秦早就统一七国了。

可她的智慧，就像最醉人的光华，牢牢吸引着这号称从不动真情的男人。

两人几乎说了整整一天，其间连饭也没吃，茶水倒是喝了三大壶，越说越投契，最难得的是，百里其华把赤羽的心机料了个十足十，让赤羽在惊讶之余还有一丝妥帖感。仿佛只这一天的时间，她就解了他千万年的寂寞。

眼看夜色深了，百里其华气息不足，又因为说太多话，累了心，气色相当不好，赤羽突然手一伸，就把她抓过来，抱于自己膝上。

他以为，百里其华会挣扎、会反抗、会扭捏，可她只是身体本能地僵住片刻，然后就坦然自若起来，仿佛他的怀抱非常舒服。

"你不羞恼？"赤羽纳闷。

"我只问自己的心，不管这世俗的看法。我说了我喜欢你，在没见着之前，在研究那些搜集来的你的消息时，就喜欢你了。被喜欢的人抱，不是很正常吗？"

赤羽抱着她的手紧了紧，"如果你是故意这么说，想引起本王的注意，你成功了。只是一会儿若本王要临幸你，你还能这样冷静吗？"

百里其华淡然的表情终于出现了裂缝，脸若桃花般，她咳嗽了一声，"这个嘛……我还真不知道……我没试过，所以不能说是否冷静。要不，今晚就试试？"

乐飘飘感觉到赤羽有吐血的冲动，因为他这是被凡人姑娘给调戏了啊。就连乐飘飘，都严重怀疑百里其华是穿来的，不然，她的观念也太超前了。就算现代女子，也少有这样直率的。又或者，是她对自己太诚实，忠于自己的本能？果然，奇女子！她服了！

"你不怕我享用过你之后，就扔掉吗？"赤羽还想占上风，但他语气中的不满，连他自己也没注意到，"反正你把什么都说了，我何必再留着你，或者还要给你大秦好处？"

"我说了，我没什么好输的，赌的就是陛下是仁义之君，所以不曾隐瞒。既然决定投奔过来，何必婆婆妈妈？"百里其华认真地说："至于享用什么的，我觉得，万事万物既然分了阴阳，交合之事就是正常的，只要两人有心就成。换一个角度想，我也享用了陛下，难道还要给钱？我知道你身边女人很多，未必能对我长久，可若是我能珠胎暗结，人生就圆满了啊，不必非要跟陛下在一起，也不需要名分什么的。所谓爱意，一天与一世有区别吗？只是时间而已。"

这回换赤羽和乐飘飘一起吐血。合着赤羽堂堂上界龙神、下界冥王，就是来负责配种的呀，而且还是有偿的那种。很远的古代，把猪也称为龙，可是他，又不是真的种猪！玩一夜情，怀龙种，生小孩子自己养，有了哪怕一瞬间的爱情就满足，她这也太豁达了吧？

可细一想，乐飘飘又觉得百里其华的心特别温柔。须臾和一生，都不过是弹指一挥，真的是……没有区别，只要，那一瞬间，无比真实。

百里其华要比所有女人都大方坦诚，因为她要的是真情，自己的真情，哪怕有如昙花，只有刹那芳华。

赤羽没再说话，而是手掌轻抚那瘦弱的脊背，把真龙之气输入百里其华体内，令她的疲倦很快消散，然后抱起她，直接倒在龙床之上。

天哪，我不要看活春宫！不要看！百里其华右眼中的乐飘飘狂叫着。结果……通心宝镜还算厚道，把外界屏蔽起来了。

接下来的日子，全是风花雪月。因为按照百里其华献的策，先分化瓦解修仙联盟，再各个击破，大秦国辅助攻击其他慌乱中的六国，断了修仙联盟的供养。这些都需要时间，要慢慢进行。

在此期间，百里其华通知百里松涛，自己安然无恙，先留在幽冥界。因为她有言在先，百里松涛纵然百般不愿，也不想违背了妹妹的心思。而这边，赤羽开始只是心动，但几个月相处下来，灵肉结合，他将百里其华越来越放在心坎里，最后就离不开了。

和百里布一样，赤羽也烦恼心上人是凡人，寿数有限，天天盘算着到哪儿给她找仙丹，因为百里其华的资质比乐飘飘还不适合修仙，等她筑基，非先老死不可，过程也很凶险。

从这一方面看，赤羽是绝对动了真情，想天长地久的和百里其华在一起，正如一千年后他的儿子那样。

百里其华是天才，赤羽本以为她琴棋书画样样精通，结果呢？她写的字像是狗爬，弹的琴似魔音穿脑，害得守殿的一队阴兵差点儿自杀。画的画儿……还是不要提了吧，反正她只能画乌鸦在黑夜里飞。唯有她的棋下得精妙绝伦，赤羽是天神，智力、武力都是超一流，可从没下赢过她一盘。

赤羽难得地表现出了孩子气的一面，就是不肯服输，但是最后，还在跟百里其华比术数时，又败得一塌糊涂。

是因为从来没有女人这么有趣呢，还是因为从来没有女人能赢过他？总之，赤羽在情海中深陷，很快就不能自拔。何况百里其华是有真才实学的，无论天文、地理、兵法、文学、星相，无一不精，两人经常天南地北地聊，特别开心和契合。最后，就是聊到床上去，只嗯嗯啊啊，再不出别的声音了。

赤羽完全接纳了百里其华，爱她爱到完全信任，表示永不分开的一个标志就是：他把他真实的身份以及在天庭中发生的一切，全对百里其华说了。

"那个琼楼呢？"是女人，最先关注的都会是这个。

"我知道她是故意让我欠她的情，很大的人情，毕竟是救命之恩。"赤羽说："这个债我认，可我不想被人以此要挟，所以我打算日后重新到上界，就想办法还她。但在下界，我不想和她在一起，于是就不告而别。当时我潜入幽冥界，一来是为了防止被上界的人发现。因为我感觉当时好像有人追下来了，虽然人不多。二呢，就是觉得她也料不到我会选择进入黑暗，不会来纠缠我。我们神龙一族，其气最阳。阴阳相克，你不知道要承受多么大的痛苦才能习惯，然后才可以修行。那年我伤上加伤，足足休养了九千年，才可以复出。虽然还没恢复到我原先修为的两成，但在下界已经是无敌的存在了。其间，我还夺了幽冥之王的宝座，秘密训练了阴兵和仙甲士，储备了绝对实力，这才出山。"

"那之后你没有琼楼的消息吗？"百里其华又问，只盯着这个问题。

"既然分手，我为什么要打听她？"赤羽无所谓地道，"以她的修为和心机，纵横下界是没有问题的。你想，没人打得过她，没人比她心眼儿多，那还不是长胜吗？"

"你也太无情了。"百里其华叹了声，却又有些喜悦。

她在感情上也不傻，自然知道赤羽对她有多好，超过所有的女人，已经创了纪录。他又没下封口令，有时在人前也不怎么避讳，还把幽冥界的女人全打发了。而世上本来就没有不透风的墙，他不掩盖，结果现在整个大陆都知道冥王赤羽痴恋大秦公主，还有很多人说冥王瞎了眼睛，居然爱上一个其貌不扬的女人。

"当断不断，反受其乱。若不决绝些，让她继续执迷，才是最大的错。可能，她现在正窝在哪个角落里刻苦修行，以重返天界吧？你想，你闹这么大动静，她若不是闭关，怎么会不知？她若此时找来，我必不会亏待她。再说，我最不喜欢女人跟我耍心机。"

"我不就是和你耍了心机吗？"百里其华横了赤羽一眼。

真是情人眼里出西施，就这一眼，于赤羽而言就像是抛媚眼，美丽又诱人，他忍不住抱起百里其华，先深深一个长吻，才说道："你不一样。因为你是谋士，不是美人，本来就是要心机的呀。后来变成美人了，就再没骗过我，我知道的。"

百里其华有些羞涩，随后才说："其实你想过没有，我觉得你逃向下界这件事，很有问题。搞不好，是那个琼楼一手策划，你着了她的道而已。所以，你这样对她是对的，身边不能养蛇蝎知道吗？就算你将来腻烦了我，也要找个好姑娘在身边。"

"我不会腻烦你的。"

"可我不能保证自己会不会腻烦你。"百里其华很诚恳地表述这种可能性，结果，招来了强烈的惩罚。好半天后，两人才继续说话。

"当年我就怀疑，这么多年也考虑了很多，确实疑点重重。"赤羽说："可是我无法断定是怎么回事，加上全族都被困在不老山，我不能单凭怀疑就定论，所以仍然要统一下界，形成能与上界抗衡的力量。如果是误会最好，就算我蹉跎万年，到底也没什么。可若不是误会，我必要逼连营交出解救族人之法。"

"我对上界不熟悉，没办法帮你判断，但我知道，琼楼真的没安好心。如果你以后遇到了她，一定要提防。"

"你是不是吃醋了？"赤羽想了半天才意识到这种可能。于是，又是一番柔情蜜意。

然而，太幸福了，连老天也会妒忌的。

赤羽和百里其华二人是人中龙凤，但前者因为太过强大，又从来没有真正地爱过，所以没有去理会那些阴谋，也没注意暗中伸过来的黑手。这可能就是他太过自信惹的祸。

而后者虽然聪明绝顶，可运筹帷幄，决胜千里之外，偏偏在感情上很是懵懂。她以为自己懂情，可情字却不是理智和理论可以揣摩与衡量的，所以才总有意外和误会。

人无完人，何况，恋爱中的人智商是直线下降的。

藏身在百里其华右眼中的乐飘飘预感到会有可怕的事情临近，毕竟她所处的那个年代，已经知道结局是很不好的。而她目前只是通过通心宝镜观看，没有任何能力去改变历史。

某一天，一直处于守势的修仙联盟突然进攻幽冥界。那时幽冥界的入口没有封上，是可以找到的。

赤羽大怒，与此同时，百里其华原来的宫女千千跑了来，说她的父皇病危，想临终前见女儿一面。百里其华闻言，自然是大急。

赤羽为难了片刻后，派出自己最精锐的卫队保护百里其华回潼川，自己则领兵迎战，誓要把挑衅者全部诛灭，直追到千里之外。

然而，当他就要胜利时，突然失去全部修为，差点儿立毙当场。若不是有死忠的手下舍命相救，很可能死得不明不白。撤退后，他心里觉得自己是中了毒，专门侵蚀经脉的一种奇毒，出产于大秦地界。那毒虽然不会令他的修为受重创，却可在战斗中突然发作，出现突然失去力量、任人宰割的情况。

他不知道自己是如何中的毒，因为他早就不需要每天饮食，可为了陪百里其华，才一日三餐不断。而且百里其华喜欢烹饪，经常亲自下厨。再说，幽冥界的守卫森严，等闲人无法进入，他的卫士们也绝对忠诚，不会出现奸细。

这样推测一下，似乎能令他中毒的人只有百里其华。他们最亲近，他从不防备她，她是大秦人，她出现得莫名其妙，自己对她的爱意突如其来。

怀疑的种子就这么播下了，因为他心里一直有一个声音对他这样叫着。于是，他下令立即去往潼川，想问问百里其华，听她解释。到底，他是真的爱她，不愿意相信她会害他。

哪想到，百里其华没有去潼川，而是去了昆仑。

这下，怀疑似乎成了真的！

他心里的声音又对他说：百里其华就是凶手！她利用了你的感情，其实她根本就是昆仑的密探，从一开始就设计你。她对你下毒，想让你死。她逃去昆仑就说明了一切。她对你好，全是假的！假的！你这个天字号第一大傻子，真心实意爱上了一个女人，却让她嘲笑你的愚蠢。你的真情，对她而言连粪土都不如！

爱之深，才会恨之切。假如赤羽不那么爱百里其华，可能不会那么激动。背叛他，是他所不能允许的。可他已经被最好的朋友和最爱的女人连续背叛了两次，他实在愤怒到不可自抑！

他甩下人马，疾奔昆仑，结果才到昆仑脚下的一处山谷，就见百里其华迎面而来，他派去的护卫全部不见了。

急怒之下，赤羽对唯一心爱的女人出了手。他不知道自己在干什么，但在瞬间，他心中灵台突然一阵清明。于是，他惊骇地猛收法术，哪怕被法术反噬得身受重伤也在所不惜。

然而，一切都太迟了。

于是，他只能看着心爱的人重伤倒地，就要死在自己的面前。

他亲手毁了自己的幸福。

第三十四章
尘归尘，土归土

当赤羽把心上人小心翼翼地抱在怀里时，他眼中竟涌出血泪。

伴随着他的血，一条芝麻大小、红色丝线样的虫掉落于地，不久便死了。然后，很多让赤羽花费了九千年也想不通的事，瞬间明白了。

赤羽认得，那叫应声虫，经常和多嘴鸟在一处，看似无用，却会读心、控心。以这条虫的能力来看，它应该是上界之物，若是凡物，他不可能觉察不到。这让他立即明白，他之所以有时候不能自控，暴怒时总听到心中有声音在说话，做出错误的选择，全是因为应声虫。就连刚才他中毒的反应，也是应声虫创造出的幻境，令他自己误会了。

这样一想，谁在他身上种了虫？已经很明显，是琼楼！九尾天狐的最强者，天神琼楼！

只有她养的虫，才能控制他。想来，是他还在锁龙台上时，趁着他的修为和能力急剧下降，这贱人就布下了后招。她想永远拥有他，控制他。所以，他才会在明明怀疑的情况下，还是跟她逃到了下界。所以，他才会怀疑其华，动手伤她。

他小看了女人的妒忌心，小看了琼楼的狠毒。她并没有闭关，而是隐藏在暗处，看着他的一切。当他真心爱上其华，那贱人并不自己直接动手，而是宁愿废了那条虫，也要让他亲手杀死自己所爱的女人，让他永远活在痛苦之中。

"其华，对不起。"他痛彻心扉。

"不怪你。"百里其华努力绽放出最美丽的笑容，"设局的人太精明，我本不该相信父皇会派人来叫我，因为他宁死也不愿意让我奔波。是我太心急，关心则乱，上了当。我……我看到有修仙联盟的人围攻，就知道出了问题，之前千千不知被什么控制，居然带了个活动的迷魂阵来，所有人都不知道走错了方向。"

"其华……我该死……我没有相信你。"他喃喃低语，把想明白的事都说了。

"人不可能事事都料到，像我这么聪明也不行，偶尔怀疑一下很正常的，什么大不了的事啊。再说，你是被下毒了嘛，不知道自己做了什么。你看，我是回来找你的。"百里其华努力地呼吸，嘴里却冒出很多鲜血，染红了自己的衣襟和赤羽的双手。

赤羽慌了神，他不断地把龙气输入百里其华体内，却完全没有用。他感觉到，那龙气就像石沉大海，因为百里其华的身体和魂魄都受损严重，所以承受不了。

"你真好，我真的爱你啊。"百里其华奋力伸出手，却一直抬不了多高。赤羽连忙握住那只纤细的小手，按在自己的脸上。那滚烫的热泪，沾湿了那冰凉苍白的手掌。

"听人家说，夫妻也好，亲人也罢，不管多么相爱，最后还是会分开的。就算是天神，也不能永远不死是不是？"她喘了口气，继续说："分离多痛苦啊，尤其是还活着的人，所以我这是享福呢，女人命好死夫前嘛。"

"是我杀了你……是我。"赤羽哽咽得说不出一句完整的话，堂堂上界龙神，下界冥王，悲痛到无法抑制，只觉得心魂全要跟她一起走了。

"不是你杀我，是琼楼杀我，你要明白，不要错怪自己。"百里其华的脸色迅速灰败下去，却努力撑着一口气。

她其实有恨，恨老天不公，为什么要这样对待赤羽。想来想去，他除了被操纵，又做错过什么？就算是杀戮，也是他迫不得已的。可为什么，他要面对别人无法面对的痛苦？若非要找出一条，那就是他不会防备身边的人罢了。这，也算是错吗？

上天，何其残忍。

一阵抽搐，她感觉到浑身上下每个毛孔都渗出凉意。将死之人，都有预感，可是她真舍不得啊。但天意又有谁能扭转？任你多聪明、任你多强大，也一样生生死死，无力回天。

"答应我，帮助我哥哥。"她用力抓着他的手，"还有，帮我报仇"。

她不在乎报仇与否，但有了目标，他就不会太痛苦了。临死之前，她仍然希望可以帮他。

"还有……既然知道一切都是琼楼的错，就不要再继续你的征战，找个地方隐居起来，养大我们的孩子。"她的目光变得极其温柔，手也放在平坦的腹部上。

赤羽愕然，不知是惊是喜，"你有孕了？"

"你很……努力，当然……当然会有孩子。"她继续微笑，"不是我不肯告诉你，是前几天才发现的，本来想给你惊喜……我想，他现在还很小，若是普通人类的婴儿，肯定不能存活下来，可你是龙神，我怀的是龙种，你一定能让他活下来，对不对？"

"我一定。"赤羽重重点头，"我一定让他活下来，不管付出什么代价，因为他身上有你的血。"

"好啊。"她的眼神开始无法聚焦，"你也要好好的，代我……代我看着他找到心爱的姑娘，成亲、生子，无忧无虑地……活着。你一定要代替我……代替我看着。答应……答应我……"

"我答应。"赤羽泣不成声，"我答应你就算只剩下残魂，我也会代你看着他。"

"那……我走了啊。"百里其华突然睁大眼睛，脸上焕发出动人的光彩，"快看，天上有彩虹啊。我就说我是天才吧，看，死的时候天空都这么漂亮。"

情不自禁地，赤羽抬头。果然，天上突然挂上了彩虹，绚丽得无法用语言描述。他想说些什么，手中却一空。他骇然低头看去，就见心上人渐渐羽化，然后消散在风中。

来不及！他来不及道一声爱意、来不及再抱她一次。赤羽伸出手拼命地捞，却只是空！从今以后，她再不会出现在这世上，在他的法术下，甚至连魂魄也全无。

他感觉心都被人生生剜去了，口中鲜血狂喷，眼神迷离到不能聚焦。他想追寻着她离开，可是有两滴她的相思之泪，还有一颗圆圆的珠子，飘浮于半空之中。

他想留下她的一点东西，哪怕一根头发、一滴眼泪，于是他拼命收集。他先是抓住那颗珠子，发觉有生命的迹象，知道这就是她的血脉，附于龙珠之上。这里，会孕育出他的儿子，可现在却这么脆弱。

想也不想，他挖出自己的一只眼睛，把珠子置于眼眶中，温养着，然后他抓住一滴泪。那泪水在他手心里遇到龙气，立即凝结成一个水滴状的水晶。另一滴泪，却没有落地，而是向着彩虹飘去。

他不顾伤重，拼命追赶，只见那滴泪水飘进一个奇特的空间，落入像由碎钻和宝石汇聚成的时光之河，慢慢流淌而去。

"走吧，如果你有造化，经过千万年而聚日月精气，储魂魄，生而为人，就会再回到这里。"赤羽对着那滴飘走的泪水说，又举起了手中的水晶，"这个叫休，取其华去之、我万事皆休之意。它会留在我儿的身边，将来会带着他找到你。愿你

第三十四章　尘归尘，土归土

托生为女子，带着其华的心念，来找我儿，好好爱他，和他永远幸福地生活在一起。"

时光之河静静流淌，在一个交界处，突然转弯，再看不到赤羽的身影。

乐飘飘心里难过得要命，这才明白，她本就是百里其华的一滴情泪所化。那滴泪，承载着百里其华对赤羽的爱与眷恋，所以每当见到赤羽，她就心酸，想落泪，想让他不那么难过。所以，当百里布把休给她，休就贴紧她，再不离开，而她也有熟悉和喜悦的感觉。

原来，她与休是双生。

也因此，当她发现自己爱上百里布时，就再没回头也没后悔过。而百里布，同样对她分外眷恋，只因为这一切都是那个最后灰飞烟灭、连魂魄也没有留下的奇女子在冥冥中的安排。

她并不觉得别扭或者遗憾，是一滴眼泪所化又如何？从科学角度来说，人的最初，还只是精子和卵子呢。她也不觉得爱上百里布完全是命运的安排，她已经是个完整的人，有自己的心意、自己的爱好、自己的感觉。爱上百里布，是她自己的选择。

是的，她就是爱百里布，哪怕她不是那滴泪，她还是爱。她相信，百里布也一样会爱她。

迷糊中，她看着自己在时光之河中游荡，很久很久才有了意识，再很久很久才投了胎，结果还是个死婴。又很久很久，她的魂魄努力吸收着四周的能量，再度投胎。这回好些，是个傻子。悲惨地度过一世又一世，她渐渐完善，魂魄终于强壮而完整，生为真正的人了。

她乐飘飘就此诞生了！

就算在异世，就算在现代，她到底是一条完整的生命了。然后在某年某月某日，在时光之河的交汇处，伟大的乐飘飘穿越了，来寻找她真正的人生，她的完美爱情。

多么奇妙！

她乐得手舞足蹈，却听耳边一声断喝：苦海无边，回头是岸。飘飘姑娘，回来吧。

叫魂呐！被震得头皮发麻的乐飘飘大为不满，眼前却是一亮。

接着，她没站稳，摔了一跤，居然滚了下来，一路向下，好久才撞到个柱形物体。

但奇怪的是，她本来是很伤感的，亲眼看到赤羽和百里其华的生离死别，难过得要死，可她本身就是情泪所化，那时反倒哭不出来，只是心里痛苦郁结。后来在时光长河中看到千万年中自己渐渐成形变化，也有些沧桑的心境。但当她听闻刚才一声断喝之后，就像猛然警醒，那些心中的阴霾竟然一扫而光。

再伤心，也已经是千年之前。她是活下来的那个人，所以要尽一切力量，让悲剧不再重演。

抬头，乐飘飘发现她被围观了。总共有十个，但有八个非人类。

其中五个龙头人，正是五龙渊那五只。然后，是她的三只灵宠。最后，是两个和尚。

"怎么回事？"她怒对土龙。

土龙咳嗽了两声，"我们送你入了通心宝镜，可是你迷失在里面，一直唤不出来。我们就跑到幻真天梯这里，因为这边与下界的气息比较接近，说不定能刺激你的回忆，可你还是执迷不悟啊。还好遇到回头大师，他高诵一声佛号，你才清醒，直接从镜中飞出来。但没想到，你在天梯顶上没站稳……"

天哪，她不会是从顶上一直滚到下面吧？太丢人了吧。

乐飘飘绝望地想着，狠狠地瞪了三只灵宠一眼。保护主人是他们的责任，可他们都干了些什么呢？平时除了气她，就是互相掐架，根本没做过什么正经事。哼！

但是等等……回头大师？！

乐飘飘猛然抬头，正对着一个和尚苦瓜似的脸，哪有半分大慈大悲的仙气，完全是化斋总是化不到的悲催模样。也有点儿像前世在小摊子上买的苦难佛，虽然不好看，但听说苦难佛是把世上所有的痛苦全揽在自己身上，好给人间带来幸福的佛，很慈悲很伟大。

这位就是传说中的回头大师、回头和尚？传说中那个经历了赤羽一切变故的人？再看他身后，跟着一个中年和尚，头发已经剃光，身材高大，微垂着头，一言不发也掩不住浑然天成的清贵之气。

乐飘飘险些大叫一声。

没想到竟然是百里松涛。虽然明知他是跟着回头大师走了，但出了家……这个……很难想到。鉴于她和百里布的关系已经确定，此人可不也是她的舅舅嘛！

"这是老衲的徒儿，名为无言。"回头大师主动解释，"他心中有执念，理想破灭，亲人身死，壮志难酬，因为放不下，所以被折磨得日夜焦心，就算在富贵乡，也如在痛苦海。所以他发誓绝不再开口说一言，直到他彻悟。"

眼前人，就是百里松涛！虽然他的眼皮都不抬一下，脸庞也瘦削了好多，可能因为日日参禅，眉目间像是笼上一层佛性的清辉，而在见到乐飘飘时，他也神色不动，似乎从没见过她一样，但他绝对是之前那位霸道、刚愎自用的大秦皇帝。

"见过无言大师。"乐飘飘恭敬执礼。虽然之前对他没好感，但经历过镜中的一切，也算知道了他的过去，更知道他本意是好的，只是偏执于理想的破灭、亲人的死去，因而多了一分理解的善意。

百里松涛——不，应该称为无言，仍然不语，只略略还礼。

"主人，你在镜中都看到了什么？"大利八卦地问。

"这个嘛……"乐飘飘卖了个关子，然后缓缓坐在石阶上，摆明要详细地讲个故事。

十个人，不，两个和尚八只动物立即围了过来，竟然都很好奇。然后，她就把所经历的事情一五一十说了出来。她口才不错，说得情节跌宕起伏，关键处更是惊心动魄，最后听众们听得神魂颠倒，唉声叹气。只有无言大师，脸上神色变幻，似痛苦，又似欣慰，听完后直接盘膝于石阶上，闭目打坐。

"他看不清过去与未来，只禁锢于自己黑暗的心底。多谢女施主一番解说，老衲想，他有所感，正在参悟。"回头大师说，"我们且在别处等候，莫要吵了他。"

这也不是什么困难的要求，众人往上挪了几十层台阶，继续说话。

"回头大师，你怎么会在下界的？"大吉恭敬地问。

回头大师叹了口气，"当日老衲追着赤羽下界，抛出我的金乌种子，在天梯之门处留下了缝隙。可惜老衲穿过时被锁门的法力伤了自身，下界后的修为几尽消散，若不是仗着神佛不死之躯，恐怕早就不在了。"

"那您怎么又上来了？"大利问道。

"老衲收了无言为徒后，预感到天梯将开，就带他来这里守候，兼之修行。"回头大师脸上流露出真心的喜悦，"没想到女施主得到琼楼的天梯之门幻影，直接到了此处。本来天梯看似无形，好像上下通透，但其实已经关闭。既然关闭，除非赤羽和琼楼联手，谁也不能自由出入，因为那门上加诸了他们两个人的禁制，以他们当时的修为而论，天帝也无法打开。这也就是这么多年我不回上界，而天帝也没有派人到下界去调解战争的原因。"

"相当于门上加了密码和指纹锁。"乐飘飘嘟囔了一句。

"女施主说什么？"回头大师没听懂。

"没什么。我就是想知道我怎么能随便就上了天梯，还有他们？"她问，有些好奇，又指了指三只灵宠，"不是说赤羽和琼楼不联手，谁也不能上上下下的吗？"

"这就是造化，是冥冥中的天意啊。"回头大师高兴地笑起来，"当年老衲在此地抛下了金乌花的种子，让天梯之门留有缝隙。那种子乃天下至阳之物，是老衲收集阳光修炼而来，非常坚硬。如何能使种子破土，且又能拥有无可比拟的力量，问题就来了。金乌种子发芽，需要天下至阴至柔的气息灌溉，并且那气息必须与生命之气浑然一体，上哪儿去找这样的凑巧？偏偏女施主是情泪所化，那泪正是至阴至柔之物，女施主生而为人，还是女身，正好条件齐备。"

"这么说，是我使金乌花生长，把缝隙撑大了，可以容人挤进来？"她惊讶的向下搜寻，果然在最下一层石阶上，看到一朵碗口大的金色小花，花形圆圆的，花瓣像鱼的鳞片，见到她目光扫去，金乌花摇头摆尾无风自动，可爱极了。

"正是正是。"回头大师点头，"既有了开始，就会有以后。金乌花会缓慢长大，当它把整个天梯大门都撑开，你就可以把它带走了。呵呵，你让它破土，从今以后，你就是它的主人。"

乐飘飘很喜欢那朵金色的小花，不由得高兴，先不管它有什么本事，反正看着是赏心悦目的。

"得快点报告天帝，要派天兵来看着天梯入口，不然有人误入就不好了。"回头大师又激动地唠叨了一句，随后面色又平稳下来，变化之快，令人叹为观止，"不行，老衲要在这里给无言护法。"

"一起等，不忙去见天帝。"乐飘飘挥手，"不如先说说大师怎么跑去大秦皇宫的？"

"也好。"回头大师应下，"当年老衲下界之后，一直四处漂泊，心想就算没了修为，也要找到赤羽和琼楼。可是，这两人就像消失了一样，再没有显露行迹。女施主一番话，老衲才知他们各自隐藏起来了。找不到人，老衲就一边云游布道，一边极缓慢地疗伤和恢复修为，这么过了几千年。后来，有一次极凶险的疗伤过程，差点儿令老衲走火入魔，只能立即闭关。但出关时，赤羽挑起的修仙界大战已经结束了。老衲感知到赤羽的气息在潼川，就跑了过去，向他解释了当年在上界的误会。"

第三十四章 尘归尘，土归土

"百里其华死后，赤羽立即去了潼川吗？"包小妞问出乐飘飘想知道的问题。

回头大师又是一叹，"百里其华死去，赤羽万念俱灰，而且大彻大悟，权势也好、背叛也罢，就如过眼云烟，只有心里保存的那份真情才是难得。这时候，别说他已经知道一切是琼楼的设计，就算真是天帝对不起他，他也不再想报复，并忏悔自己使下界生灵涂炭。而这样的生死洗礼，也使他身上的戾气全部清除，所以女施主后来见到的赤羽与之前的完全不同，谦和温柔，无欲无求。"

是啊，他总是那么悲伤寂寞，就算她不是情泪所化，也会跟着心酸。他对她那么好，只因为她是百里其华的一滴泪。通过她，他看到的是自己的心上人。乐飘飘并不介意成为别人的影子，她只希望上天能给赤羽和魂飞魄散的百里其华一个机会。

毕竟，一滴情泪最后都能变成有血有肉的人。而上天，欠了赤羽太多。

"只是他仍然有放不下的，那就是他的儿子百里布。因为他知道，就算他放下屠刀，修仙联盟也不会相信。他自己无所谓，但他的儿子不能受到伤害，那是他对百里其华的承诺。这也就是他留下阴兵和龙印传承，却很困难才能得到的原因。若是百里布没那个本事，修仙联盟应该不会为难一介凡人；若他掩盖不住风华，至少有力量傍身。说到底，为人父母，都是一般的心思，只为儿女着想啊。"回头和尚轻缓地道。

"事实上，他没有料错修仙联盟，后来不管他怎么隐姓埋名，都是修仙联盟心中的刺，最终还是寻到他的踪迹。我的三个师父，也就是三大帅主与之对战，最后同归于尽，都只剩下魂儿了。"乐飘飘有点儿气恼。

杀人不过头点地，为什么就不能给大家一个和解的机会，非要赶尽杀绝才安心呢？什么时候，这世上的安宁，要靠杀戮才能保护？

回头大师点了点头，"人心脆弱，就要外力刚强才能自处，这是误区。不过赤羽毕竟是龙神，所以他的魂身是完整的，而且是在回到地下河那里后才魂体分离。他的儿子百里布，就在那龙身中滋养，经历了五百年才破珠而出，成为正常孩童的样子。不过你三个师父虽然魂魄被打散，好在肉身还在，造化出不一样的重生来。而当时赤羽到大秦皇宫去，不过是为了找个秘密地方孕育儿子，另外实现对百里其华的承诺，帮助百里松涛。"

"他怎么帮的呀？"包小妞又插嘴。

"百里松涛的修行，是赤羽引领的。也正因为如此，才短短的五百年，百里松涛就修为惊人，对外伪装成金丹修士的样子，就这，已经是很天才的修行速度了，其实，他已经是化神期修士。当然，仙甲士的存在、仙阵的摆设，甚至大秦皇宫的法阵护卫，全是赤羽一手安排。但他隐约感觉到百里松涛心生了执念，怕以后再出现意外，对不起百里其华的嘱咐，又感觉修仙联盟对他不会就此罢手，于是就请老衲居于深宫之中，帮他看着儿子、看着百里松涛。他要求老衲不要插手下界事情，只给百里家留下后路，因为他自己的经历使他明白，必要自行顿悟才能化解戾气，外界之力再怎么强大也是治标不治本。而那时老衲的修为还很低，知道就算出手也扭转不了大势，反而会搅浑了水，干脆就坐了枯禅，等着天机轮转的一天。只是老衲和赤羽都没有想到，琼楼居然就是东尊付采薇。"

"因为她一直隐藏在修仙联盟的背后，百里其华死后，赤羽忙着孕育儿子、伤心和辅助大秦，哪有空寻找仇人。等终于得了时间，偏又和三大帅主大斗一场，变成魂身，虚弱到显身一次就要沉睡很久，哪还有机会调查？"乐飘飘说着就跳起来，不满地仰头，"这贼老天真是糊涂，会不会当老天啊，不会就干脆退位算了。好人得不到好报，被扔进各种旋涡受折磨，被考验心智。像琼楼那样的死女人，却运数一直很高。她因为妒忌害了赤羽、杀了百里其华，间接造成第二次下界大战，可结果呢？她不但没有受到处罚，还得到很多好处。当年是她献计，硬说自己在赤羽身边安插了密探，然后与修仙联盟配合，造成了百里其华之死、赤羽崩溃而停战的结果，可是危机未解。她资历这样浅，却因为这个所谓功劳，踩着别人坐上了东尊的宝座。又因为地位高，她后来做坏事都容易很多，天理何在？"

"阿弥陀佛，女施主少安毋躁。天道，看的不是一时，不急不急。赤羽虽然可怜，但他还有转机和未来，有儿子可传承龙族，而琼楼……只怕绝了自己所有的路啊。"

"怪了，听你这意思，怎么还为她可惜啊？"大利不服地呛了一句。

"算了，他们佛修就是这样，对什么都要保持怜悯。"大吉眼泪汪汪地劝道，"可是……可是赤羽和百里其华也太可怜啦。"

"好大吉，还是咱俩贴心。"乐飘飘搂过大吉，"待会儿咱们要找天帝说理去。"

回头大师尴尬地咳嗽了一声，"天帝也要遵循天道，两位不如再耐心等一下，老衲相信天理昭昭，之前的苦处，早晚有得到回报的一天。"

"与其等天道循环，不如自己先努力看看……"乐飘飘理直气壮，可话到一半就停住了，眼睛看着天梯下面。

只见一道身影缓缓直起，向着他们的方向深深稽首，然后施施然离开。无言大师仍然一个字也没说，但他的背影却好似放下一座大山，说不出的轻松，满是落拓潇洒之意。

"他彻悟了。"回头大师欣喜地微笑，"这是去找百里布，化解多年来他种下的恶因，只求能终止恶果。"

就是劝百里布向往和平喽？因为之前他一直向百里布灌输，说修仙联盟与百里布有杀母之仇、夺国之恨，还卑鄙地陷害了赤羽。再加上他也是伤于修仙联盟之手，百里布才会执念不断。毕竟，杀父之仇，不共戴天。

"麻烦大师舅舅转告他，我没事。"乐飘飘猛然站起，吼了一声。

静谧安详的上界，被她的大叫划破，好多神仙跑出来问："怎么回事？是上界地震还是山洪暴发？难道，魔族入侵？"

但对于下界而言，她这一嗓子是大大的好事。她在镜中没有时间概念，下界却已是一月有余。当初发现她不见了，三位师父和百里布都要急疯了，修仙联盟被列为怀疑对象。在无言告诉了百里布和二仙村她还活着的消息后，才令情况立即好转。

这是后话，当时她是不知道的。

只是她的吼叫把一直守在龙神宫外的天帝给招来了，连营带他们到自己的宫殿，赐了一顿上界的美食。乐飘飘酒足饭饱，就要求天帝出手，平息下界的动乱。

"解铃还需系铃人。说到底，当初你不相信自己的朋友有毅力可以拔除戾气，结果导致沟通不畅，让琼楼有利用的机会，怎么说，你也得负上一点责任。"她不客气地指责，"之前上界与下界道路不通，你不管那些乱事就罢了。可现在呢？我把天梯之门拉开了一条缝，千军万马是过不去的，你亲自去游说一下总成吧？"

连营有点儿尴尬，却没有生气。

还是喝饱了酒的回头大师拦过话来道："天道不可乱，天帝掌管上界，岂能随意让下界之人见到？如果那样，修士们还要修行做甚？"

乐飘飘一想也是，就算在人类社会，也不是你想让皇上来你家他就得来的，否则，皇权何在？威信何在？而且上界胡乱插手下界的事，确实会违背天道，所以只能辅助性帮忙。

"那这样，让修仙联盟派代表，拜见天帝。"乐飘飘折中道，"因为天梯之门封锁，下界已经有超过万年没人飞升了，其实挺打击士气的。因为飞升无望，很多人失去奋斗目标，所以才生出好多闲心闲事，或争权夺利，或互相厮杀。如果他们看到上界，见到天帝的威严，心生向往，就会一心向善，抱守道心，这样上下界就都太平了。"

连营歪了歪头。他还有威严吗？被一个凡人小丫头这么指着鼻子责问。不过，细想下又觉得乐飘飘说得很对，也就点头应下，但又说："仅凭这点，下界的争斗未必会终止。依我说，百里松涛有一点是对的，修仙界必须要与普通人类世界分离。人类的事，由人类自己解决，哪怕战争杀伐，都是在可承受的范围内。若把修士们掺和进来，就有可能亡族灭种。好，就照你说的，我也会与修仙联盟的人顺便商讨修仙者不能踏足人类世界的事。但还有一桩……"

"什么？"

"下界杀伐多年，那些因为互相杀戮而不断累加的仇恨，要化解才行。"连营在身上摸呀摸，掏出一本书来，"这是天书，有化解天地庚气之功效，是上回我去救龙族中人时，在不老山找到的。需要修行之人拿去抄录一万遍，劳大家动手，当然，我也会在上界选神仙抄经，上下一心，积累到了一定的数字，念力就会令下界清明见日。那样，无论是对黎民百姓还是对修行者，都自有大大的好处。抄得越多，效果越大。"

"就这事？好办。"乐飘飘把天书接过来，"不就罚小抄一万遍吗？回头我让我师父们先抄抄。天帝在与修仙联盟的代表见面时也说说，相信他们巴不得呢，叫他们到二仙村来取原稿就是。"

"你要走吗？"连营好奇地问，"一般情况下，到了上界的人就不想下去了。我赐你神仙之骨，让你轻松成神，再没有生老病死之苦，可好？"

"可是我要去见百里布呀。"乐飘飘眨眨眼睛，"要不我带他一起上来？还有我师父……"

"那可不行，你当上界是菜市场吗？"连营哼了声，"你可知，你放弃这次机会，就仍然是凡人，寿命有限，顶多百年就会死去。"

"死就死呗，有死才有生，有变化才叫生命。"乐飘飘站起来，毫不犹豫，"好吧，其实我是贪恋红尘，我还有爱人，才不想孤独地长生呢。没听说吗？只羡鸳鸯不羡仙。我家布布一定会找到让我长生的法子，与他生生相对的。"

"你确定吗？"连营问。他脸上有一种奇怪的神色，好像是个陷阱，但乐飘飘归心似箭，根本没有注意。后来她才知道，这一番对话她着了好几次道儿，气得她暴跳如雷，指天痛骂。

但这也是后话了，当时她带着三只灵宠和五龙离开，望着她的背影，回头大师

第三十四章　尘归尘，土归土

换下一脸的悲悯相，幸灾乐祸地说："天帝，所谓天书，根本没那回事吧？"

连营笑笑，"下界那帮人是闲的，让他们抄抄书，磨炼一下性子也好。嗯，你这就去办修仙联盟的代表到上界觐见的事，快把这些乱事了了。那时，再看如何能帮赤羽回上界复龙神之位吧。对了，别忘记安排追捕琼楼的事，她为一己私念，做了这么大的恶，必须受到惩罚。这样，抓到她后，就交给赤羽和他儿子处理。"

乐飘飘不知那腹黑的天帝做了什么，她只是以最快的速度回幽冥界去。天上一天、人间一年倒不至于，但至少也有一个月。走下天梯才知道，她真是相思者渴，想必百里布也想惨了她。至于天下事……就由那些坐在上位的男人们去解决吧。

当她再度出现在百里布面前，百里布真是又喜又恼，"以后你再给我这样突然消失试试？我差点儿跟修仙联盟拼命，恨不能把昆仑山都平了。为了你，你那三个师父也几乎和本派决裂了。"

乐飘飘连忙道歉，态度诚恳。

两人就那么静静地拥抱着，只觉得这样就很满足了。

乐飘飘絮絮叨叨地细说了她这几天的见闻，还有所有事件的始末。百里布唏嘘感叹之余，也告诉乐飘飘，百里松涛回来过，已经与他深淡过了。他已经明白了曾经的父亲、后来的舅舅、现在的无言大师的意思，况且有了乐飘飘后，他也不想再打仗。但前提是，他要找到琼楼，为父母报仇。然后，再找到赤羽的魂魄奉养。百里布还保证，会尽快娶她，给她正名。

两人的恋爱充满了波折和困难，如今总算是有了结果，心境都很温柔，两人自然少不了缠绵缱绻。过了几天，乐飘飘回到二仙村，见全村已经开展了热烈的抄书活动。

她跟师父们聊了聊，才知道回头大师的动作很快，已经带修仙联盟的代表拜见过天帝。现在双方都对彼此产生了一丝信任，毕竟有天帝担保嘛，就剩下双方谈判，以及诱捕琼楼的事了。其实回过头来想想，天下事有这么复杂吗？其实很简单啊。

但是，那琼楼不愧是狐族，感觉到事情不妙就藏了起来，居然一点蛛丝马迹也没有留下，根本找不到她的人影。于是百里布就忙碌了起来，又要谈判，又要抓人，好多天都见不到人影，只把乐飘飘放在二仙村里，不然他就不放心。

某天晚上，乐飘飘辗转反侧睡不着，突然感觉有异。那不是惊慌和害怕的感觉，而是一种熟悉和亲切感。

她猛地翻身坐起，就见紫发金瞳的赤羽站在窗口，半侧过头，微笑着看她。

她的心顿时酸涩，泪盈于睫。而且这一次，她了解了赤羽和百里其华的过往，于是更加为他们感到难过，为赤羽心疼。

"赤羽！"她冲口而出，又连忙改口，"或者我应该叫师父，还是……爹？"

赤羽温柔地笑笑，真是风华绝代，因为岁月和经历的关系，比百里布还胜一筹。他是魂魄之身，只一步就飘到了乐飘飘面前。他伸出手，轻抚她的头发。虽然那手掌并没有实质，可乐飘飘却感受到了他心中的慈爱。

"你……很好。"他眼圈红了，"不辜负其华。虽然没有她聪明，却比她可爱。我等了你很多年，见过你很多次，今天要对你说，谢谢你让布儿的生命圆满，我只希望你们比我们幸福。"

"你要走吗？"乐飘飘突然一惊。

"我会去哪里？"赤羽的笑容比月色还美丽，"总之其华在哪儿，我就在哪儿，我这般样子，已是逆天。不过把布儿交予你，我也放心了。现在，我去帮他们诱捕琼楼，该她还的，她不能躲！"

见赤羽转身要走，乐飘飘连忙上前，想扯住赤羽的衣袖，却扑了个空，摔在地上。她仰起头，望着赤羽，"魂身不能久留，你之前每出来一次都会变得极虚弱，现在要去帮忙，还可以吗？"

"我一直隐忍，积蓄力量，就是为了这一天啊。"赤羽俯下身，又摸摸乐飘飘的头发。

乐飘飘茫然不知，以为还是没有实质的感觉。可是却突然觉得后脑一凉，整个人失去了意识，脑海中赤羽的殷切目光，成为她最后的印象。

而赤羽直起身，望向门边已经站定的三个人，轻声道："心尖儿上的珍宝在危难时期一定要藏起来，保护好。我之前就犯下错误，现在为布儿补上。那些斗法大战，她就不必看了。如果让琼楼逮到机会，只怕后悔都来不及。"

"放心，一定藏得妥妥的。"凤九一招手，三只灵宠和五条龙立即现身。

乐飘飘再度醒来时，已经是一个月之后了。

她错过了很多事情，琼楼的伏诛、下界和平协议的签订，还有赤羽的消亡。

听到赤羽与琼楼同归于尽的消息，她痛哭一场，之后在一个月夜，洒酒于地。虽然连亡灵也没有，但她相信，在天地间，赤羽和百里其华能听得到她的心声。

百里布说，他们一直抓不到那个狡猾的狐族女人，天帝焦急，却又不能派天兵来追，反而是琼楼报复似的在各处犯案多起，造成死伤无数。

这时，赤羽现身，以自己为饵。

也是琼楼对赤羽的执念太深，居然明知是陷阱，仍要前来赴约。一番大战自是不提，毕竟赤羽是魂身，法力施展不出，而其他人再强，也是下界之人，如何能对抗天神？最后是三大帅主与百里布联手，加上众人布下法阵，才令琼楼被仙剑绞成狐狸泥，彻底灰飞烟灭，连狐狸毛也没剩下一根。

可惜赤羽耗费精力太大，自知连魂魄也很难保持不散，干脆以自己的仙骨和魂魄，换回百里布的一双眼睛。天帝赶来时，曾经的好友，只来得及说了一句话，具体是什么，无人得知。众人只知道赤羽走得快乐，因为他说："其华在哪里，我就在哪里。其华不能凝聚魂魄重生，我也不。"

那时，天上突然出现了一道美不胜收的彩虹。

听完这些，乐飘飘足足忧伤了十几天才能正常活动。本以为尘埃落定了，哪想到却又出了事。回头大师作为特使，来到二仙村，一边督促抄书活动继续进行，一边带来分离的消息。

赤羽死了，龙神之位空虚，龙族中人找不到更高的血统，于是百里布必须到上界，去继承龙神之位。天帝还说，当日赤羽在他耳边所说的话，就是要他的儿子继承神位。

百里布并不稀罕什么上界的龙神位，但赤羽为他牺牲良多，亲生父亲的最后愿望，他怎么能不完成？可这样，问题就来了。乐飘飘是凡人，不能上界，两人必须分开。

"幻真天梯不是已经撑得很大了吗？我们当牛郎织女就好，两地分居而已。而且我们已经成亲了，犯不着要我们和离吧？"乐飘飘当即不满。

"呃，幻真天梯重开，随之而来的就是规则。下界的人要想上去，必得通过修行飞升。上界的人若要下来，必得是公务。哪能随便想来就来、想走就走？"

"幻真天梯能重开，完全是我的功劳，都没有一点特权吗？"乐飘飘气不打一处来，"你们也太忘恩负义了。果然啊，我看出来了，上位者都是这样，卸磨杀驴，念完经就打和尚！"

"阿弥陀佛。"

"阿你个头！我不服，我要上告！"

"其实，咳咳，天帝夜观天象，发现你也根本不是这里人，算是……非法居留吧。"回头大师吞吞吐吐地说。

这真是抓到了乐飘飘的痛脚，她一跳三尺高，愤怒反驳，"管我是哪里来的？

我已经嫁人了，嫁的还是一个神，算是有绿卡了，还是超级的那种，怎么还算是黑户？"

看她气得小脸发白，百里布把她拉到一边，大声说："父亲的遗愿，我不能不完成。我现在就带你一起到上界，看谁敢拦我！"

好，霸气外露，我喜欢！

乐飘飘欢欢喜喜地和师父们告了别，还偷偷说最多三个月就来看他们，再想办法把他们也接走，把整个二仙村都搬走。可没想到在走幻真天梯时，她又滚下了楼梯。

她发誓，这次是有人推她，不是她自己摔下去的。

最可怕的是，这一滚，就滚了很长的一段距离，任她怎么手脚用力也撑不住。其实身上倒不怎么疼，可是天地变幻，斗转星移，等她终于停下来，眼前的景物全变了。

江边，星空，桃花林！

这不是她穿越的起始地吗？不是吧？

她登时大骇，拼命揉着眼睛，希望是她摔坏了，出现了幻觉。

可十分钟后，周围的环境告诉她，这是真的！

比夜空还明亮的，是万家灯火。不远处，有汽车呼啸开过，一群衣着暴露的太妹，嬉笑着跑过。空气，带着都市的混浊与现代的气息，扑面而来。

"没有你这样的，把我拉过去，让我当吉祥物，解决了那么多难题，现在用不着了，又把我扔下来！"她仰天大叫道，"快把我带回去！快把我带回去！我警告你，快把我带回去！"

天空无言。

乐飘飘双腿发软，跪坐在地上痛哭。

她是个孤儿，好不容易找到了自己的幸福，找到了自己的家人和爱情，怎么会又回到了原点？为什么这样对她？为什么？！难道那一切都是南柯一梦，不是真实的？还是一切都只是她的意外，现在又让她回到正轨？！

她不要回到正轨，如果这是梦，就让她一梦不醒吧。

"喂，哭够了没有？饿了，回家给我做饭。"一个熟悉的声音在耳边响起。

乐飘飘连忙抬头，模糊的视线中，百里布站在不远处。

而且，是古装！

她用力甩甩头，又挤挤眼睛，试图看得更清楚些。

没错，是他？地上还有影子！乐飘飘扑过去上摸下摸，实体的、热乎的！真是他！

"你怎么……你怎么……不行了，轮番刺激太大，我有点儿混乱……啊！"她猛掐了自己手臂一把，疼得大叫。

百里布连忙拿起她的手，又揉又吹，一脸心疼地责怪，"你掐自己做什么？现在你是我的人，身体也是我的，怎么可以不经我同意就随意损坏？"

"你怎么也来啦？"乐飘飘终于恢复了百分之一的理智，另外百分之九十九还是糊涂的。

不带这样的，又冷又热，一会儿悲，一会儿喜，她会有心理障碍的。

"我看你滚下去，就要和回头和尚拼命。"百里布说。

"我猜就是他推我。哼！"

"他却说，尘归尘，土归土，哪儿来的就得回哪儿去，这是天道。"

"你怎么回答他？"

"我说你不知道飘飘是我的心魔吗？所以，她就是我的道，别跟我提天道，赶紧把她给我找回来，不然就算是天帝，也没有好商量的。"

"说得好！然后呢？"

"然后他说确实没办法，你得修炼才能飞升，谁让你当初有机会却放弃了呢，所以这个规矩不能改变。不过呢，当时我父亲赤羽在离去前，在天帝耳边说过一句话，没人知道是什么，其实是他早料到我们会有这一劫，求天帝网开一面，把我打下界来。倒不是修行，而是见见世面、长长见闻，等你飞升时，再和你一起回上界。暂时嘛，就由无言大师代我顶了龙神之位。"

"真的？"

"真的！"

"不骗我？"

"你直接把我领回家不就知道了。"

"太好了！"乐飘飘大叫一声。

那声音缥缈，直冲九霄，居然穿透苍穹，到达连营的耳朵里。

"这丫头的嗓门……"他掏掏耳朵，微笑着望着半空，"赤羽，我终于还了欠你的了。"

而下界，事情还没完。

"你不是假的吧？你怎么证明你是真的？"乐飘飘的混乱状态还没恢复正常。

百里布也不说话，不知怎地一抖，就见三大灵宠和五龙都跑出来了。

常言道，一个骗子是骗子，如果一堆骗子同时出现，那一定是真的！

乐飘飘终于放心了，却不知暗中有人围观，正是她那几个损友。

"那是飘飘吗？"

"这么黑，哪看得清脸？"

"就是乐飘飘！不然大半夜谁到这儿来？话说她不玩大冒险，怎么玩COSPLAY了？还古装？演的哪一出？"

"白雪公主和七个小矮人。"

"放屁，白雪公主是西方人！再说你识数不？那边冒充动物的一共八个。是……动物吧？"

"真是奇形怪状。"

"哎呀，和王子亲上了！"

"靠，我就知道这丫头是借机泡帅哥的。娘的，那一定是乐飘飘！"

"不行，我也要！"

（完）

番外
自助者，不用天助

一、月光宝盒

"今天晚上有狮子座流星雨。"乐飘飘兴奋地叫道，"而且天气晴朗，视线极其良好。"

"流星雨是什么东西？难道有利于我把修为还给你？"百里布懒洋洋地窝在沙发上看杂志，修长的双腿斜搭在茶几上。

他全身上下只穿了一条牛仔裤，腰扣还没有扣好，完美的身材和肌肉若隐若现，实在是美色无边，诱惑无比。

"你脑子里成天只想着那件事情吗？"乐飘飘转开眼睛，脸颊有点儿发红。

"是呀。"百里布老实地承认，话题一转，"狮子座又是什么东西？"

"是黄道十二星座之一。"

"你说的是七十二天罡，三十六地煞，那一百零八颗主星宿吗？"百里布来了精神。

"呃，所谓星座，是位置相近的恒星的组合。不同的文明和历史时期对星座的划分不同。现代星座大多由古希腊传统星座演化而来，由国际天文学联合会把全天精确划分为八十八个星座。比如我们中国的织女星和牛郎星，目前就分别隶属于天琴星座和天鹰星座。"乐飘飘耐心地解释，"总之你别管那么多啦，晚上跟我去观测就行了。"

"你要修习观星术吗？"百里布很认真。

乐飘飘额头冒虚汗，不好意思地实话实说，"我什么也不学，什么也不修行，我就是凑个热闹。我们很久没出去约会了嘛，制造一下浪漫而已。"

"去哪儿看？"

"附近的山顶。"

"山顶？那里应该人少吧？可以借机双修。"百里布一本正经地说，好像双修的目的真是修行似的，"山顶灵气应该比较足，再说有纷乱星象，也算是好天时。"

百里布是天神，但也是男人。男人都是用下半身思考的动物，不管是谁都一样，乐飘飘嫁给他之后就明白了。所以，他确实每天都在琢磨那件事儿。

"山顶人好多。"乐飘飘从牙缝中挤出这几个字，"你以为是天庭那种鸟不拉屎的地方吗？地球上最不缺的就是人，中国就更不缺啦。而且，现代人最爱凑热闹，你看吧，到时候山顶人满为患，不早点儿去都找不到好位子。其实，真正的天文爱好者少之又少。"

百里布一听，立即兴趣缺缺。

他不喜欢人多的地方，除了怕吵，也因为反感一些女人总是盯着他看。当然，最无聊的是山顶不能双修，那还有什么搞头？

不过，乐飘飘很想去，而他，不忍心拒绝她的任何要求。

于是当天晚上，他们像普通观星者一样上了山。不同的是，他们没有带帐篷和食物什么的，而是由百里布施了障眼法，带乐飘飘飞上半空，坐在一朵棉絮般的云朵上。

"这个观赏角度，别人没有吧？"百里布得意。

乐飘飘微笑点头，心中却腹诽：要和普通人挤在一起搭帐篷、野餐，摆弄望远镜和照相机，那样在寒冷的山风中依偎着才有趣味啊，不然，何必大老远跑来？

所谓经历凡尘，就得过平凡的生活才像话。可见古人，不，古神的思维是不能以正常思维来衡量的。尽管百里布已经来现代很久了，她也调教他很久了，但他仍然不太理解现代普通人的生活。

严格地说，百里布是个宅男，对网游很有兴趣，能不眠不休大战三天三夜，很快满级，也可以连续看白痴电视剧24小时以上，但他超级不喜欢逛街，不喜欢与陌生人接触。

不过此时，在乾坤之下、清风之上，倒也别有一番滋味。

而乐飘飘最是随遇而安的性子，所以她很快就陶醉在夜色中，浑然忘我。

"啊，开始了！开始了！"不知是谁喊了一声。

虽然隔得很远，但乐飘飘听得很清楚，看来最近的修炼很有效果，被百里布

番外　自助者，不用天助

"夺去"的修为正在慢慢"收"回来。

一颗颗流星划过夜空，先是数量稀少，后来逐渐增多，漫天星雨，瑰丽壮观。山顶上，一阵阵惊叹声响起，所有人都沉浸在大自然的魅力之中，乐飘飘的身心也感到极大满足。

正幻想着，乐飘飘突然感觉有冷风袭来，速度非常快。接着，一道若有若无的黑影从天而降，正对着她和百里布的脑袋。

换作平时，别说乐飘飘的修为正在恢复，断然不会被天外飞行器击中，单说百里布，那可是隐藏在人间的天神，怎么可能随随便便被袭？

偏偏，两人在凡间日久，警惕心早就麻木了，毕竟这个世界没什么能伤得了他们。而此时乐飘飘正忙着感叹，百里布忙着偷香，谁也没留神。

哎呀一声，两人几乎同时惊叫。

那东西刚好直直地掉下来，正敲在两人的头上，又掉在云絮里。

"谁这么大胆？"百里布当即就怒了，一手指天，一手还没忘记捂住乐飘飘的头顶，以抚摸止疼。

而乐飘飘却伸手在云朵中划拉了两下，从里面取出一个黑漆漆的东西来。

约一尺来长，巴掌宽，形状……像一把剪刀那样绞合着，两手一掰，便像翻盖手机似的打开了。

这东西应该不是凡物，因为如果是太空垃圾或者飞机排放物，甚至是龙卷风扔到这里的东西，都不可能落在云絮中而不掉下去。到底云彩只是聚集了雾气或者水蒸气之类的物质，若非法术，是绝不可能托住物体的。

"什么玩意儿？"百里布摆了半天怒神造型，却得不到天空的回答，便只好低头问乐飘飘。

"不知道。"乐飘飘摆弄着手中那个貌似普通偏又怪异无比的黑黑的东西，"上面好像有字呀。有点儿小，看不清楚，来点儿光。"

百里布食指一点，明亮的光点就飘浮在乐飘飘头顶上了。

乐飘飘看清了那几个古篆字，情不自禁地念出口，"般若波罗蜜……"

话音未落，只见金光一闪，有点儿像电脑启动时的闪光，很有数字感。

"不好！"乐飘飘瞬间猜到那东西是什么了。

月光宝盒！

她迅速地做出反应，然而，这天外飞来的宝贝却比她快。她只来得及拉紧百里布，只觉一阵天旋地转之后，再定睛细看，却发现两人来到一处景色优美的山谷中。

"这里是哪儿？"乐飘飘疑惑地说。

"这个不是问题。"百里布正色道，"问题是，这是什么法术？我们怎么到了这个地方？而法术又是谁施展的？"

他严肃的时候，就显出神一般的威严来，令乐飘飘还是花痴了一下。她扑过去亲了亲他，才说："那时候跟着流星雨一起掉下来，并且正好砸在我们头上的，就是传说中的月光宝盒。此物启动时，能令人穿越时空。"

百里布非常理解乐飘飘的话，并不需要特别说明。因为，现在穿越小说多如过江之鲫，他看乐飘飘读得津津有味，为了夫妻能有更多的共同语言，也特意恶补了一番。

"那这个盒子为什么出现？又为什么掉在我们头上，不会是巧合吧？"

乐飘飘摇头，因为巧合的几率太小了，"或者，是宝物择主？"

"再或者，冥冥中自有天意？"她又猜，但随即又意识到一个问题，"月光宝盒呢？"

她不知道现在他们是不是穿越了，也不知道他们穿越到了哪里。如果是平行瞬移在同一时空就算了，顶多想办法走回去。甚至，在同一时代错过十几年、几十年、几百年也可以。怕只怕，这个不负责任的盒子把他们扔到了别的时空。

百里布听乐飘飘这么一说，也意识到大事不妙。但两人在附近找了半天却一无所获，月光宝盒就像它突然降临时那样，又突然消失了。

"既来之，则安之。我想，这可能是我们必须面对的局。或许，有事情需要我们完成。"百里布想了想说，"命运有时候很神奇，不经意间就带你转到一直期待却不曾注意的地方。"

说到地方，乐飘飘只觉得他们的降落地很是眼熟。左看右看，她突然睁大眼睛，"画不成山谷！这里是画不成山谷！"

百里布把乐飘飘揽在怀里，沉默着，看样子早就认出来了。

"这么说，我们又回到昆仑了？"倚在百里布怀里，乐飘飘震惊之后也镇定下来，"只是不知这是在混战前还是混战后？"如果是混战后还好些，若是混战之前，她难道还要再经历一次？还有，如果她见到师父们，要怎么反应？她认识他们，可他们不认识她。而且，他们恢复神智了吗？是否还是那三个二货？

想到这儿，她有点儿忧郁，又莫名地有些兴奋。任谁站在时间的长河里，可以前后左右地趟着走，都会有些优越感。

"要出山谷看看吗？"她问。

百里布却摇头，"我以神识探过，山谷外雾气缭绕，只怕是时空结界，暂时出不去的。"

"那月光宝盒是什么意思？把我们困死在这儿？"

"但凡是正宗宝物都不会有恶意，特别是有灵性的，会顺应人的心念而发。"

"就是说，人心里有隐秘的心愿，于是宝物感应到了，在我还没有意识到的情况下，强迫性地帮助我？"

"可以……这么理解。"

"那月光宝盒还真是事儿妈啊！多管闲事、乱好心、热情过度。哎哟！"乐飘飘说着，突然叫了一声。

"怎么了？"百里布关切地询问，眼睛在乐飘飘身上打了个转儿。

二、我来自未来

乐飘飘捂着胸口，对着四周的空旷大叫道："什么意思啊！我不过随便说点儿实话，可能是一针见血了点儿，但真话本来就不好听啊，你干吗打我，还袭胸！"然后她委屈地望着百里布，"刚才我心尖上揪了一下，好难受。"

"现在呢？"

"好了。只一下。所以我才怀疑是那个月光宝盒害我。"

"这说明，我们极其接近真相了。"百里布环抱着乐飘飘，挥手布下一个结界，防止看不见的某宝物，虽无人形实体，却利用宝气袭击他的心肝宝贝。

"你的意思是说，我们的潜意识里有愿望，自己还没意识到，却被某些天道所感知，于是派了这八婆宝贝来帮助？"乐飘飘想到这种可能，"于是月光宝盒把我们扔到这里，也就是愿望的起始地？"她想起《大话西游》中孙悟空的转世至尊宝，经常梦到五百年前的山洞。

难道此时此地，是他们的……五百年前？！

"飘飘，仔细想想，你有什么愿望？"百里布幽幽开口，"实现了愿望，我们也许就能回去了。时空会重新回到原来有序的轨道上，佛家把这个叫因果循环，道家把这个叫天道轮回。"

乐飘飘想了想，突然有些伤感，好像面前出现了紫发金瞳的赤羽。她是百里其华的一滴情泪所化，承载了百里其华对赤羽的爱恋和欢喜、别离与难过。想到他们爱而不得，她就觉得心里空空的，像是失去了什么东西。

他们多么相爱，却不能在一起。每思及此，她就特别揪心。

"我一直有一个遗憾，巨大的遗憾。"她抓紧百里布的手，"赤羽和百里其华……"

"嗯？"百里布威胁性地出声。乐飘飘连忙改口，"公公和婆婆，都消失于天地之间了，就算海枯石烂他们的感情也不会变，但终究，他们不能相守。我常常会想，如果当初他们没有产生误会，现在会不会隐居在什么地方，过着只羡鸳鸯不羡仙的生活？哪怕没人知道他们是谁、他们在哪里，只要他们彼此互相知道就好。"

她说得伤感，百里布神情一黯，"我……也是这样想的。"

乐飘飘抬头望着他，心中柔软，又替他心疼。他们都有这个心思，可谁都不愿意说出来让对方难过。幸好，月光宝盒生事，倒让他们彼此袒露心迹了。

"难道我们穿越来此，就是为了完成这个愿望？"乐飘飘突然想起什么，惊讶地问："可我们要怎么做？"

如果知道确切的穿越时间就好了，如果月光宝盒再现身就好了，她可以拉着百里布穿越到赤羽亲手杀死百里其华之前。她甚至什么也不用解释，因为在赤羽挥出手的瞬间，他就知道自己中了琼楼下的毒，是被应声虫迷了心智！

太简单了！只要，只要她不让百里其华挨上赤羽那已经收回力量的一掌，不让她被龙神的法力尾巴扫到就行了。

可是，现在到底是什么时候？偏他们出不去，没办法打听。

正发愁着，百里布突然神色一凛，身子也略微一僵。别人或许感觉不到他的变化，但乐飘飘与他太亲密了，自然明白。

"怎么了？"她问。

"有人来了。"百里布皱眉，"一个骑马、一个……飞至。"说着，他迅速拉着乐飘飘躲进一片茂密的树丛。

眼下情况不明，飘飘的修为虽然恢复了些，也不过才到筑基期，不能应对未知的风险，所以目前一动不如一静，先看看局面再说。

二人刚藏好，就见左边飞驰而来一匹马，马背上伏着一个纤弱的女子。若换成旁人，因为马速飞快，肯定看不清那女子的面容，但百里布是上界龙神，乐飘飘好歹也有点儿修为，都看清来者竟然是百里其华！两人不禁睁大眼睛。

　　乐飘飘在龙神殿的宝镜中看到过百里其华与赤羽的一切，而百里布见过无数次生母的画像，自然一下就认出了。

　　但这件事也太突然了。任谁见到一个本应死去千年的、且与他们关系密切的女子，此时活生生地出现，年纪看起来比他们还小，都不可能还保持镇定。于是两人全呆住了，像被施了定身法一样不能动弹。

　　"赤羽！"乐飘飘听到百里其华低声唤着，声音和眼神里都充满着期待与热切。百里其华对赤羽的无悔爱意，显露无遗。

　　"不好！"乐飘飘一惊。百里布只是听过她复述，而她却是真真实实看到过那可怕的一幕：赤羽亲手杀了自己的心上人，随即瞬间幡然醒悟，从此深陷痛苦的深渊。

　　"快拦住他们！"乐飘飘只来得及叫了一声，却快不过迅速飞下来的黑影。

　　赤羽从天而降，一掌打向百里其华。此时，马背上的百里其华，正好露出终于见到情人的欣慰笑容。

　　赤羽忽然意识到什么，拼命收手，劲力反噬，却仍然无济于事。

　　一边的乐飘飘眼见悲剧再度上演，却根本无能为力，心中的悲凉和无奈简直无法用言语表达。而百里布沉浸在震惊中，因为他听到的故事，变成了眼前的真实。

　　"不是吧？！"乐飘飘恼火至极，"我们穿越来此，不会只是见证悲剧重演吧？"

　　"我们必须阻止！"百里布双眼发红，身体颤抖，"如果我们阻止成功，我爹娘就不会天人永隔，说不定会在另一个地方，一个不影响这个时空的地方，好好生活。"

　　"我也这么想。"乐飘飘看着不远处伤心欲绝以至于没发觉身边有旁人的赤羽，急道，"关键是，我们还得趟过时间之河，赶在你爹出手之前才行。"说着，她抬头望天，心想：月光宝盒，你快掉下来吧，砸死我也行！

　　万里无云，难得的好天气，连滴雨也掉不下来，更别说盒子了。

　　就在乐飘飘急得跺脚时，什么东西狠狠硌了她一下，低头一看，惊痛转为惊喜，原来月光宝盒不知何时已躺在她的脚边。

　　她连忙捡起，打开，一手拉紧百里布，"我念咒语时，跟我一起想着，加强念力，争取回到刚才我们穿越到的时间和地点。"

　　百里布脸色惨白地点了点头。

　　"般若波罗蜜！"乐飘飘叫道。声音之大，惊动了悲痛中的赤羽和弥留的百里其华，两人惊异地望过来，只见金光一闪，一对青年男女凭空消失。只是，为什么感觉那个年轻男人如此亲切呢？

而那对青年男女，眨眼间又回到了第一次穿越的时间和地点。呃，稍微差了那么一点……就是正看到赤羽挥手、百里其华倒下的时候。

"你是什么宝贝啊，你懂不懂时间先后呀？比我们第一次穿越的时间早没关系，怎么可能比那时候还晚，那还有什么搞头？"乐飘飘甩着月光宝盒，气急败坏地骂道。

"重来！"百里布咬着牙说。

他俩拉紧手，加强心念，然后，咻的一下，他们再次到了画不成山谷，但等啊等啊等啊等，好久不见有人来。

好嘛，这次是早了，却不知早了多久。如果是几年，几十几百年，那得怎么等下去啊？！

"重来！"百里布百折不挠。

于是，也不知重复了多少次，就像调钟表，手劲却控制不住，不是早就是晚，偏偏不能准时。

这一刻，乐飘飘深刻理解了至尊宝的苦恼。

不知过了多久，就在乐飘飘近乎绝望的时候，最美好的时刻来了。他们终于踩在那个时间的边缘，才站定，就听到不远处传来马蹄声。这正是悲剧发生前的瞬间，只要能阻止，历史就会改变，遗憾就不会存在！

"你对付公公，我来对付婆婆。"乐飘飘急忙分工。

百里布还来不及点头，头顶就有劲风袭来。他立即迎上前，正对上自己父亲的双眼。

赤羽咦了一声，而百里布也怔了片刻。

接着，两人同时出手，打在一处。赤羽只觉眼前的人有莫名的熟悉和亲近感，因此他下手时并没有用尽全力。而百里布的修为本就比赤羽差一些，何况此时心中充满了对父亲的孺慕之情，更占不到上风。

于是，两人一时间居然打成平手，可百里布也绝没机会开口说话了。

另一边，乐飘飘到底是有修为的，而百里其华只是普通人，所以马儿被拦住了，百里其华也被乐飘飘抱住了，两人一起滚落于旁边的草地。

"婆婆，我们是来救你的！"乐飘飘急忙说。

百里其华很诧异。

她才不到二十岁，被人叫成婆婆，应该很奇怪的。但更奇怪的是，她居然没有半点儿不妥的感觉。她是极聪明的人，比暴躁的赤羽不知冷静多少倍。她感觉到乐飘飘没有恶意，也感觉到不远处跟赤羽对打的年轻男人没有恶意，不知怎的，她就心里一松。

"你是谁？你们要干什么？"百里其华问。

乐飘飘怔住，因为她没办法精确地回答，这故事说起来太长了。干脆，她用最直白的话说："我来自未来。跟赤羽打的男人，是你将来的儿子，我的老公，他名字叫百里布。我们穿越时空来看你，是要给你们一个不同的结局。"

她以为百里其华不会相信，更不会懂得，没想到这位大秦公主却突然盘膝坐好，认真地说："详细，但又言简意赅地讲明白点儿。"

乐飘飘转过头看了看，见赤羽和百里布打得热闹，一时半刻结束不了，索性把一切都对百里其华说了。

百里其华静静地听着，看不出喜怒，只插嘴问了些现代的事。等乐飘飘说完，她突然笑了，"我相信你。"

"为什么？"乐飘飘瞠目结舌，"我是说……我很高兴你信任我，可是这不是正常的反应，作为一个古人，就算你再聪明……也不该……这么轻易接受吧。"

"我信任你，不是因为我聪明。"百里其华握住乐飘飘的手，"是因为我也来自那个地方。没错，不要惊讶，我也是穿越到这个世界的，爱上了一个男人，不过我没有你命好，结局不那么美。"

这下，轮到乐飘飘惊得能吞下一只煮鸡蛋了。

"那么……那么……"

"那么月光宝盒既然帮忙，我们当然要抓住机会。老天不帮忙，老娘我还有儿子呢。这叫自助者，不用天助力。"百里其华站起来，"来吧，儿媳妇，假装劫持我，不然赤羽不会停手的。"

跟明白人说话办事，就是轻松啊。

最初的震惊后，乐飘飘迅速理解并执行。而赤羽的反应也很快，见百里其华被劫持，虽然心神仍被蒙蔽、仍然痛恨，却极其舍不得，不由得心神一慌，向百里其华看来。

百里布借此时机，一刀劈过去。在乐飘飘和百里其华的惊叫声中，只有刀风伤到赤羽，令他从半空云中重重跌落在地，口喷鲜血。

随之而出现的，是那只应声虫。

至此，几个人才明白百里布为什么下狠手。

百里其华已经知道了一切，赤羽的神智也清醒了，于是这上下千万年的事情就很容易说开了。一家四口就这么在山谷中围坐在一起，虽然怪异，但却丝毫不妨碍感情的自然亲密，那是血缘的牵绊，还有来自同一时空的同乡之情。

可惜，四人正天南地北说得热乎，月光宝盒却躁动不安，频频闪光，就像超级电脑失灵似的。

"它在提醒我们，违逆历史的时间到了，我们要分手了。"赤羽慈爱地看着百里布和乐飘飘，"相处虽短暂，但你们改变了结局。走吧，既然今天有这样天大的机缘，将来也必定会重聚的。谢谢你们，让我和你们的娘能有机会再重来。"

百里布但笑不语。

乐飘飘心道：穿越时空、拯救父母的事，电影中多得很，只不过，让我亲历了一回，真的很有成就感呢。

"般若波罗蜜！"乐飘飘刚想拿起月光宝盒，百里其华却已抢先一步拿到手。

"这个盒子我先保管吧。"这个狡黠的女人笑道，"这等宝物不能落到现代凡尘中。再说，我和你们的爹安顿好了，还要用它去看你们呢。"

金光闪过，乐飘飘和百里布回到了山顶。

正好，流星雨结束了。

"我们回去双修吧。"百里布伸了个懒腰，"救父母什么的，还是挺累的。"

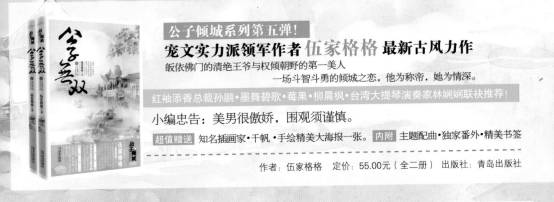
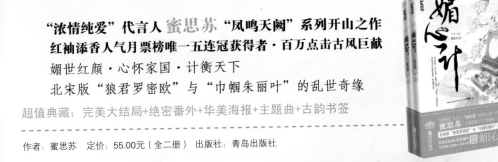
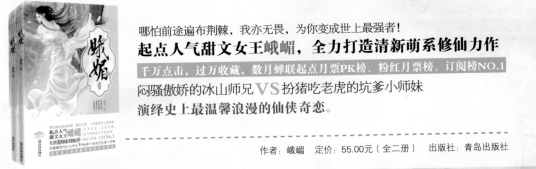
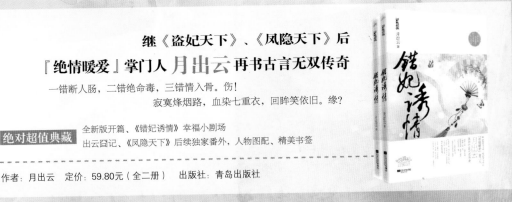

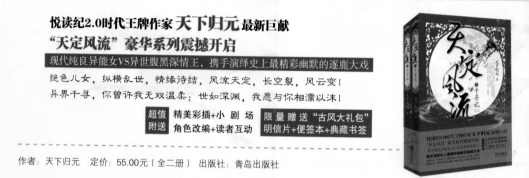
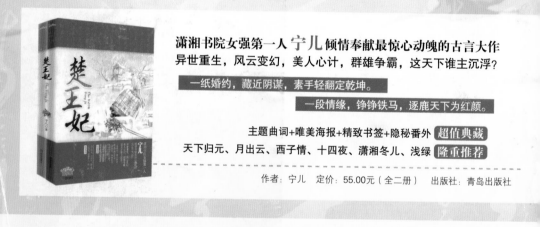
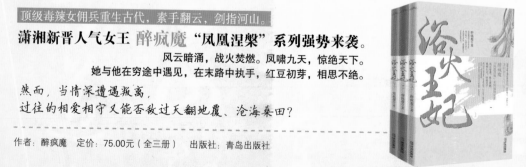